БЕСТСЕЛЛЕР НА ДВОИХ!

Такие знаменитые...

Такие любимые...

ВПЕРВЫЕ! Они напи...

первая среди лучших

ТАТЬЯНА УСТИНОВА

ЧИТАЙТЕ ДЕТЕКТИВНЫЕ РОМАНЫ:

ТАТЬЯНА УСТИНОВА

Всегда говори «Всегда»

ЭКСМО
Москва
2010

УДК 82-3
ББК 84(2Рос-Рус)6-4
    У 80

Оформление серии *Ф. Барбышева*

Иллюстрация на переплете *М. Селезнева*

        Устинова Т. В.
У 80   Всегда говори «всегда» : роман / Татьяна Устино-
        ва. — М. : Эксмо, 2010. — 352 с. — (Первая среди луч-
        ших).

        ISBN 978-5-699-40843-6

Она была уверена в себе, в жизни, в своем муже, который казался ей
лучшим из людей! Все изменилось в одночасье. Придуманный мир, такой милый и уютный, рухнул ей на голову, и она не успела спастись!
Впрочем, она и не пыталась, ибо доверяла и любила, и ей даже в голову
не приходило спасаться от тех, кого любит!

Ей предстоит выбраться из-под обломков и обнаружить, что цветущий сад, в котором она жила, превратился в груду дымящихся разва-
лин!.. Но в трудностях рождается характер! Она найдет в себе силы начать все сначала. Она обретет новые точки опоры. Она узнает истинную
цену словам и поступкам. Она станет сильной, а это совсем не легко!..

Может быть, ее новая жизнь и не будет похожа на цветущий сад,
зато уж точно это настоящая жизнь. И мужчина рядом окажется самым
настоящим, а не фальшивой картонной подделкой!

                                                УДК 82-3
                                                ББК 84(2Рос-Рус)6-4

Под утро ей опять приснился тот же самый сон.

Этот сон мучил ее, и, ложась спать, она заранее боялась и ждала его. Он повторялся, но в разных вариациях, и в них была некая иезуитская изощренность — в том, что вроде бы все то же самое, но всегда с какими-то новыми деталями.

Она боялась этих деталей и в то же время упивалась ими, как будто в них было предчувствие судьбы, и она страшилась и хотела заглянуть за занавес — вдруг там показывают то, что еще только когда-нибудь будет?..

И как пережить, если это будет на самом деле?

Сны были фотографические, четкие.

Впрочем, она и видела фотографии. Множество фотографий. Все они — яркие, радостные, чудесные. На них — счастливая семья, «семейная хроника».

Она сама, и дети, и Стас, и что-то такое веселое, пикник или, может, день рождения. Новогодняя елка с горой подарков под ней.

Стас в маске волка, смешной такой и совсем не страшный, милый, домашний, прирученный волк. И она в маске, только не знает в какой, посмотреться бы в зеркало, но его, как назло, нет! И она все ищет глазами зеркало, чтобы взглянуть, понять, кто же она, — и не находит.

А потом весна, зеленеющие деревья, речка под горой, дети в ярких куртках бегут по берегу. Бабка в платочке на крохотной железнодорожной станции, «весенняя» толпа пассажиров с корзинами и саженцами, обмотанными тряпками и пакетами.

Откуда взялась эта бабка? Может, она видела ее давным-давно, когда со Стасом на дачу ездили?..

Потом она смотрит детские рисунки, это уже дома или в большой светлой студии. Там почти нет мебели, зато много окон и широкого простора. Рисунки радостные, спокойные и совершенно разные — цветы, непонятные звери, кляксы. А вот на рисунках осень, желтые листья, синее небо.

Даже во сне она знает, что сейчас все закончится. Она знает и тянет и тянет время, боясь повернуться, потому что за спиной всегда оказывается одно и то же.

Огромное пустое помещение, и она в нем одна. Больше ничего и никого нет, только огромное пыльное зеркало на стене. Ее тянет к нему как магнитом, она не хочет идти, но все-таки идет, какая-то сила словно тащит ее. Она не хочет смотреть, но как преступник, которого тянет увидеть жертву, все-таки поднимает голову и вглядывается в мутное изображение.

И как только она начинает различать свое лицо, зеркало вдруг трескается, и осколки с грохотом сыплются на пол, ей под ноги!..

Всхлипнув, Ольга резко села в постели.

В голове как будто остались осколки стекла, было остро, колко и страшно, и слезы, которые она вытирала кулаками, тоже казались ей стеклянными.

Да нет. Самые обыкновенные слезы. Она постепенно приходила в себя, и дыхание успокаивалось. И проклятые осколки перестали колоть.

Утро, кажется, раннее. Будильник еще не звонил, точно. И, похоже, она разбудила Стаса. А ему бы надо поспать!..

Он заворочался рядом, и она тихонько пошептала ему на ушко, как маленькому:

— Чш-ш...

— Оль, ты чего?.. Утро, что ли?

— Ты спи пока.

Ей хотелось его поцеловать, такого сонного и такого родного, и она поцеловала, коснувшись губами, легко-легко.

— Сколько там?

— Только полвосьмого.

Стас зевнул и потянулся.

— И чего тебе не спится?..

— Да опять приснилась ерунда какая-то...

Ему не хотелось вникать в «ерунду», которая ей приснилась. Ему хотелось еще поспать, ну хоть десять минут — он вообще был соня, рано вставать не любил и не мог, и для него всегда важны были эти утренние десять минут.

И Ольга об этом знала. Недаром они прожили вместе столько лет.

Он еще повозился под одеялом и сказал с добродушным неудовольствием, уже почти проваливаясь в сладкое марево:

— Сама не спишь и мне не даешь...

Ольга потрясла головой, прогоняя остатки дурацкого сна, и озабоченно посмотрела на будильник.

Хочешь не хочешь, а надо вставать, валяться больше нельзя!

Сейчас навалится день, разгонится и покатится — день как день, ничего особенного, вчера был такой же, и завтра, бог даст, будет не хуже.

Маленькой в книжке про Ходжу Насреддина Ольга читала, что в размеренной, привычной и уютной жизни каждый день бесконечно долог, но, складываясь в годы, месяцы и недели, время мчится с непостижимой быстротой — оглянешься назад, и захватывает дух!.. Казалось бы, всего ничего, а целая вечность уже прошла.

Казалось бы — поженились только вчера, свадьбу сыграли!..

Вот именно «сыграли», а не «отпраздновали» и не «отметили»! Все было «по правилам», так, как надо, как «полагается».

Поначалу Ольга пыталась протестовать против аккордеона, тети Клавы и дяди Петра, а также против каравая на рушнике, дальних родственников из деревни, которых жених с невестой в глаза никогда не видали, против трех бутылей мутного самогона, которыми очень гордился будущий свекор, утверждая, что содержимое бутылей гораздо лучше магазинной водки.

— Да ты глянь, глянь, — говорил он Ольге и толкал ее в бок заговорщицки. — Чист, как слеза младенца! Никакой сивухи! Хоть генералов угощай!..

Будущий свекор всю жизнь прослужил водителем у разнообразных «больших начальников» и в генералах, по всей видимости, разбирался хорошо.

Ольге наплевать было на генералов, на свекра с его самогонным энтузиазмом, на свекровь, которая поджимала губы и говорила соседкам, что еще неизвестно, что выйдет из снохи. Странная какая-то, восторженная, рисованию училась, хотя чего ему учиться, рисованию этому, только деньги переводить!.. Самое главное, самое важное — у нее, Ольги, есть Стас и ее необыкновенная, огромная любовь к нему, какой, конечно же, ни у кого никогда не было и не будет!

Стас, высоченный, широкоплечий, сильный, хватал ее под коленки, сажал на плечо и носил — просто так, от радости жизни, от того, что она казалась ему маленькой и легкой, как пушинка!.. А она держалась за его шею, болтала ногами и замирала — от высоты, от счастья, от любви, от предчувствия еще бóльших, необыкновенных радостей.

Потом они целовались за смородиной на свекровиных «шести сотках», куда Ольга приезжала на «смотрины». Все соседи должны были оценить невесту. Стас считался завидным женихом — работящий, непьющий, предприимчивый, да и семья на ногах стоит крепко, деньжонки водятся, дачка достраивается, машина «Волга», ухоженная, чистенькая, не развалюха какая-нибудь, как у некоторых!..

Ольга изо всех сил старалась понравиться будущим родственникам — посмотрите, какая хорошая хозяйка, все у нее в руках горит, за что ни возьмется, все моментально сделает, и хорошо сделает, красиво!.. Она даже морковку полола как-то так, что грядочка после прополки как будто улыбалась благодарно, а всем на свете известно, что нет ничего хуже, чем полоть морковь, отмахиваясь от комаров и разгребая руками тоненькие веточки слабой зеленой ботвы!.. Веточки тут же начинают валиться во все стороны, и вид получается неряшливый, неопрятный, как будто волосы на голове выдрали клоками!..

Еще Ольга изо всех сил старалась понравиться друзьям и их женам — Стас женился одним из последних. Они приняли ее сразу, кроме, пожалуй, закадычного друга Митяя, с которым Стас когда-то служил в армии. Тот все чего-то фыркал, мотал лобастой башкой, косился и однажды даже сказал Стасу, что Ольга ему «не пара». Стас отмахнулся, а Ольга обиделась, но ненадолго. Она вообще не умела и не любила сердиться подолгу, всерьез. Умудренные опытом семейной жизни девицы, жены, говорили немного ревниво, что надо еще посмотреть, что будет через годок-другой. Поначалу-то все целуются, как бы потом драться не начали, всякое бывает. Жизнь штука такая, в ней не закажешь!..

Но Ольга точно знала, что драться они не будут, ни за что и никогда! Недаром в детстве ее учили рисованию. Картинки, нарисованные в голове, были так прекрасны, так заманчивы и так отчетливы, что она не сомневалась — все сбудется, и именно так, как она нарисовала!

Вот счастливый малыш сидит на загорелых папиных плечах, большие мужские руки уверенно держат пухлые детские ножки.

Вот утренник в школе или, может, в детском саду, и они оба любуются белочкой или зайчиком, скачущим в самом центре визжащего, веселого, счастливого детского круга.

Вот море до горизонта. Небо до моря. Песок до воды. В воде волны, синие-синие, и там, в синеве, как будто в счастливом сне, стремительно и неслышно идет под белым парусом яхта. На песке сидит босой мужчина, он улыбается, и солнце блестит на загорелой коже его плеча, и самое главное — это любимый мужчина, открытый, понятный и ясный, мужчина «навсегда», что бы ни случилось и как бы ни повернулась жизнь!..

Ольга Громова знала совершенно точно — если сильно чего-нибудь желать, это обязательно сбудется. Самое главное — желать... правильно.

Из того, о чем мечталось когда-то, сбылось почти все — дети, утренники, семейные пикники на природе, собственное дельце, небольшое, но свое, доход не бог весть какой, но на все хватает. На море, правда, пока так и не съездили, но, главное, Стас счастлив! Ему всю жизнь так хотелось заниматься машинами — вот он и занимается в своей автомастерской, где все как у людей, и гараж, и мойка, и мастера хорошие!.. К нему даже в очередь записываются, и вообще в их городке ее муж — человек не последний.

Когда она так подумала про Стаса — не последний, мол, человек! — ей стало вдруг ужасно смешно. Ну, надо же, до чего дело дошло, она думает, как какая-то клуша из кино про провинциальную жизнь!.. Лежит с утра пораньше под бочком у любимого супруга и размышляет — всерьез! — о том, что ее муж занимает «известное положение», и сама от этого в восторге.

— Ста-ас, — позвала она тихонько и засмеялась.

Ей очень хотелось, чтоб он проснулся. Она повернулась, подперла голову рукой и уставилась на него — вдруг он просто так возьмет да и проснется, но он, конечно же, не просыпался! Тогда она дунула ему в ухо. Он завозился, как разбуженный среди зимы медведь, но глаз не открыл.

Она знала, что он уже не спит, конечно. И все это была просто игра, и ей нравилось в нее играть.

Сделав вид, что совсем уже собирается вылезать из постели, Ольга неожиданно прыгнула на мужа. Какое-то время он крепился, а потом все же захохотал, и из-под одеяла высунулась рука и утянула ее туда, где было горячо и щекотно.

Некоторое время они целовались под одеялом, а потом Ольга вынырнула, просто чтобы подышать немного.

— Мама!

Они замерли, как школьники, застигнутые родителями на бабушкином ковровом диване.

— Е-мое...

Ольга быстро зажала ему рот рукой. Если лежать тихо и признаков жизни не подавать, может, еще и...

— Мама! Мам, вставай!

— Да что такое-то?! Чего она поднялась ни свет ни заря?!

Ольга вздохнула.

Ничего не выйдет, это уже ясно как день.

День, день...

День настал, ничего не поделаешь. Лучше бы еще хоть немножко он не наставал, честное слово!

— У Машки сегодня утренник. Вчера она никак не засыпала, а теперь вот видишь... готово дело!

— Вижу. — Вид у Стаса был сердитый, и Ольга, просто чтоб его утешить, прошептала ему в самое ушко:

— Ничего, мы вечером все успеем. Да?

Он пожал плечами и зевнул, широко, во всю пасть. У него были великолепные крупные, белые зубы, как у молодого хищного зверя.

— Ты на утренник-то приедешь, папочка?

Стас захлопнул рот так, что зубы клацнули.

— Там поглядим.

Дверь скрипнула, и Ольга нырнула под одеяло — где-то там осталась ее скомканная ночная рубашка. В дверном проеме показалась растрепанная Машкина голова, которая сказала громким шепотом, со смешным негодованием:

— Мама! Ну, мама же!

— Машка, сколько раз мы с папой говорили, что в спальню заходить нельзя! Сначала нужно постучать, потом подождать, когда мы ответим, и только потом...

— Да-а, потом!.. Пока я стучать буду, мы на праздник опоздаем, я же в первой паре, с Колькой, он медведь! А если я опоздаю, с медведем поставят Ленку Брыкину!

— Не поставят.

— Поставят.

— Маш, выйди сейчас же, — сказал Стас внушительно, и Машку как ветром сдуло. Отца они с Мишкой побаивались немного, но Ольга считала, что это даже хорошо — раз побаиваются, значит, уважают, а авторитет отца в воспитании детей первое дело, по крайней мере, так в книжках пишут.

— Маша, я иду! И не беспокойся ты, никуда мы не опоздаем!

Пока закипал чайник, Ольга взболтала омлет в большой керамической миске — внутри миски были нарисованы цветы и птицы, ей очень нравилось. Все-таки когда-то она рисовала, и Григорий Матвеевич, учитель, говорил, что она «подает надежды». Цветы и птицы были куплены на базаре у грустного пожилого узбека, который уверял, что такими узорами расписывают посуду берберские гончары. Ольге понравился узбек и то, что он говорил о берберах, и теперь омлет у нее получался какой-то особенный, может быть, отчасти «берберский», хотите верьте, хотите нет!..

— Мама!

— А!

Ольга, потянувшись, достала с полки банку с чаем. Стас вечно ставит ее так, что не дотянуться!

— Мам, где мой рюкзак?

— Миш, он там, где ты его вчера бросил!

Запахло чаем, вкусно, по-утреннему. Впрочем, сама Ольга утром больше всего любила кофе, который, кроме нее, никто не пил.

Ну, она на работе выпьет!..

— Ма-ам, — жалобно провыл откуда-то Мишка, — а я не помню, где его бросил...

— Я тем более не помню!

— Ну, мам...

Тут в привычную утреннюю семейную симфонию вступил Стас, который тоже вечно все бросал и никогда ничего не мог найти.

— Никто не видел мои ключи?

— Никто не видел мой рюкзак?

Ольга разлила чай по кружкам — у Машки кружка с Винни-Пухом, у Мишки с машинками, а у Стаса с грудастой и хвостатой русалкой, эту гадость ему когда-то Митяй подарил. Ольга никак не могла от русалки избавиться, хотя и ненавидела ее лютой ненавистью. Русалка на кружке призывно изгибалась, вид у нее был на редкость распутный. Ольга повернула кружку так, чтобы не видеть русалкину физиономию.

За табуретку, когда Ольга попыталась ее отодвинуть, что-то зацепилось, поволоклось, Ольга дернула табуретку, но безрезультатно, и пришлось лезть под стол.

— Мишка, иди сюда!

Ее прекрасный сын тут же явился — в пижамных штанах, которые были ему коротковаты, кроме того, изрядно помяты. Сверху он был облачен в отглаженный школьный пиджак и белоснежную рубашку.

Ольга, пятясь, вытащила из-под стола цветной детский рюкзак и нос к носу столкнулась с сыном:

— О господи... На кого ты похож?

Не отрывая глаз от рюкзака, как если бы это была потерянная и вновь обретенная драгоценность, Мишка умильно пробормотал:

— На папу...

— На папу!.. — Ольга сунула ему рюкзак. — Забирай и штаны не забудь переодеть! А если будешь все бросать где попало, я тебя укушу. Стас, ты нашел ключи?

Ее муж втиснулся в кухню, заняв сразу очень много места, плюхнулся за стол и шумно отхлебнул из кружки с гадкой русалкой. Телевизор бухтел невразумительно, и Стас, на ощупь нашарив пульт, прибавил громкость.

— ...восемнадцатые лунные сутки. Сегодня следует обратить особое внимание на нижние конечности, а также правое предплечье. Займитесь спокойной работой по дому и избегайте отправляться в путешествия...

— Слышь, в путешествие сегодня не едем!

— Стас, ты нашел ключи?

— Не-а!..

Ольга выложила на тарелку порцию золотистого

омлета, честно поделенного на четыре части — две побольше и две поменьше. Полюбовалась немного и пристроила рядышком со Стасовой еще одну, свою. Все равно поесть она не успеет. На работе перехватит чего-нибудь, когда кофе станет пить!..

— Ешь, пока не остыло. Будешь все бросать где попало, я тебя тоже укушу. — Примерившись, она легонько цапнула Стаса за ухо, и он отстранился.

В этом не было ничего такого, но все же он... отстранился.

Впрочем, ей некогда было думать об этом.

— Миша, Маша, завтракать быстрее, а то опоздаем!

Машка деловито влезла на свой стул и потянулась к кружке, заранее вытягивая губы дудочкой — ну, совершенно как папочка!.. Она была розовощекая, плотная, вся как гриб-боровичок, и все время улыбалась.

В данный момент она не улыбалась, а, напротив, была озабочена. Сосредоточенно подув на чай, Машка послюнила палец, влезла им в сахарницу, пошуровала там, облизала палец и объявила:

— Мамочка, нам никак нельзя опоздать, я в первой паре!.. А если мы опоздаем...

— Знаю, знаю. С медведем поставят Ленку Брыкину. Мишка, ну ты где?

Раздалось бульканье, а потом невнятное:

— Зубья чищу.

— Не зубья, а зубы! Зубы чистят после еды! Давай быстрее!

Как полководец окидывает последним взглядом свой лагерь перед тем, как помчаться с докладом в ставку, Ольга оглядела стол, сунула пустые тарелки в раковину, отняла у Машки сахарницу, подвинула

Стасу пепельницу, глотнула из Мишкиной кружки остывшего чаю и побежала одеваться.

Да! Еще ключи найти!

В спальне все было вверх дном. Стас, конечно, постель убрать не удосужился. Он не любил ежедневных и скучных домашних дел, и постепенно Ольга поняла, что проще все делать самой, чем воевать по поводу незастеленной кровати и пиджака, опять пристроенного на спинку стула вместо гардероба!

Иногда ее раздражало упорное нежелание мужа понять, что она «работающая женщина», как нынче принято говорить на заседаниях различных комитетов, призванных объяснить женщинам, как плохо они живут и как вскоре заживут хорошо — при помощи комитетов, конечно!

Но — и Ольга это прекрасно понимала! — от ее раздражения никогда и ничего не изменится. В раковине по-прежнему будет гора посуды, носки по-прежнему будут валяться на ковре возле кровати, а джинсы будут засунуты комом на полку с нижним бельем. Ничего не поделаешь.

Зато ее муж — не последний в городе человек, вот как!

Тут Ольга захохотала, кое-как расправила складки на покрывале, пристроила подушки так, чтоб было красиво, затолкала под кровать тапки, чтоб не лезли на глаза и не портили вид, но в то же время чтобы их было легко достать.

Ольге нравилась ее квартирка — не слишком большая, но уютная, хорошо продуманная, и ничего больше ей было не нужно. Она как будто немного гордилась собой, когда думала — пусть у других особняки, дачи, мансарды, мезонины, а у нас вот так, не слишком просторно, может, даже и тесновато, но зато это наше собственное, родное, устроенное именно так, как нам нравится!..

А у вас во дворцах как?.. Тоже уютно, как в наших сорока метрах?

Иногда ей попадались на глаза всякие модные журнальчики, где как раз писали про мезонины и мансарды, где предлагалось «оформить кухню в минималистском стиле», и фотография этой самой кухни — на полу черный блестящий мрамор, как возле мемориала павшим воинам, хромированные шесты, как в стриптиз-клубе, а на шестах вместо девушек пристроены какие-то плетеные металлические корзины. Еще непременно торшер с изогнутой, будто в судорогах, ногой, а также стеклянный стол на металлических подставках. На столе непременно бутылочка минеральной воды и диковинный треугольный стакан. И пустота, пустота вокруг, и непонятно, как можно поселить людей в такой интерьер — никак нельзя, ибо людям в нем нечего делать!

Что обычно делают на кухне? Готовят, едят, сидят, болтают, ждут пирога или мяса, запекающегося в духовке, пуская слюни и грезя об ужине! На минималистской кухне об ужине грезить не должно. Болтать или просто так сидеть — неуютно. Есть на ней нельзя — вдруг насыплешь крошек на сверкающий мемориальный пол или позабудешь надкушенную булку посреди зеркальной поверхности! Что тогда делать? Как быть? Красота разрушится необратимо и навсегда, а уж дети с их липкими пальцами и собаки с болтающимися в разные стороны хвостами вообще на такой кухне невозможны, хоть плачь!

Вот и выходит, что на собственной кухоньке, где

и тесновато, и темновато, и не слишком опрятно, особенно если Стас наставит везде свои чашки и пепельницы, лучше, чем на картинке из журнала!..

...Но где все-таки могут быть его ключи?

Зорко посматривая по сторонам и прикидывая, куда именно муж мог их засунуть, Ольга наскоро причесалась перед трюмо, с равнодушным одобрением осмотрела себя «в общем» — ничего, даже очень ничего! — кинула щетку на столик и обежала кровать.

Джинсы, конечно же, валялись на полу. Странно было бы, если бы они висели в гардеробе на вешалке!

Прислушиваясь к привычной утренней кухонной какофонии, как хороший механик прислушивается к работе мотора и по малейшему изменению тона понимает, что все может заглохнуть или, наоборот, пойти вразнос, Ольга быстренько обшарила мужнины джинсы.

— ...Самый благоприятный день сегодня у знаков огня. Стрельцы, вам повезет в бизнесе, и даже самые смелые начинания получат поддержку и понимание коллег и начальства...

— Машка, отстань! Пап, зачем она мне рожи строит?

— Папочка, а ты на утренник приедешь? Ну, пожалуйста, пожалуйста, папочка!..

— Пап, она теперь под столом толкается! Вот я тебя сейчас как толкану, мало не покажется!

— ...Тельцы ощутят необыкновенный прилив сил, но вам лучше не размениваться на мелочи, а сразу взяться за какое-нибудь большое дело, например, начать собственный бизнес...

— Пап, а что такое — разменываться на мелочи?

А, пап? Это когда денежки в кассе меняют, да? Да, пап?

Стас промычал что-то невнятное, и Ольга, выскочив в коридор и на ходу сворачивая джинсы, проговорила громко:

— Размениваться на мелочи — это значит попусту тратить время и силы, Мишка. То есть заниматься пустяками вместо того, чтобы сделать то, на что ты на самом деле способен!

— Это для коров, да, мамочка?

— Почему для коров?!

— Ну, говорят же — тельцы!

— О господи, Тельцы — это знак Зодиака!

— А что такое знак диака?

Стас неожиданно захохотал:

— Ну, вот ты и объяснила, мать! Главное, дети все поняли! Ты мне скажи лучше, с балансом-то чего там? Успеешь?

— Успею. Стас, ты вчера в чем на работу ходил?

Затрезвонил телефон, Стас появился на пороге кухни, на ходу допивая из «русалки» чай:

— А черт его знает.

— Поня-атно... Телефон звонит, ты что, не слышишь? Возьми трубку, пожалуйста, а то мы сейчас вправду опоздаем!

Непроверенными остались карманы куртки и пиджак. Ольга аккуратно пристроила джинсы в гардероб и помчалась в прихожую.

Мишка и Машка, предоставленные сами себе, набирали обороты, как тот самый двигатель.

— А ты молчи, потому что ты мелкая еще! А все мелкие должны старших слушать!

— А я не хочу тебя слушать! Я хочу маму слушать или папу!

— Папа на твой утренник все равно не приедет!

— А вот и приедет! А вот и приедет!

— Он мне сам сказал, что...

Ольга ворвалась на кухню за секунду до взрыва — профессиональный механик всегда умеет вовремя плеснуть воды в раскаленный механизм!

— Значит, так. Те, кто позавтракал, могут смело идти в машину! Это ясно?

Машка порывалась зареветь, уже даже мордашку скроила, и ей жалко было пропустить такую прекрасную возможность. Но Ольга ее опередила:

— Особенно те, которые в первой паре с медведем! И те, кто не хочет, чтобы в первую пару поставили Ленку Брыкину! Здесь есть такие?

Машка надула пухлые губы. В глазах у нее дрожали слезы, но мысль о медведе победила.

— Есть.

— Тогда быстро обуваться, одеваться — и на улицу! Папа сейчас договорит и тоже выйдет. — И Ольга вышла в прихожую.

Стас с трубкой ушел в комнату, оттуда доносилось его отдаленное бухтение:

— Да не, все хоккей. Хоккей, говорю... А че? Да мы давно все сдали, у меня жена бухгалтэр.

Ольга, заслышав это самое слово, «бухгалтэр», — ненавистное почти так же, как русалка на кружке, — дернула плечом. Столько лет она пыталась научить Стаса говорить правильно, но он до сих пор произносил с известным шиком — акадэмия, шинэль, да еще вот бухгалтэр!..

— А ты че?.. — доносилось из комнаты, а Ольга

21

все прислушивалась. — А он че?.. Серег, давно пора... Да я и сам... Не было. А к тебе приезжали? Когда? И че?

Во внутреннем кармане куртки что-то звякнуло — слава богу, вот и ключи! Дети выскочили из кухни, при этом Машка увесистой рысью неслась впереди, а Мишка за ней не поспевал, ему мешал рюкзак, волочащийся по полу.

— Тише, папа разговаривает!

Она вытащила куртку из шкафа, чтобы не пристраивать ее обратно на «плечики», все равно сейчас надевать. Из другого кармана, нагрудного, выпирало что-то существенное, квадратное, и Ольга полезла посмотреть, что еще ее рассеянный муж мог позабыть в куртке.

В глаза ей блеснула глянцем синенькая коробочка размером с ладонь. Красивая такая коробочка.

Ольга Громова отлично знала, что именно бывает в таких коробочках.

Внезапно ей стало жарко. Так жарко, что даже лоб загорелся. Ольга потрогала его рукой — горячий.

Дети возились на полу, пихались, пыхтели и лезли под шкаф — искали свои ботинки. Стас договаривал по телефону:

— Серег, я подумаю. Ну, все, давай.

Она не могла спросить при детях — ну, никак не могла. И не спросить тоже не могла.

— Ребята, быстро на улицу. Стас, я нашла твои ключи.

Он вышел из комнаты, нажал кнопку на трубке, пристроил ее в телефонное гнездо, взял у жены из рук куртку, напялил и стал обуваться. При этом он сопел — совершенно как Мишка. Ольга растерянно смотрела ему в затылок, заросший густыми русыми волосами.

Затылок как затылок.

Стас разогнулся и с чувством чмокнул ее в щеку.

— Где нашла-то?

— А вот... в куртке.

Стас потрепал ее по волосам:

— Тебе бы поисковой собакой работать, а не бухгалтэром.

Иногда он так шутил. Чувство юмора у него было такое.

Прогремели ключи, распахнулась дверь. Дети, как щенята, выкатились на площадку. Стас двинулся было следом, но Ольга решительно захлопнула дверь перед самым его носом.

Он изумился:

— Ты чего?! И так опаздываем!..

Ольга, как иллюзионист в цирке, достала из-за спины синенькую коробочку, блеснувшую ей в глаза.

— Стас, что это такое?

— Что?

— Вот это самое. Я искала твои ключи и нашла у тебя в кармане...

Она смотрела зорко — и ничего не высмотрела. Ее муж вынул у нее из пальцев коробочку, подкинул и поймал. Опять подкинул и опять поймал. Ольга, как завороженная, провожала ее глазами.

— А что такое за паника? Это я... это самое... тебе купил.

— Мне?!

Он вдруг рассердился:

— А чего, себе, что ли?! Я ногти не крашу! И губы тоже!..

Все это была какая-то чушь, и Ольга понимала, что чушь, но он так беззаботно подкидывал и ловил коробочку, а потом так искренне рассердился, что вся ее решимость мигом улетучилась.

— Стас, при чем тут... губы? Откуда у тебя в кармане помада и лак?

— Да я ж говорю, купил. Тебе, тебе, ну!.. Ты даешь, блин.

Лоб все пылал так жарко, что казалось — сейчас загорятся волосы.

— Ты никогда в жизни не покупал мне помаду...

Тут он рассердился всерьез, даже глаза потемнели. У него всегда глаза темнели, когда он сердился, Ольга отлично это знала.

— А теперь купил, блин!.. Видишь, по-французски написано — Декор. Декор небось, а не что попало, да еще какой-то Христиан...

— Диор, а не Декор, — машинально поправила Ольга.

— Да хрен с ними обоими! Откуда я-то знаю!.. Это ты у нас сильно образованная... А я в ваших бабских штучках ничего не понимаю.

— А зачем тогда купил?

— Ну, ты даешь — зачем! Подарок хотел сделать — зачем! Затем!

Она совсем не знала, что говорить.

Подарок?! Помада и лак в маленькой фирменной коробочке?! Ее муж ничего не понимал в косметике, даже духи никогда не покупал. Совал ей деньги и говорил что-то в том смысле — давай сама, тебе видней, откуда я знаю, что там тебе нравится!

И она считала, что это правда — раз он говорит,

что не понимает, значит, не понимает! Ей проще самой купить, чем ждать от него сюрпризов.

А тут вдруг нá тебе — подарок!

И что делать? Благодарить, что ли?..

Она и поблагодарила, очень неуверенно:

— Спасибо, Стас.

Но он уже набрал обороты, стрелка медленно, но верно заходила в красный сектор:

— Это же сюрприз был! А ты нашла... Ищейка прямо! И, главное, сразу с претензиями!..

— Стас, у тебя в кармане помада и лак. Что я могла подумать?

— Ничего ты не должна думать. Зачем ты у меня по карманам шаришь?

— Да никогда я по твоим карманам не шарю! Я ключи искала...

— Ну, нашла, и спасибо тебе большое. Что, я не могу жене подарок купить?

— Можешь, конечно, но...

Стас перебил:

— Полдня выбирал, сюрприз хотел, а ты — с претензиями... С утра пораньше!..

И Ольга *позволила ему* убедить себя, а *себе разрешила* поверить.

Вот просто разрешила. И все тут.

Нельзя было не поверить в историю о том, что щегольскую коробочку с лаком и помадой муж купил ей в подарок.

Потому что не поверить означало, что жизнь кончилась.

До коробочки была — прекрасная, уютная, веселая, а после коробочки никакой такой жизни уже быть не может никогда.

Никогда не говори «никогда», утверждал герой какого-то фильма. Легко ему жилось, тому герою!..

Теперь, после того, как она *поверила*, ей ничего не оставалось делать, только каяться.

Ольга обняла Стаса, и его родное, такое знакомое тепло принесло ей облегчение.

— Ну, прости, прости. У меня даже в глазах потемнело, когда я увидела. Спасибо тебе, Стас...

Он дал себя обнять и сам обнял ее за плечи:

— Ладно, чего там... В следующий раз получше спрячу. На. — Он сунул коробочку ей в руку, и она приняла. — Собачка ты моя поисковая... Давай, давай, хорош обниматься, опаздываем уже. Шевелись давай.

Почему-то ей очень хотелось плакать, но она сдержалась, конечно.

С коробочкой в руках — подарок мужа! — она понеслась в спальню, а Стас, изловчившись, вдруг шлепнул ее по попке.

...А может, все обошлось? Может, она на самом деле придумала какую-то глупость?! Говорят, конечно, что мужики сбиваются с пути, но не Стас же!..

У них такая любовь и такая семья, каких больше и на свете-то наверняка не существует!

Стас вышел из подъезда первым, посмотрел по сторонам и с удовольствием вдохнул холодный осенний воздух.

Он любил осень, холод, когда нет никакой летней маеты, жары, от которой весь размякаешь и начинаешь подтаивать, как конфета под названием «Сливочная помадка».

Летом — что? Летом никакой работы нету, никто

«жестянку» не делает, потому что не бьются почти, ни гололеда тебе, ни снега, ничего!

Денежек летом всегда от этого мало выходит, а тут, как назло, в отпуск нужно тащиться, да еще со всем колхозом! Правда, ему, Стасу, всегда как-то удавалось от отпуска отбояриться, и Ольга одна с детьми отправлялась, но все мечтала, что на следующий год они уж точно поедут «всей семьей» и точно за границу!

Вот далась ей эта самая заграница! Чем дома-то плохо?! Вон какой профилакторий Газпром отгрохал на речке Чистой — тут тебе и бассейн, и сауна, и бильярд, и бар с рестораном, да еще вежливая обслуга, барином себя чувствуешь! Отдыхай, не хочу! На родных-то просторах всегда поуютней себя чувствуешь, чем в гостях! Нет, вот тянет ее, подай море, да и все тут! А ему, Стасу, никаких морей задаром не нужно!

Дети играли в «классики» у подъезда, скакали друг за другом и вопили. У Мишки на спине прыгал рюкзак. Стас поморщился. Он не любил, когда дети производили много шума или требовали забот. Вон у Ольги получается как-то с ними ладить, а его, Стаса, — увольте!.. Умиляться он не умеет, да вроде бы и нечему особенно. Дети как дети.

Проволоклась бабка Люба с первого этажа со своей тележкой, небось на базар ее понесло с утра пораньше!

— Здорово, баб Люб!

— И тебе не хворать! — Баба Люба, расположенная поговорить, приостановилась и кивнула на Стасовых отпрысков. — Детки-то как растут, это боже ж мой что такое!

— Растут, баб Люб.

— Они растут, мы стареем, ох, бежит время, ох, бежит!..

— Бежит, баб Люб.

— А ты молодец, — сказала старуха и хитро ему подмигнула. — Гоголем каким! Вот везет же некоторым бабам, которым такие мужики достаются! И дети у тебя присмотренные, и всех-то ты возишь-развозишь, и машина у тебя самая красивая в городе!

— Это точно, баб Люб!..

Машину свою Стас обожал, и бабкин комплимент был ему приятен. А что тут такого? И правильно все! Вон вокруг одни «пятерки» да «семерки» облезлые, да не «БМВ», а самые что ни на есть натуральные «Жигули»! Редко-редко попадется «десятка», а уж у кого «пятнадцатая», тот, значит, полный буржуй! А у него, у Стаса, машинка хоть и не новая, и до «БМВ» не дотягивает, но все равно иностранная и вся чистенькая, ухоженная, полировкой вон как блестит на осеннем солнышке. На такой не зазорно в самый что ни на есть богатый газпромовский санаторий пожаловать, и все сразу увидят — барин приехал, не кто-нибудь!

Ольга выскочила из подъезда, и бабка сразу же двинула свою тележку, задерживаться дольше не пожелала.

Неодобрительно так двинула. Почему-то Ольгу в доме не очень любили. Считали слишком образованной и еще гордячкой, что ли!.. А Стас считал — нормальная баба его жена! Не без придури, конечно, но из нее эта самая придурь не прет, как у некоторых. Понимающая, веселая, за детьми смотрит хорошо, в мужнины дела не лезет, чего еще надо? В отпуск ехать? Ну, он-то, Стас, сам себе голова и хозяин, не то что некоторые мужики — подкаблучники! С отпуском он как-нибудь разберется!

Дети все продолжали скакать, и Стас на них прикрикнул:

— А ну, в машину, быстро!

Фары подмигнули, дверцы тихо щелкнули, открываясь, и Миша с Машей друг за другом полезли на заднее сиденье.

— Здравствуйте, Любовь Андреевна!

Стас посмотрел по сторонам, никакой Любови Андреевны не обнаружил и только потом сообразил, что это так его супруга бабу Любу поприветствовала!

Вот черт возьми! И правда — дай только образованность свою показать и культурность! Будет ею в нос тыкать к месту и не к месту. Может, и правильно, что ее в доме не любят!

Да еще в карман полезла и нашла там, чего не надо было находить!..

— Стас, почему-то соседка со мной не поздоровалась.

От раздражения он ответил резче, чем хотел:

— А тебе какое дело, поздоровалась она или не поздоровалась?

Ольга покосилась на него и пожала плечами.

Какое-то странное, дурацкое утро. Все наперекосяк. Это потому, что сон приснился такой нескладный, нагонявший тоску.

Стас любовно тронул свою машину с места, выбрался на дорогу и дал по газам. Он любил большие скорости и никогда не отказывал себе в удовольствии погонять, тем более что все до одного гаишники в городе знали его в лицо.

Водитель машины, приткнувшей чумазое рыльце за газетным киоском, внимательно наблюдал за ними.

Он видел, как выскочили дети, как вышел Стас, как бабка приостановилась, приткнула свою тележку, поправила платок и заговорила, заговорила!.. Но не Стас и не бабка интересовали его. Он дождался, пока выйдет Ольга, посмотрел, как она уселась на переднее сиденье, усмехнулся, когда Стас сделал на повороте лихой пируэт.

Он проводил тормозные огни взглядом и неспешно двинулся с места.

Первым пунктом в списке остановок числилась Мишкина школа. Как только Стас притормозил, Мишка тут же распахнул свою дверь и стал деловито выбираться.

Выбрался, нырнул обратно и стал тянуть рюкзак. Машка рюкзак не давала, таким образом произошла минутная потасовка, которую Ольга моментально остановила.

Она выскочила из машины, вытащила сына с заднего сиденья и сунула рюкзак ему в руки.

Мишка стал совать руки в лямки. Лямки путались, и руки никак в них не попадали, застревали. Ольга распутала лямки.

— Мишка, веди себя прилично. И не рассказывай папиных анекдотов...

Сын неловко попрыгал, пристраивая рюкзак. Рукав куртки задрался, и рука никак не просовывалась.

Стас подпевал приемнику и нетерпеливо посматривал в зеркало заднего вида.

— Почему не рассказывать, мам? Все смеются...

— Все смеются, одна я плачу!

Мишка наконец пристроил рюкзак на спину и уже приготовился бежать на школьный двор, где с визгом носились его собратья по несчастью, то есть по учебе, конечно. Он даже шаг сделал, но остановился.

Мать сказала что-то такое, что никак нельзя было оставить без внимания.

Ну да, конечно! Она сказала, что будет плакать!

— Мама, — Миша остановился и посмотрел на нее совершенно серьезно. — Ты лучше не плачь. Ты тоже смейся.

Ольга послушно засмеялась:

— Ну, конечно...

Стас сказал: хватит разводить антимонии, — он все время путал эти самые антимонии и антиномии, и они быстро попрощались.

Ольге всегда жалко было отпускать Мишку в школу, непонятно почему, жалко, и все тут, и она проводила глазами спину сына с прыгающим на ней рюкзаком.

— Оль, ну, поедем уже, а?!

Усаживаясь на переднее сиденье, Ольга заметила машину, вынырнувшую из-под светофора.

Машина как машина, ничего особенного, и тем не менее Ольга встревожилась.

Эту машину она знала, как свою собственную, и за несколько последних дней успела изучить ее до мелочей.

Она взглянула на Стаса, но тот продолжал подсвистывать приемнику и на Ольгины взгляды внимания не обратил.

Не буду говорить, решила она. Что тут особенного?! И так утром чуть не поссорились, а тут еще эта машина дурацкая! Шут с ней совсем!..

Но тем не менее в боковое зеркало все-таки взглянула.

Машина ехала за ними, не приближаясь и не отставая.

Ольга еще раз взглянула, а потом повернулась к Машке. Та как будто только этого и ждала, сразу придвинулась на сиденье так, что очень близко оказались блестящие глаза, тугая щечка, банты и волосы, расчесанные ровно-ровно.

Ольга, перегнувшись через спинку, поцеловала щечку и поправила бант, хотя с ним и так все было в полном порядке.

— Машкин, мы тебя сейчас завезем, а костюм я Вере Федоровне отдам.

— И уедешь, да, мам?

— Мне на работу надо. Но на утренник я успею.

Однако Машке нужны были гарантии.

— А вдруг не успеешь, мам? Тогда все пропало!

Ольга сказала успокаивающе:

— Конечно, успею. Вы еще пока порепетируете с Верой Федоровной... я и приеду. Обязательно.

Проклятая машина не давала ей покоя, и время от времени она поглядывала в заднее стекло.

Машина не отставала.

— А папа приедет?! Пап, ты приедешь?!

— И папа, конечно, постарается приехать.

Стас почти не слушал, о чем там они в сотый раз толкуют, и на утренник не собирался вовсе, но Машку он очень любил, кроме того, не хотелось, чтобы она приставала, потому и согласился сразу:

— Папа постарается.

Автомастерская — гордость и главное дело его жизни — помещалась в одноэтажном бараке на самой окраине городка.

За ними была только массивная бетонная плита с серыми буквами «Добро пожаловать», приветствовавшая таким образом гостей города. Сразу за плитой начинались деревни, а за ними леса и леса, на сотни километров вокруг.

Несколько лет назад Стас договорился с кем-то из городской администрации и арендовал пустовавший барак на какой-то бесконечный срок, лет на сто или двести, кажется. Барак, построенный в свое время немецкими военнопленными, оказался крепок, хоть и неказист с виду, а самое главное, в нем были свет и вода! Начиналось все с гаража на две машины, в который переоборудовали барак, а нынче дело расширилось — к гаражу пристроили еще пару боксов, добавились мойка, магазин запчастей и даже кафешка для дальнобойщиков. Может, для тех, кто привык выходные в Куршавеле проводить, а денежки все больше на миллиарды считать, это семечки и курам на смех, но Стас чувствовал себя настоящим бизнесменом, хозяином, начальником! И народу в подчинении у него было немало, человек пять, а иногда, когда заказов становилось много, доходило и до семи, шутка ли!..

И «офис» у них был — помещеньице, где Ольга возилась со своей бухгалтерией, и где выписывались справки, счета и всякое такое, и где посетители посолидней могли посидеть в ожидании, когда прокачают тормоза или переставят резину, попить кофейку, журнальчики полистать, все по правилам!

Едва только машина Стаса влетела на площадку и затормозила, Ольга выскочила и помчалась к беленькой дверце, ведущей как раз в «офис». Времени у нее было мало, а дел полно, но все же, взявшись за ручку, она оглянулась.

Ну, конечно, ненавистная машина никуда не делась!

Как раз в ту секунду, когда Ольга оглянулась, машина притормозила, словно нарочно, словно издеваясь, а потом вдруг взревела, наддала и пропала за углом.

Стас, никуда не торопясь, вылез из своей иномарки, оглянулся по-хозяйски, как командир оглядывая плац, — все ли в порядке, чисто ли выметен двор, достаточно ли блестит лозунг «Вооруженные силы — защита и опора Родины!».

— Станислав Анатольевич! — Издалека к нему поспешал небритый мужичонка в синей спецовке, заляпанной масляными пятнами кепке, заломленной на одно ухо, и клетчатой рубахе с закатанными рукавами — символ любого автосервиса, его альфа и омега, «народный умелец», вызывающий почему-то безусловное доверие всех водителей, приехавших ремонтировать свои драгоценные машины. Так хороший врач с вдумчивым взором, стетоскопом в нагрудном карманчике белоснежного халата и привычкой обращаться к пациенту «батенька мой» вызывает благоговейный трепет и надежду на моментальное излечение.

— Здорово, здорово, Михалыч.

— Не стучит коробка?

— Да нет, не стучит! Отгони ее в мойку, только пусть хорошо отполируют, а то в прошлый раз...

Дальше Ольга не слышала, дверца, ведущая в «офис», захлопнулась, отрезав ее от утренних звуков автомастерской, которые она, между прочим, очень любила!

В коридоре было полутемно, и в глубине его двигалось что-то темное, похожее на стог. Ольга знала, что это за стог, и совсем не испугалась. А вот темноты она не любила и поэтому, нашарив выключатель, надавила сразу на обе клавиши. Стас всегда сердился, говорил, что свет нынче недешев и электроэнергию надо экономить, а она все равно включала!

Желтые лампы вспыхнули весело, как будто утро наступило после глухой осенней ночи.

— Ох ты, боже мой, напугала!..

— Доброе утро, Марья Гавриловна!

Уборщица с трудом выпрямилась, взявшись за спину. Тряпка шлепнулась в ведро, выплеснув на пол немного грязной пены.

— Оленька!.. Все бы тебе меня пугать!..

— Нет бы вам шваброй мыть! Я же купила недавно швабру! Куда вы ее дели?

Уборщица пожевала губами.

— Чего там намоешь этой палкой твоей! Ни в углах, нигде! Самая-то пылища всегда в углах собирается, и песок! А так, если только середку мыть, это что тогда такое за уборка?

— У вас же спина болит, теть Маш.

— Совсем не отвалится.

Ольга всегда ее жалела.

Муж у тети Маши давно помер, сын, как водится, вырос непутевым, то появлялся, то пропадал, все кормил мать баснями, что завербовался на Север, на заработки, но никаких заработков было не видать, а возвращался он всегда оборванный, больной, и мать его лечила, кормила, одевала — все на свои скудные денежки. Как-то между своими невнятными отлучками он ухитрился жениться, разумеется, на такой же пропащей, и все бы ничего, да родился Вовчик, внучок. Непутевый с пропащей моментально развелись, и бывшая невестка все грозилась подать в суд «на взыскание» — никаких алиментов, ясное дело, никто никогда не платил, а сумма набежала немаленькая. Тетя Маша все уговаривала пропащую в суд не подавать — нынче с этими алиментами строго, закатают по полной программе, а денег все равно взять неоткуда, и подбрасывала Вовчику то на ботиночки, то на курточки, то на тетрадки. Для того чтоб подбрасывать, счастливой бабушке приходилось мыть полы не только в автосервисе Стаса Громова, но еще и в больнице да в школе.

Какая уж тут спина!..

— Теть Маш, я вам вчера мазь купила!.. — Ольга полезла в сумку, порылась, достала тюбик и стала тыкать им в красную, разбухшую от воды ладонь, больше похожую на тюленью ласту.

Марья Гавриловна с опаской приняла тюбик, как нечто невиданное, покрутила, кажется, даже понюхать хотела, но засмущалась.

— Это специальная такая мазь, для спины, — заторопилась Ольга. — К ней еще таблетки, но их нужно курсом пить. Сначала три дня мажете, а потом таблетки начинаете принимать. Я вам сейчас их не отдам, а то вы потеряете. Говорят, как рукой снимает.

Далеко отставив тюбик от глаз, уборщица шевелила губами — читала название. В это время ближайшая дверь распахнулась так резко, что стукнула Ольгу пониже спины.

— Ой!

— Оленька!

Парень в джинсах и рубахе с закатанными рукавами выскочил в коридор, притормозил возле них и закатил глаза.

— Я дико извиняюсь! Я тебя стукнул, да?

— Привет, Паш. Ты меня не стукнул.

Прыгучий Паша, не способный ни секунды постоять спокойно, переминался с ноги на ногу и все пытался заглянуть Ольге в глаза.

Он ее обожал, о чем Ольге было давно и хорошо известно.

На работе всегда так. На работе всегда есть обожатели и обожаемые, иначе все совместное дело застопорится, как двигатель без смазки.

В этом нет ничего опасного. Это просто... весело, вот и все. Ну, может, не всегда весело, но уж точно не имеет последствий и продолжения.

Ну, может, иногда имеет, но только не в ее, Ольгином, случае!

— Я сегодня... того-этого... кофе... купил. Буду в клуб вступать.

— Какой иш-шо клуб, Пашка! — влезла Марья Гавриловна. — Всю получку по клубам энтим промотаишь! Не ходи в клуб, Пашка!

Ольга с Пашей переглянулись, и он, пританцовывая возле дам, пояснил именно Ольге, а вовсе не тете Маше:

— Да в твой клуб, в кофейный! Ты ж кофе варишь!..

Ольга улыбнулась:

— Варю.

— Ну вот я и... купил, значит, чтобы ты, когда варишь... чтобы мы... меня тоже... при случае чтоб... пригласила!

— Павлик, да я ведь тебя и так всегда приглашаю!

Тут он смутился и на секунду перестал пританцовывать.

— Ну вот, я теперь купил это самое кофе.

Паша окончательно засмущался. И что он как дурак с этим кофе своим? Вон Ольга над ним смеется. Хотя нет. Ольга не смеется. Не над ним то есть. Она ни над кем никогда не смеется. Она... Улыбается она, вот что!

— Ты молодец, что кофе купил, — сказала Ольга. — Кофе лишним в хозяйстве не бывает. Ну, раз ты у нас теперь полноправный член клуба — тебе и карты в руки. Включай кофеварку!

— Я того... Щас включу, туда-обратно... И пить, значит, будем... Кофе то есть...

Ольга кивнула: само собой. Какое ж утро без кофе?

— А ты красивая сегодня, — выпалил Павлик, заливаясь до ушей краской. — Как всегда то есть!

И быстро ретировался. Кофеварку включать пошел.

Тетя Маша посмотрела ему вслед, покачала головой:

— Баламут. Одно слово — молодежь! Ох, и молодежь! Ветер в голове!

— Да что вы, теть Маш! — Ольга снова заулыбалась. — У нас молодежь замечательная. Такие мастера, как Павлик, — на вес золота.

Тетя Маша повертела в лапище тюбик с мазью. Тюбик в ее руке выглядел крошечным.

— Оль... Я не могу... Это ж дорого очень, наверно? Я не возьму, Оль!.. Я лучше по старинке... горчички приложу... сальцем смажу...

— Да вы полгода мажете, теть Маш, а ничего не проходит! Попробуйте, может, хоть от этого пройдет!

Тетя Маша еще раз взглянула на тюбик, вздохнула и прижала мазь к груди, точно это какая великая драгоценность, а не аптечная упаковка. Тете Маше было неловко. Сроду никто ей ничего не покупал — ни когдатошний муж, отчаливший в неизвестном направлении лет, пожалуй, что тридцать назад, ни сынок непутевый, ни уж тем более чужие люди. А тут хозяйка, на свои денежки.

— Спасибо тебе, Оль, благодетельница ты наша...

Ольга пожала плечами — вот еще, глупости! Какая она благодетельница?

— На здоровье, теть Маш.

И быстро пошла к своему кабинетику. Хватит разговоров, пора за работу.

* * *

Работа не ладилась. Ольга в третий раз пыталась свести дебет с кредитом. И никак они не сходились. Где она ошиблась? Вроде ведь несколько раз все проверила... А баланс нужно срочно сдать, кровь из носу. Стас ей специально утром напомнил: срочно! Спросил: успеешь? И она обещала. И должна, значит, успеть — ну не может она своего любимого мужа так ужасно подвести.

Ольга снова защелкала на калькуляторе, но в голове были не цифры, а яркая коробочка с золотым логотипом Кристиана Диора и машина с темными стеклами, которая вот уже несколько дней катается за ними как привязанная.

Хлопнула дверь. В крошечном закутке перед кабинетом, который Ольга гордо звала кухней (хотя какая там кухня, чайник да полка с посудой — вот и все), послышались торопливые шаги. Ольга, не отрываясь от ведомости, позвала:

— Тамара Павловна!

— Ой! — Секретарша нарисовалась в дверях — соломенные кудряшки, брови домиком, лиловая помада, ручки прижаты к объемистой груди, задрапированной шифоновыми рюшами. Выражение лица у Тамары Павловны было как у карманника, пойманного за руку. «И почему она вечно пугается?» — подумала Ольга.

Она недолюбливала Тамару Павловну, стыдилась этого и старалась вести себя с секретаршей подчеркнуто сердечно. Но то ли тонко чувствующая Тамара, несмотря на все Ольгины старания, таки чуяла фальшь, то ли Ольга была недостаточно искусной актрисой, а некоторая натяжечка в отношениях все равно присутствовала.

— Ну вот что тебе не нравится? Нормальная ведь женщина, и работник хороший, — ругала себя Ольга. А поделать ничего не могла. Ну не нравилась ей Тамара Павловна, вот не нравилась — и все тут. И рюшечки не нравились, и кудряшки, и лиловая помада, и манера улыбаться сиропно-пресиропно, широко растягивая жуткие лиловые губы. Улыбается — а глаза холодные. Позовешь — начинает ойкать, сделает брови домиком, ладошку к сердцу прижмет: «Олечка Михална, как же вы меня напугали!» Чего, спрашивается, пугаться?

— Тамара Павловна, ну вот что вы все время пугаетесь? — спросила Ольга.

Секретарша теснее прижала ладонь к груди и пошла пятнами.

— Я? А что?! Я — ничего!

Ольга только головой покачала. Ну вот как с ней разговаривать? Встала из-за стола, прошла в закуток, воткнула чайник в розетку. Тамара, когда Ольга мимо нее проходила, прижалась спиной к стене и даже, кажется, живот втянула, будто стараясь стать как можно меньше и незаметнее. При ее гренадерском росте и необъятном бюсте получалось это не очень, прямо сказать.

Ольга достала из шкафчика чистую чашку, насыпала в чайник заварки.

— Олечка Михална? — Тамара Павловна высунулась из-за угла. — А вы что-то хотели, да?

— Я думала, раз вы на кухне были...

— Я?! Была? А что? — Тамара еще больше округлила глаза.

— Так я хотела вас попросить чай заварить.

— Я сейчас заварю. — В лице Тамары читалось облегчение, будто она опасалась, что Ольга ее попросит не чай заваривать, а доставить шифровку через линию фронта.

— Я заварила уже, — Ольга кивнула на чайник.

Тамара снова схватилась за сердце.

Да что ж такое, в самом деле? Корвалолу ей купить, что ли?

Ольга налила чаю, вернулась за стол. Прихлебывая из чашки, она придвинула к себе ведомости и снова занялась расчетами. Надо только сосредоточиться, выкинуть из головы все лишнее, и тогда дебет непременно сойдется с кредитом.

— Олечка Михална...

Ольга подняла глаза от бумаг. Тамара все еще маялась в дверях.

— Да, Тамара Павловна?

— Я вот спросить хотела...

— Спрашивайте, конечно.

— Вы сегодня во сколько уходите?

Ольга взглянула на часы. Батюшки-светы! Времени-то! Через полчаса у Машки утренник начнется, а еще же пленку надо в фотоаппарат зарядить...

— Вот сейчас прямо и ухожу, Тамар Павловна!

Ольга быстро встала из-за стола. Баланс она доделает вечером, а сейчас надо пленку для фотоаппарата найти. Куда ж она задевалась, пленка-то? Неужели она дома ее забыла? Ольга наморщила лоб. Пленку она заранее купила. И положила в сервант... С утра она ее из серванта достала, это точно. А потом началась эта возня с поиском ключей, а затем она нашла у Стаса в кармане помаду и лак... Ольге снова сделалось неприятно, будто сквознячок прошел по щеке. Все же почему он ее купил, помаду эту? И лак еще. И такого цвета... Ольга сроду ногти не красила, а уж тем более в эдакий хищно-красный... Как же этот цвет называется? Она ведь знала, преподаватель по рисованию, милейший Григорий Матвеевич, рассказывал. Что-то про коршуна, про голубя... Ольга наморщила лоб, вспоминая. Голубиная кровь, вот как этот цвет называется. Очень точное название. Ольга представила себе, как будет выглядеть, когда накрасит губы и ногти дареным Диором. Очевидно, как женщина-кошка, только что выпотрошившая зазе-

вавшуюся пичужку. Б-рр... Даже подумать неприятно. А между тем все женские журналы, которые Тамара Павловна взахлеб читает, в один голос уверяют:
мужчинам нравятся хищницы. Неужели правду пишут? Может, действительно нравятся? И не только
каким-то там абстрактным непонятным мужчинам,
но и ее Стасу — тоже? Может, ему захотелось пере-
мен, новизны? Чтобы жена встречала его не в джинсах, а в алом атласном неглиже? В конце концов, они
ведь не первый год женаты. А мужчины не терпят од-
нообразия, во всех журналах пишут... И если жена не
может быть разной, они заводят разных женщин...

— Господи, да что тебе дались эти журналы! —
одернула себя Ольга.

У нее со Стасом настоящая, большая любовь! Может быть, тем, у кого такой любви нет, и нужна экзо-
тика и постоянная смена ощущений — всякие жен-
щины-кошки и тому подобное. Но не Стасу. Просто
он действительно ничего не понимает в косметике.
Спросил, наверное, у продавщицы: какой, мол, цвет
самый лучший, ну та и посоветовала. У продавщиц —
у них со вкусом известно как...

Да где же пленка-то?

Ольга вытряхнула на стол содержимое сумки и
вздохнула с облегчением: сверху лежали три коробочки с пленкой. Кое-как позасовывав все обратно в
сумку (Диора она мстительно затолкала на самое
дно), Ольга зарядила фотоаппарат.

— Тамара Павловна! Я ушла! У Машки утренник
сегодня, я обещала не опаздывать!

Тамара снова прижала лапки к груди. На сей раз в
лице у нее вместо испуга было умиление.

— Ой! Машенька! Прелесть девочка у вас, Олечка Михайловна! Не девочка, а ангел небесный, ей-богу!

Удивительная все же женщина у них секретарша. Вроде бы приятные вещи говорит, Машку прелестью называет, более того, ангелом, а слушать ее не хочется. Уж такой елей в голосе, что просто во рту липко делается. И почему-то возникает желание руки помыть.

Ольга перекинула сумку через плечо.

— Ангел, точно. Тьфу-тьфу, чтоб не сглазить. Все, Тамар, я убежала. А то, если опоздаю, этот ангел мне устроит Содом и Гоморру. Вы Стаса не видели?

Умиление у Тамары на лице мгновенно сменилось испугом.

— Ой! Так он в гаражах! А что?!

— Да хоть спросить, собирается он или нет.

— Ой! А куда?!

На сей раз в глазах у Тамары Павловны был неподдельный интерес. Она даже забыла прижать ладошки к груди.

— Так к Машке же, на утренник! — Ольга удивленно посмотрела на Тамару и покачала головой. Что за странная женщина! Куда еще Стасу собираться посреди рабочего дня? И заспешила по коридору, поглядывая на часы.

Тамара постояла у стеночки, прижимая лапки к груди, еще минуточку, дождалась, пока стихнут на лестнице Ольгины шаги, на всякий случай выглянула в коридор — точно ли хозяйка ушла?

Обернувшись, нет ли кого в коридоре — а то уборщица тетя Маша уж очень любит в самый неподходящий момент вывернуть из-за угла со своей тряпкой, а уши у тети Маши — о-го-го, — Тамара подошла к телефону и набрала хорошо знакомый номер.

Прикрыв трубку сложенной ковшиком ладошкой, Тамара заалокала в трубку:

— Алло? Это я! Ушла... Да, упорхнула. Теперь до вечера не жди, у девчонки у ихней праздник, побежала туда, ага.

У Тамары были самые веские основания опасаться, что, если кто-нибудь донесет хозяйке о том, чем она тут занимается, — жди беды. Хозяйка, конечно, тетеха тетехой, но в тихом омуте, как говорится, черти водятся.

* * *

Малиновая «девятка» въехала во двор автосервиса на полном ходу, обдав Ольгу потоками грязной воды из лужи. Брызги веером разлетелись из-под колес. В последний момент Ольга успела отскочить, но грязь все равно попала на подол юбки. Ольга судорожно принялась отряхивать подол. Надо скорее-скорее счистить грязь, а то хороша она будет на утреннике вся в пятнах, как леопард.

Да что ж за люди вокруг! Ну почему у нас облить человека грязью — в порядке вещей?

Пятна кое-как удалось затереть. Ольга посмотрела на свой носовой платок — грязный, скомканный — и бросила его в урну. Все равно не отстирается.

Из машины вразвалочку вышли двое бритых парней в черных кожанках. У одного в зубах была зажата сигарета. Затянувшись и выпустив колечко дыма, парень бросил «бычок» прямо на клумбу, красовавшуюся у въезда, придавил обутой в грубый ботинок ножищей, втаптывая в грязь последние осенние астры, которыми Ольга так гордилась.

От того, как этот парень топтал — походя, даже не взглянув — ее клумбу, которую она сама любовно обустраивала, чтобы было красиво, чтобы радовало глаз, — у Ольги на глаза навернулись слезы. Другая бы на ее месте, наверное, гаркнула на парней: что вы, мол, делаете! Но Ольга не умела ни гаркать, ни на место людей ставить, ни носом тыкать. Она умела легко и весело выполнять любую домашнюю работу, воспитывать детей, составлять квартальные отчеты, готовить завтраки, утирать простуженным домочадцам носы и ставить горчичники. Она умела в зачатке свести на нет любой конфликт в семье, помирить детей, угодить свекрови, которую искренне любила просто потому, что это — мама ее обожаемого, дивного, единственного в мире мужа. Но, столкнувшись с откровенным хамством, Ольга пасовала. Она впадала в ступор, и из глаз сами собой лились слезы — по-детски крупные и горькие.

Однажды, когда они со Стасом только-только поженились, Ольгу ни за что ни про что, просто по мерзости характера, обхамила продавщица в дачном сельпо. Они приехали к родителям Стаса на выходные, и Ольгу отправили за хлебом, пока Светлана Петровна готовила обед, а Стас с отцом прокачивали у машины тормоза. Вернулась Ольга без хлеба и вся зареванная. Свекровь, узнав, в чем дело, только головой покачала: и угораздило сына привести такую малахольную невестку. Обидели ее, видите ли! Подумаешь! Ничего ужасного продавщица ей не сказала, чтобы так рыдать. И вообще: не нравится тебе, как с тобой работник торговли разговаривает, — так ты не рыдай, а ответь ему, как полагается, чтобы он язык-то свой поганый прикусил и делом занимался! А то и жалобную книгу можно потребовать и начальству пожаловаться! А нюни распускать — последнее дело.

— Как она рожать-то будет, нежная такая? — пожимала плечами свекровь.

Но с этим Ольга вполне справилась.

...Ольга стояла во дворе автосервиса, глотая слезы. Один из парней — не тот, что топтал клумбу, другой — обернулся к ней:

— Эй! Хозяин где?

— В гараже. Что вы хотели?

— Что хотели — вас не касается, дамочка, — буркнул парень, смерив Ольгу взглядом, и длинно плюнул на асфальт сквозь зубы. — Хозяина позови!

Из глубины гаража появился Стас.

— Вот хозяин, — кивнула Ольга в сторону мужа.

У Стаса было странное, напряженное лицо.

— Стас? — Ольга подошла, дотронулась до его рукава. — Стас?..

— Оль, потом, ладно? — Он вывернулся из-под ее руки, шагнул навстречу кожаным парням.

— Стас, у Маши утренник... — Ольга семенила за мужем, а тот и не смотрел на нее.

— Ты иди, иди, Оль... — сказал Стас, даже не обернувшись.

Так сказал, будто прогнать ее хотел поскорее — иди, не мешай.

— Я пойду, да?

Ольга потянулась поцеловать Стаса, но тот дернул головой, и поцелуя никакого не вышло.

— Иди уже!

Ольга доверяла мужу целиком и полностью — раз

он хочет, чтобы она ушла, значит, на это есть причины. Она пойдет сейчас на утренник, а потом, вечером, они со Стасом обо всем поговорят.

Ольга быстро вышла за ворота.

Когда она ушла, кожаный парень снова вытащил сигарету, закурил, пустил дым Стасу в лицо.

— Ну что, надумал?

* * *

Пианино было расстроено, на плакате «До свиданья, осень золотая!» восклицательный знак заваливался на сторону, у Тани Скороходовой, изображавшей яблоко, сполз гольфик, но это все не имело никакого значения, потому что праздник все равно получился замечательный, отличный праздник получился. Нарядные, раскрасневшиеся, девочки и мальчики так важно вышагивали под полечку, так старательно и громко пели «Осень, осень золотая, время сбора урожая!», что Ольга все ладоши себе отбила, аплодируя. А когда Алеша Никитин из Машкиной группы прочел стихотворение, вскочила со стула и закричала: «Браво!» — с таким уморительно серьезным видом мальчик рассказывал про листья золотые, которые по двору кружат .

Машка плясала в паре со своим медведем, кружевной передник порхал в такт шагам, толстенькие косички смешно торчали из-под красной шапочки (потому что именно Красную Шапочку Машка и изображала). Ольга, пригибаясь, прошла между рядами низких стульчиков, чтобы пофотографировать дочку, снять со всех сторон. Машка плясала самозабвенно, сосредоточенно, шевелила губами — считала шаги.

Она и дома шаги считала, когда перед сном скакала по комнате с воображаемым Колькой, приговаривая: и — раз-два-три-четыре, и — раз-два-три-четыре! Она топала, хлопала, супила брови — а у Ольги сердце заходилось от нежности.

Когда танец закончился, Машка с видом театральной примы вышла на поклон, сорвала овации и, энергично работая пухлыми локотками, стала протискиваться через толпу медведей, уток, яблок и осенних листьев к Ольге.

— Ты видела меня?! Видела?! Да?!

Ольга схватила ее в охапку, расцеловала раскрасневшуюся после танцев мордаху.

— Мам! Ну ты чего? У меня шапка сваливается! Ну как? Как?!

— Лучше всех! Как медведь? Не отдавил тебе ноги своими лапами?

Машка посмотрела на Ольгу круглыми глазами:

— Мам! Ты чего? Это ж не всамделишный медведь, это ж Колька! Ты разве не узнала?

Ольга чмокнула дочку в нос.

— Просто он в костюме очень на настоящего медведя похож. Дай я тебе косичку поправлю...

Косичка растрепалась, бант сполз на самый кончик. Ольга открыла сумку. Где-то ведь у нее расческа была. Как обычно, то, что нужно, не найдешь, всегда оно на самом дне оказывается.

Ольга энергичнее зашуровала в сумке. Что-то стукнуло об пол. Ну конечно! Снова коробочка с помадой! Сине-золотой Диор...

— Мам, мне назад надо... Мы сейчас петь будем! — Машка рвалась из рук. — Потом причешешь!

Ольга наскоро затянула бант потуже, отпустила дочку, подняла с пола коробочку.

— Все красоту наводишь?

Сверху Ольге улыбалась молодая блондинка, мама Машкиной одногруппницы. Девочку ее зовут Надя, Ольга помнила. А маму? Кажется, Наташа... Или Аня?

— Муж подарил, — Ольга быстро спрятала коробочку в сумку.

— Диор, — протянула Наташа-Аня. — Я на площади в косметике видела. — Наташа-Аня вздохнула: — Хорошо, когда муж богатый да заботливый. Повезло тебе.

— А я вообще везучая, — кивнула Ольга. Сказала это легко, привычно, соглашаясь — да, везучая. Но где-то глубоко внутри противный тонкий голосочек спросил: «Правда? Сама-то ты в это веришь?»

Ольга встряхнула головой, чтобы голосочек отогнать. Ей захотелось сунуть эту треклятую помаду Наташе-Ане в руки и никогда, никогда больше о ней не вспоминать. Наташа-Аня обрадовалась бы, наверное. Конечно, никому Ольга помаду не отдала. Это же подарок, Стас же полгорода обегал, пока выбирал, он обидится, если Ольга так с его подарком поступит.

Потом они с Машкой переодевались и шли домой через парк, и Машка без умолку трещала, как Колька спутал слова в песне, а Ольга бурно выражала восторг по поводу праздника золотой осени. И противный голосочек умолк. По крайней мере, на время.

* * *

Будний день, а на рынке все равно людно. Снуют туда-сюда покупатели, торговки тащат тележки с яркими тыквами, толстенькими кабачками, огненными помидорами... Азербайджанец Гарик нахваливает во весь голос свой товар — виноград, дыни, персики. По-осеннему богатый рынок играет всеми красками, все здесь ярко, солнечно, радостно.

Ольга на рынок всегда как на праздник ходила. Стас только плечами пожимал — хорош праздник, репу да картошку выбирать. А ей нравилось. И репу выбирать — желтую, крутобокую, и картошку — с прозрачной красной кожурой, и глянцевито блестящие яблоки, и розовато-золотистый лук...

Ольга направилась к лотку с дынями — яркими, душистыми, от одного взгляда на эти дыни настроение поднималось. На ощупь дыни были шершавые и чуть-чуть теплые, будто их только-только сняли с бахчи. Она принялась выбирать дыню, приподнимая и похлопывая каждую по спинке, когда кто-то аккуратно, но крепко взял ее за локоть. Ольга ойкнула и выронила дыню обратно на прилавок.

— Оленька, бога ради, простите старика. Я вас напугал.

Ольга улыбнулась. И чего она перепугалась? Это всего лишь Григорий Матвеевич, ее старенький учитель рисования.

Григорий Матвеевич пришел к ним в школу вести уроки рисования, когда Ольга была в пятом классе. Прежняя учительница вышла замуж и уехала к мужу на родину. Куда-то то ли в Кировоградскую область, то ли в Краснодарский край. На следующем уроке вместо нее в класс вошел пожилой мужчина со встрепанной седой шевелюрой. Он был похож на взъерошенного задиристого воробья.

— Меня зовут Григорий Матвеевич, — сообщил он. — Я ваш новый учитель рисования.

Григорий Матвеевич в то время работал художником в местном Доме культуры и рисование в школе вел по совместительству. Он говорил с пятиклассниками как со взрослыми, на уроках рассказывал про то, чем импрессионизм отличается от авангардизма, читал вслух переписку Гогена с Ван Гогом, объяснял про композицию и перспективу. В классе зевали, а Ольга слушала, как завороженная. Рисование стало ее любимым предметом. Она мечтала получить в подарок на день рождения новые краски, после школы бежала в книжный и подолгу торчала там, листая альбомы репродукций (продавщицы привыкли, стали ее узнавать и не гоняли). Однажды, после того, как Григорий Матвеевич рассказал им про художника Федулова, который сильно бедствовал и не имел достаточно денег, чтобы купить хлеба и заплатить за квартиру, Ольга расплакалась прямо на уроке. Весь класс над ней смеялся, но она ничего не могла с собой поделать — уж очень жаль было художника.

Как-то к Восьмому марта классная руководительница велела им подготовить тематическую выставку. По замыслу классной, каждый ученик должен был нарисовать портрет мамы, а потом все эти портреты вывесят на стенде в вестибюле, и родители будут любоваться творчеством своих отпрысков.

Маму рисовали весь урок. Ольгина соседка по парте, Светка, старательно выводила золотые кудри на голове человечка-огуречка в юбке, от усердия высунув кончик языка. Ольга испортила листов десять, но маму нарисовать так и не смогла. Не выходило у нее похоже. Все казалось, что мама получается какая-то недостаточно красивая и недостаточно добрая... Самым удачным рисунком, по мнению Ольги, был тот, на котором вместо человека с руками-палочками и копной кудрей были чашка, букет цветов и книга. Светка, заглянув Ольге через плечо, выкатила глаза:

— Ты что, это сдавать собираешься?

Ольга кивнула. Светка вытаращилась еще больше:

— Ты чего?! Нельзя! Нам велели маму рисовать, специально к Восьмому марта! А у тебя тут ее нет! Только книжка какая-то! Тебе двойку влепят!

Ольга подумала, что Светка права и двойку действительно влепят, потому что мамы на картинке нет. Она совсем было уже собралась смять рисунок и сунуть в портфель, а потом выбросить где-нибудь в туалете. Но тут по рядам пошел Григорий Матвеевич собирать работы, и Ольга ничего не успела сделать. Учитель взял позорный рисунок со стола и сунул в общую пачку.

На следующий урок Ольга идти не хотела. Боялась, что учитель будет ее ругать. А еще больше боялась, что все снова станут над ней смеяться. У нее даже живот заболел, так было страшно. Она пожаловалась маме, но та сказала, что надо уметь преодолевать трудности, дала Ольге таблетку но-шпы и отправила в школу.

Урок прошел как обычно, хотя Ольга сидела словно на иголках. Григорий Матвеевич рассказывал о купце Третьякове, основавшем в Москве галерею, а потом они рисовали грушу на тарелке. Ольга было уже решила, что пронесло, но после звонка, когда все кинулись вон из класса, Григорий Матвеевич поманил ее пальцем:

— Оля! Задержись на минуточку!

Они остались вдвоем в пустом классе. Учитель вытащил из пачки Ольгин рисунок.

— Твой?

Ольга залилась краской и молча кивнула. Ей хотелось провалиться сквозь землю.

— У вас было задание нарисовать маму. Почему ты нарисовала именно это? Чашку, букет, книгу?

— У меня не получилось похоже... — тихо сказала Ольга.

Как объяснить, что при мысли о маме в голове сразу возникает образ: на столе — чашка кофе и цветы... Они пахнут, и от этого в доме как будто бы лето. И открытая книга на столе — перед сном мама будет читать Ольге про приключения мушкетеров. Она не могла всего этого сказать — просто чувствовала.

— Извините, — промямлила Ольга. — Я перерисую...

— Не за что извиняться! Ну-ка, погляди на меня!

Ольга подняла глаза и увидела, что Григорий Матвеевич улыбается.

— Слышишь? Ничего не нужно перерисовывать! Это самый лучший рисунок из всего класса. Знаешь, что я понял, когда смотрел на него? Что мама очень тебя любит, а ты ее. Тебе удалось это передать.

После этого Григорий Матвеевич стал к Ольге присматриваться и вскоре пригласил заниматься рисованием дополнительно, отдельно от всего класса. Он пришел к ним домой, поговорил с мамой, и после Нового года Ольга стала брать уроки рисования три раза в неделю. На день рождения мама подарила ей настоящий мольберт и коробку красок «Нева» в тюбиках, которых не было в магазинах, и бог знает через кого и как мама эти краски достала.

В старших классах все девчонки ходили на танцы, в дискотеку и кафешку на проспекте Ленина, а Ольга продолжала заниматься рисованием и ни за что не променяла бы эти уроки ни на какую дискотеку. Одноклассницы звали ее гулять, а она отнекивалась — не могу, мне на этюды надо. Девчонки из-за этих уроков в конце концов стали считать ее не то чтобы совсем дурочкой, но странноватой. Если бы Ольгу заставляли заниматься рисованием — тогда все понятно. Вон Алку заставляют на музыку ходить, а Илонку — на английский. Попробуй пропусти занятие — живо получишь от матери нагоняй, и не будет тебе ни дискотеки, ни новой кофточки, ни карманных денег. Но Ольга на свои уроки рисования ходила добровольно. Этого девчонки понять не могли.

...— Нисколько вы меня не напугали, Григорий Матвеевич, просто неделя суматошная выдалась, нервы шалят.

Неделя действительно выдалась суматошная — надо было сдавать баланс, готовиться с Мишкой к контрольной по математике, да еще Машка опять застудила горло и после утренника несколько дней сидела дома, больная и несчастная. Но вся эта суматоха к нервам не имела ровно никакого отношения. Вся эта суматоха была обычной, будничной, это была та самая Ольгина жизнь, которую она так любила. И балансы сводить любила, и примеры с Мишкой решать. Не любила Машкины ангины, конечно. Но ангину она умела лечить. И в нервозность по этому поводу не впадала.

Дело было в странном, почти неуловимом предощущении беды, с которым она жила последние несколько дней. Ольга убеждала себя, что все в порядке, но смутное беспокойство нет-нет да и высовывало змеиную головку и тихонько шипело — думаешшшь, ты такая везучая? Думаешшшь, с тобой не может приключиться беды?

Позавчера на сервис снова приезжали кожаные парни и о чем-то долго говорили со Стасом. Стас после этого весь вечер ходил хмурый, дома с Ольгой не разговаривал, поужинал и завалился на диван перед телевизором. А когда она спросила, кто это был, ответил, что никто это не был и вообще он устал. Сегодня уехал ни свет ни заря...

— От нервов, Олечка, первейшее средство — валериана, — сообщил Григорий Матвеевич. — Попробуйте, уверяю вас: все как рукой снимет!

— Непременно попробую.

Ольга улыбнулась, взяла Григория Матвеевича под руку:

— Как вы? Я что-то забегалась, все собираюсь позвонить, и все никак...

— Что мне, старику, сделается? Все у меня в порядке. Расскажите лучше про себя. Как супруг? Ребята?

— Они у меня молодцы.

— Ну-с, каков поп, таков и приход. То есть не поп, конечно, а вы, Оленька. Рисуете?

— Что вы, Григорий Матвеевич, когда мне! И на работу надо, и к свекрови... Вот фотографирую только.

Григорий Матвеевич нахмурился:

— Фотография — хорошее дело, но этого мало, Оленька, мало! У вас талант! А вы смеете отговариваться. Вы — лучшая из моих учениц!

— Когда это было... Сто лет прошло, а вы все

вспоминаете. У меня сейчас и таланта, наверное, никакого не осталось. Ничего из меня не вышло...

Григорий Матвеевич всплеснул руками:

— Что она говорит, боже мой, что она говорит! Сколько вам лет, девочка? Тридцать?

— Тридцать четыре.

— Ребенок! Младенец! И смеет говорить — не вышло! Мне скоро восемьдесят, и я все еще... надеюсь.

Григорий Матвеевич всегда был большим романтиком. Увлекшись живописью в ранней молодости, он окончил Строгановское училище, участвовал в выставке молодых художников, а потом в одночасье все бросил и переехал из Москвы в захолустный, ничем не примечательный городишко.

Ольге это было странно. Нет, она любила свой город, но Москва — это же Москва, это миллиард возможностей, музеи, галереи, выставки, Дом художников! Сама Ольга не думала, что когда-нибудь решилась бы уехать в такой огромный, суматошный, сложный город. Она была трусихой и домоседкой. Но Григорий Матвеевич — совсем другое дело. Да и Москва ему не чужая. Он там родился, вырос, училище окончил...

Как-то раз Ольга спросила: почему? Григорий Матвеевич выпустил колечко дыма в потолок, достал с полки альбом Сурикова, раскрыл, показал Ольге картину. На картине ничего особенного вроде бы не было — церковка, береза, грачи... Но во всем этом было столько красоты, что хотелось смотреть и смотреть.

— Вот поэтому, милочка, только и исключительно по этой причине. Возьмите хужожников-передвижников — Сурикова, Маковского, Репина... Каждый из них мог преспокойно сидеть в Москве, в студии, писать «Пир бога Одина в Валгалле» и в ус не дуть. Но ведь не сидели же! Понимали: настоящая красота — в простых вещах, в маленьких городках... Вам, Оленька, посчастливилось среди всей этой красоты родиться. Даже ехать никуда за тридевять земель не нужно. Так что вы уж не разбрасывайтесь своим счастьем! Смотрите по сторонам, любуйтесь, хлебайте всю эту красотищу большой ложкой и рисуйте! Как можно больше рисуйте! У вас, милая моя, талант. Непозволительно его зарывать!

Ольга посмотрела на учителя с нежностью. Постарел, похудел еще больше, но все еще похож на задиристого воробья. И по-прежнему считает ее девочкой.

Ольга улыбнулась:

— Моя Машка девочка, а не я, Григорий Матвеевич! Пусть теперь она рисует.

В глазах учителя загорелся живейший интерес:

— А она пробует?

— Не рисовать. Танцевать.

Григорий Матвеевич закивал: понятно, понятно...

Ольга глянула на часы. Батюшки-светы! Времени-то! Торопливо обняла учителя:

— Григорий Матвеевич, милый, мне бежать надо. Я вам позвоню, непременно!

Учитель заторопился, засуетился:

— Конечно, Оленька, конечно, совсем заболтал я вас, простите великодушно. Старики болтливы и недогадливы. Разумеется! Честь имею кланяться. Поклон супругу. Вы и правда позванивайте, а то я волнуюсь — одна вы у меня остались.

«А ведь и вы у меня один остались, — подумала

Ольга. — С тех пор, как мама умерла, роднее человека нет. Кроме Стаса и детей, конечно».

Ольга чмокнула учителя в морщинистую щеку и заспешила к выходу. А Григорий Матвеевич смотрел ей вслед и качал головой. Не рисует! Ну как это возможно?

* * *

От рынка до дома — пять минут ходу. Ольга вышла за ворота, миновала бабулек, продававших зелень, но не успела и десяти шагов пройти, как рядом резко затормозила машина с темными стеклами и заляпанными грязью номерами. Та самая, несколько дней маячившая в зеркале заднего вида — возле дома, около Мишкиной школы... Ольга отпрянула назад, замерла на краю тротуара.

Дверца открылась, и из машины выглянул Митяй, закадычный друг ее Стаса.

— Садись, подвезу!

Митяй на такую удачу даже и не рассчитывал. Он караулил Ольгу всю неделю, по городу за ней катался, но удобного случая застать ее одну так и не выпало. Митяй махнул было рукой на свою затею, и тут ему повезло. Он ехал на заправку, когда заметил выходящую с рынка Ольгу. Бывает же: только сейчас о ней думал, и пожалуйста!

В сущности, Митяй думал про Ольгу почти всегда. Во всяком случае — очень часто. Значительно чаще, чем полагается думать о жене своего лучшего друга. Не то чтобы он прямо вот так вот целыми днями напролет размышлял про Ольгу или распевал денно и нощно арию из «Евгения Онегина»: «Ольга, я люблю вас, Ольга». Ничего такого. Митяй и Онегина-то не слышал никогда, какие там арии. Но где-то на заднем плане сознания Ольга неизменно присутствовала. Часто он начинал думать о ней в самый неподходящий момент. Лежа с другой бабой в постели, например. Это никак не мешало. Наоборот, когда Митяй представлял себе вместо Даши или Маши Ольгу, все получалось на удивление с огоньком. Но как-то этого было недостаточно.

Впрочем, последнюю неделю он думал об Ольге не просто так, пережевывая свою обычную жвачку. Он думал о совершенно конкретной проблеме, которая в ее жизни наметилась. И тут — нате-здрасьте, Ольга, одна-одинешенька, как по заказу.

— Садись-садись! — повторил Митяй.

Глаза у него были черные, близко посаженные, острые. Когда Митяй смотрел на Ольгу, она чувствовала себя голой. Еще у Митяя была неприятная манера здороваться с ней за руку. Он сжимал Ольгину ладонь холодными, всегда чуть-чуть влажными пальцами и растягивал тонкие губы в усмешечке. Пожимаешь ему руку — и будто жабу трогаешь. Было в этих рукопожатиях, в этих его усмешечках что-то гадкое, скользкое. Долгое время Ольга ни о чем не догадывалась, а потом, в гостях у общих друзей, Митяй прижал ее в уголке. Ольге удалось вывернуться и свести все вроде бы к шутке. Но с тех пор она с мужниным лучшим другом видеться старалась как можно реже. Иногда Митяй заезжал в гости, и Ольга, накрыв на стол, быстро ретировалась, отговариваясь тем, что не хочет мешать «мальчикам» общаться. Стаса это вполне устраивало.

Стас как-то обмолвился, что лет пять назад у Митяя были проблемы. Вроде бы на него наехали местные бандиты. Но Митяй быстренько все разрулил, и те самые бандиты, что на него наезжали, теперь его прикрывают. Да и не бандиты они давно, а сплошь депутаты, чиновники мэрии, уважаемые граждане и родные отцы города. Ольга так и не поняла, что там Митяй разрулил и каким образом. Знала только, что партнера Митяя по бизнесу, с которым они на пару возили из Москвы товар, нашли потом мертвым в лесополосе.

— Спасибо, Митя, мне недалеко, я сама дойду.

Ольга быстро пошла по улице, высоко подняв голову, цокая каблуками — женщина-виденье, такая желанная, такая чужая...

Митяй тронулся с места и поехал вдоль тротуара параллельным курсом. Опустил стекло, посигналил:

— Оль! Садись, говорю!

Она покачала головой и прибавила шагу.

«Глупость какая, — думала Ольга. — Хорошо же это все выглядит со стороны!»

Выглядело действительно странновато. По тротуару идет женщина с сумкой, из сумки торчат перья лука и яблоки, а рядом с ней медленно едет грязный автомобиль с опущенным водительским стеклом. И за рулем, между прочим, — лучший друг ее мужа! Идиотство!

Митяй снова высунулся из окна:

— Ну чего?

— Ничего. — Ольга сердито тряхнула головой и перехватила сумку другой рукой.

— Так и будем передвигаться?

— Так и будем.

— Ну-ну, — ухмыльнулся Митяй, — давай. Повеселим народ. Мало ему веселья, так хоть мы развлечем.

Ольга остановилась.

— Митя! Я действительно прекрасно дойду до дома сама! Пожалуйста, не надо ставить меня в дурацкое положение.

Митяй усмехнулся, как будто спал и видел, чтобы Ольга оказалась в самом что ни на есть глупом положении.

— Садись. А то так и буду за тобой до дома ехать.

Ольга поняла: так и будет. Что ей оставалось? Она вздохнула и села в машину.

В машине пахло хвойным освежителем и сигаретным дымом. Ольга запах дыма не любила. Стаса она гнала на кухню, когда он пытался закурить в спальне, а летом уговаривала выходить с сигаретой на балкон. Даже купила туда плетеное ротанговое кресло. Правда, Ольге нравилось, как пахнет трубка Григория Матвеевича — чем-то сладким, вишней, что ли. Но у Митяя в машине запах был совсем другой, застоявшийся, горький.

Ольга покосилась на него, поерзала на сиденье, стараясь отодвинуться подальше, покрепче прижала к себе сумку с продуктами.

— Мить, ну что тебе от меня нужно, а?

— Ничего. Просто хочу тебя подвезти. Тебе домой или в контору?

Ольга ниже опустила голову:

— Домой. Мить, я тебя прошу...

— Ну? Проси, — Митяй ухмыльнулся.

Ольге не понравилось, как он усмехается.

— Митя! Вот честное слово, я Стасу пожалуюсь! Я ему все скажу!

— Да ла-адно. Че ты ему скажешь: он меня подвозил? Так, что ли?

— И у дома караулил, и на работу за нами ехал...

Митяй снова ухмыльнулся, дернул уголком рта.

— Оля, не говори глупостей. У нас в городе всего две дороги. Одна прямо, а другая направо. Так все друг за другом по ним и ездят!

Ольга снова опустила голову. Она не любила делать людям больно, не любила говорить неприятные вещи. Но больше ничего не остается.

— Мить, ты извини, — пробормотала она. — Но я тебя видеть не хочу.

Митяй посмотрел на нее долгим, цепким взглядом:

— А я тебя хочу.

Ольга плотнее прихватила блузку у ворота, вся сжалась.

— Митя, останови. Митя! Я тебя прошу, останови машину!

Митяй только бровью дернул.

Ольгу затрясло.

— Останови, говорю!

Она перегнулась и изо всей силы нажала на клаксон. Машина истерически заорала, на них стали оборачиваться редкие прохожие.

Митяй от нее такой прыти, похоже, не ожидал. Он притормозил, и Ольга стремительно выскочила из машины, прижимая к груди свою сумку, зашагала, не разбирая дороги, куда-то во дворы.

Сзади ее дернули за руку — резко, сильно, так хозяин дергает за ошейник собаку.

— Стой!

Ольга обернулась, вырвала руку. Глаза ее горели.

— Стас твой друг, вместе всю армию пропахали, ты у нас свидетелем был, а теперь... теперь ведешь себя, как... как... свинья.

Митяй отпустил ее, пожал плечами. Что-то у него такое было в лице, отчего Ольга не ушла. Привалилась спиной к дереву, выставила вперед сумку, будто щит. Так они и стояли посреди чужого, закиданного мусором двора.

— Знаешь, Оль, — Митяй пнул носком ботинка валяющуюся под ногами смятую банку из-под пива, — я-то еще не так чтоб полная свинья. Я только начинающая. Поросенок, можно сказать.

— Мить, я пойду, ладно?

Митяй ее будто бы не слышал. Посмотрел в лицо.

— А почему ты не спрашиваешь — кто тогда свинья?

— Потому что я вообще не желаю тебя слушать.

— Боишься? Бои-ишься. И прячешься потому, что боишься. Как африканская птица страус.

«А ведь он прав, — подумала Ольга. — Я боюсь. Сегодня весь день только этим и занимаюсь. Боюсь и старательно пытаюсь себя убедить, что бояться нечего».

— Сам ты африканская птица, — сказала она с досадой. — Митя, ты бы лучше Стасу помог.

— Стасу? А что такое?

— Не знаю. Какие-то... Какие-то ребята бритые приезжали... Во второй раз уже. Стас ничего не рассказывает, но я и так вижу: у него проблемы. А ты все ходы-выходы знаешь...

— Сам разберется, не маленький. Он у меня совета не просил.

— Ты же друг.

— Я-то? Я друг.

Ольга покрепче прижала к себе сумку, опустила глаза.

— Мить, ты не карауль меня больше, ладно? — попросила Ольга. — Стас увидит, беда будет...

Митяй посмотрел куда-то в сторону.

— Она и так будет, Оль.

— Кто? — не поняла Ольга.

— Беда. Ладно, пока.

Митяй повернулся и пошел обратно, через дворы к своей машине. Ольга смотрела ему в спину, и ей почему-то стало холодно, хотя одета она была тепло и по погоде. Снова кольнуло предчувствие беды. Когда-то в школе им рассказывали, что животные чувствуют приближение цунами и землетрясений. Собаки начинают выть, коты прячутся, канарейки в клетках словно сходят с ума и хлопают крыльями. Может, и она так же? Как те канарейки?

* * *

Длинный полутемный коридор был пуст. Только мигающие лампочки под потолком да двери по обеим сторонам. Холодно. Чуть-чуть, едва уловимо, пахнет плесенью. Где-то бренчит расстроенное пианино. До Ольги доносятся обрывки фраз:

— Талант, талант! Несомненный талант-с!

— Все красоту наводишь?

— Я что, не могу подарок купить?

— Не всамделишный медведь!

— Да не первый раз уже...

И вдруг — громко, как из репродуктора, над самой головой:

— Ольга Михайловна Громова! Прослушайте сообщение! Вас ожидает беда. Повторяю: Ольга Михайловна Громова!

Ольга не хотела этого слушать. Она быстро пошла дальше, распахнула первую попавшуюся дверь и оказалась где-то за городом. Неподалеку текла речка, цвели васильки... На берегу Ольга увидела бабку с замотанными в пакеты саженцами. Она уже видела ее, только вот не могла вспомнить, когда и где. Ольга пошла к бабке, чтобы спросить, как выйти к станции, издали махала ей рукой, обрадовалась — наконец кто-то подскажет, где дорога, наконец она сможет вернуться домой... Ей ведь надо торопиться, ее дома дети ждут! И Стас скоро с работы вернется. Она должна успеть накрасить губы...

— Здравствуйте! — закричала Ольга издали. — Извините, не подскажете, как к станции пройти?

Бабка глянула на Ольгу из-под платка, кивнула и поманила рукой за собой, в маленький летний домик, стоявший тут же, рядышком. Правда, Ольга не помнила, чтобы этот домик был здесь раньше.

Бабка стояла на пороге, улыбалась, махала рукой — давай, мол, скорей! И вроде бы даже пахло из домика молоком и баранками — вкусно, как в детстве. Бабка снова махнула и скрылась в дверном проеме. Ольга заспешила, перескакивая через ступеньки, взбежала на крыльцо, потянула на себя дверь...

За дверью было темно. Запах баранок сменился плесневым духом, вонью лежалых сырых тряпок. Ольга стояла в огромной темной комнате. Прямо напротив мутно, словно глаз под бельмом, поблескивало большое зеркало в тяжелой раме. Ольга подошла к зеркалу. Почему-то она знала, что вот сейчас стекло пойдет трещинами, осыплется на пол миллиардом осколков. И она так и не сможет увидеть свое отражение. Отчего-то это было очень важно — увидеть отражение...

Зеркало не растрескалось. Но вместо себя Ольга увидела в нем давешнюю бабку. Бабка так же приветливо улыбалась и возилась вроде бы с саженцами. Прислушалась, подняла глаза и тихо сказала: «Беда будет». И тогда Ольга рассмотрела наконец, что вовсе у бабки в руках не саженцы, а какие-то окровавленные ошметки... От ужаса Ольга закричала и проснулась.

Луна светила сквозь незадернутые шторы. Ольга сидела на диване в гостиной, согнувшись пополам, тяжело дышала, во рту — кислый привкус страха. И в доме — ощущение беды. Что-то случилось. Что-то случилось, это совершенно точно. С кем-то из ее близких, из самых любимых.

Ольга вскочила, споткнулась о валяющиеся рядом с диваном шлепанцы и со всех ног кинулась в детскую. Господи! Добрый боженька! А если их там нет?! Если вместо детей — кровавые ошметки по комнате?

Она распахнула дверь детской, почти уверенная, что Мишки и Машки нет на месте. И тут же обругала себя последними словами. Ну разве можно быть такой паникершей? Вот они. Спят в своих кроватях. Машка своего любимого плюшевого слона к животу прижимает... Ольга поцеловала детей, едва сдерживаясь, чтобы не стиснуть изо всех сил — нельзя, разбудишь. Перекрестила. Закрыла тихонько дверь. От сердца отлегло. Беда ушла.

Ушла? Нет. Она затаилась, отползла в уголок, спря́талась в тени.

Ольга пошла в ванную, поплескала в лицо холодной водой, прошлепала на кухню, налила себе чаю, глянула на часы — смешные ходики с котятами, купленные три года назад, дети от них были в восторге. Часы показывали половину одиннадцатого. Сколько же она проспала? Прилегла вроде на пять минут, просто вытянуть ноги, глаза закрыть. А оказывается, три часа прошло. Внутри кольнуло: ночь на дворе. Где же Стас? Почему его нет дома?

Разом в голове всплыли и непонятные бритые визитеры в черной коже, напугавшие ее, и то, что Стас в последнее время стал нервный, и помада эта в его кармане, будь она трижды неладна, почему-то не давала покоя... Ольга налила еще чашку чаю, легла грудью на подоконник, стала всматриваться в темноту двора: не едет ли машина Стаса?

Пусть он скорее приедет! Она тогда зароется носом ему в шею, и муж скажет, что она глупая и что все хорошо. Сегодня, как никогда, Ольга хотела быть глупой и чтобы все было хорошо.

Но машины не было, только одинокий фонарь тускло светил в окно.

Ольга одернула себя: нечего попусту волноваться. Займись лучше делом, и время пройдет быстрее. Она перемыла посуду, натерла морковку на салат, пришила оторванную пуговицу к Мишкиной рубашке, подмела пол в прихожей. Кошка на ходиках равнодушно махала хвостом, отсчитывала минуты и часы. А Стас все не приезжал и не приезжал.

В половине второго Ольга вытащила из тумбочки початую пачку Стасовых сигарет. Прикурила, затянулась, закашлялась, торопливо прикрыла рот рукой, боясь, что разбудит детей. Она курила второй раз в жизни. Первый был на школьном выпускном. Тогда ее мгновенно вырвало, а потом еще полвечера кружилась голова.

Ольга затушила сигарету. Она решительно не знала, что еще делать, поэтому снова уселась на подоконник и стала смотреть во двор. Кошка на часах все махала хвостом.

Стас приехал в третьем часу ночи.

Ольга выскочила в прихожую раньше, чем он успел отпереть дверь, прижалась, зарылась лицом в воротник:

— Ты почему так поздно?

Стас чмокнул ее в макушку, вывернулся, скинул куртку:

— Дела. А ты чего не спишь?

— Тебя жду. Есть будешь?

Есть Стас не стал. Прошел на кухню — Ольга семенила за ним, — достал из холодильника початую бутылку «Столичной», которую она держала для компрессов, молча опрокинул стопку.

— Стасенька... — Ольга села рядом, заглянула в лицо. — Что происходит? У тебя проблемы? Пожалуйста, не молчи!

Проблемы нарисовались на голом месте, и пребольшие. На Стасов автосервис положил глаз Колька Васин. Папаша его, Евгений Иванович Васин — не кто-нибудь, а губернатор местный. Колька — единственный губернаторский сынок. Держит по всей области заправки и авторемонтные мастерские, в их городе тоже две заправки к рукам прибрал и мастерскую в промзоне. Теперь ему Стасов сервис подавай. По сути, варианта у Стаса два на выбор: либо работать под Колькой, либо его закроют. Собственно, бритые ребята в кожанках затем и приезжали, чтобы это Стасу объяснить.

— А ты?

Ольга проводила глазами вторую стопку, которую муж опрокинул в рот, придвинула тарелку с колбасой.

— А на хрена он мне сдался?! Это мое дело, и больше ничье!

Стас стукнул ладонью по столу.

— И что мы будем делать?

— Ты ничего не будешь. — Стас закурил. — А я погляжу. С батей поговорю, в городе батю уважают.

Ольга очень сомневалась, что отец Стаса чем-то против губернаторского Кольки поможет. Он ведь не член Совета Федерации, а шофер на пенсии. Конечно, отец Стаса — не просто шофер, он всю жизнь начальство возил, в том числе и Колькиного отца, между прочим, когда тот о губернаторстве еще и не помышлял, а работал в дирекции местного комбината. Вообще у Стасова отца большие связи, он со многими нужными людьми знаком. Когда Стас затеял сервис открывать, отец помог ему аренду оформить. Но то аренда в промзоне, а здесь — целый губернатор. Никто из начальства, пусть они хоть сто раз Стасова отца знают и уважают, не полезет на рожон, чтобы водителю помочь. А уж о том, чтобы Васин-старший призвал сына к порядку только потому, что когда-то, двадцать лет назад, отец Стаса возил его на служебной «Волге», нечего и мечтать. Но ничего, кроме как попросить помощи у отца, Стасу в голову не приходило.

— Стася... а может, ты с Митяем поговоришь? — предложила Ольга. — Он ведь такой... ушлый. Помнишь, у него проблемы были?

— Так у него с бандюгами были... — Стас пожал плечами, налил еще водки. — Другое дело.

— Ну так я и говорю! — не унималась Ольга. — Теперь ведь все эти бандюги — депутаты и начальники городские! Поговорил бы, а?

— Ладно, — Стас кивнул, медленно встал из-за стола. — Может, и поговорю. Только главнее Колькиного папашки все равно никого нету, хоть тресни! Эх, знать бы раньше...

— Что?

— Ничего. Соломки бы подстелил. Ладно... Давай спать, что ли...

Митяй видел Ольгу в окне — тонкий силуэт, принцесса в башне, блин... Он запарковал машину за мусорными баками, сидел на капоте и пялился на ее окна.

Видел, как она выглядывала Стаса, видел, как тот приехал и силуэт из кухонного окна исчез, а потом снова появился, и тени заскакали по шторе, будто темные ночные бабочки с бархатными крыльями... Там, в квартире, она, наверное, разогревала ужин, кормила Стаса. Но со двора видны были только эти мечущиеся тени. Красиво... И тревожно.

Тревожно и есть. Вот была тихая мирная жизнь, лютики-цветочки, скатерть в кружевах. А теперь — пуффф, и нет ничего, только тени по окну... Надо бы поговорить, предупредить надо, а то ведь до беды недалеко. Беда — вот она, в двух шагах, вполшаге. А Ольга не знает. Думает, все хорошо.

Он, собственно, и приехал предупредить. Но пока под окном вздыхал и с духом собирался, приперся Стас. Что ж, значит, не судьба...

Митяй в последний раз глянул на ее окна. Будто почувствовав его взгляд, она отошла. Принцесса исчезла. Минуту спустя свет в окнах погас. Митяй скрипнул зубами — представил, как сейчас она скидывает с себя платье, ложится в постель — не с ним ложится, со Стасом.

Он залез в машину, со всей дури пнув подвернувшуюся под ноги пустую пивную банку. Банка задребезжала по асфальту. Где-то мяукнула кошка, и все стихло.

* * *

Ночью Ольга долго не могла уснуть, ворочалась с боку на бок, стараясь не очень шуметь и не разбудить Стаса. Он уснул почти сразу, а она все думала — о Кольке Васине, которого она никогда в жизни не видела, об учителе рисования Григории Матвеевиче, который сильно постарел в последнее время, а у нее вечно руки не доходят позвонить. О Стасе, о любви своей, о том, как ему сейчас сложно и как он нуждается в поддержке. Заснула Ольга совершенно уверенная, что ничего плохого с ними произойти не может. Потому что у них — любовь, а любовь — она любую беду отведет, в это Ольга верила свято. Напрасно верила, как оказалось.

Когда утром она вошла во двор автосервиса, там стоял серый «газик», а рядом — черная «Волга» со служебными номерами. Ольга быстро, почти бегом, поднялась к себе на второй этаж.

Дверь кабинетика была распахнута настежь, оттуда тянуло едким сигаретным дымом, и слышно было, как внутри Тамара тоскливым голосом бубнит:

— Да не знаю я, где она. Отчетность эта... Вот хозяева приедут — они скажут, а я что? Я секретарь... Секретарша...

— Ключи от сейфа у кого? — спросил строгий мужской голос.

Господи, кому это ключи от сейфа понадобились? Что происходит вообще?

Ольга вошла и замерла на пороге.

За ее столом расположился, положив ноги на тумбочку, плечистый мужик в сером костюме. Он ворошил бумаги на столе, курил и стряхивал пепел на пол. Другой — высокий, с залысинами, в дорогих дымчатых очках — сидел на подоконнике, со скучающим видом глядя на двор.

Тамара, бледная, как снятый творог, стояла у стеночки, прижимая к груди белую чашку с золотой каемкой по краю — эти чашки Ольга купила в прошлом месяце, чтобы пить кофе было приятно и красиво.

Увидев Ольгу, она крепче прижала чашку к груди и затараторила:

— Вот она, хозяйка то есть... Приехали... Все у нее... А я не знаю ничего... Я ничего не знаю...

— Ну вот и славненько, что хозяйка... — Плечистый потянулся, хрустнув суставами, откинулся на спинку кресла и выпустил в потолок колечко сизого дыма.

— Что тут происходит? — Ольга переводила взгляд с одного мужика на другого, ничего не понимая.

— Проверка, — ответил тот, что в очках, не отрываясь от созерцания двора.

— Какая проверка?

— Обыкновенная, — лениво протянул плечистый и снова выпустил дымное колечко. Колечко всплыло к потолку и стало медленно таять. — Вы, дамочка, не вскидывайтесь. Что в сейфе?

— В сейфе? — Ольга так растерялась, что совсем перестала соображать.

— Да, в сейфе, в сейфе! — Судя по всему, плечистый начал терять терпение. — Что?

Господи, да что ж она, в самом деле, столбом стоит? Она же прекрасно знает, что у нее в сейфе!

— Бумаги. Деньги. Ведомости на зарплату.

— Вы кто будете? Хозяйка?

Ольга энергично замотала головой:

— Муж хозяин. А я главный бухгалтер.

— Вот и хорошо, что бухгалтер, — кивнул очкастый. — Мне как раз ведомости нужны. Как вас звать?

— Громова... Ольга Михайловна... Муж в мэрию поехал, так что...

— Да мы без него пока, — плечистый снова откинулся в кресле. — Показывайте, показывайте ведомости...

Ольга пошарила в сумке, нашла ключи, открыла сейф и стала выкладывать на стол папки с документами.

Плечистый разделил папки поровну, половину отдал своему очкастому напарнику, половину пристроил на стол перед собой и начал просматривать. Он затушил в стоявшей на краю стола чашке окурок и потянул из пачки новую сигарету.

Ольга наконец сообразила сесть. Устроилась на стульчике в углу. Проверяющие не обращали на нее ровно никакого внимания. И что за проверяющие такие, откуда? Налоговая? Аудиторы? ФСБ? Хотя о чем она? Какое дело ФСБ до маленького автосервиса? Да что ж она сидит-то? Надо же, наверное, Стасу позвонить. Он приедет, спросит у них документы, разберется во всем... Ольга придвинула к себе телефон, набрала номер.

На аппарат легла здоровенная лапища с печаткой на безымянном пальце.

— А вот этого не надо, дамочка, — ухмыльнулся плечистый, дохнул в лицо дымом и чесноком. — Звонить мы никому не будем. — И рявкнул — негромко, но зло и неожиданно: — Сядьте! Не мешайте нам работать!

Потом выяснилось, что эта проверка — из налоговой — всего лишь первая в длинной череде проверок и проверяющих. После налоговиков пришли аудиторы, потом — пожарные, потом — санитарный инспектор. Проверяющие писали акты, и выходило по этим актам, что все нормы у них на сервисе нарушены, ничего не соблюдается и в общем и целом работать им нельзя. Ольга плакала и что-то говорила о законности и справедливости. Какая законность? Какая справедливость? Где она живет вообще, в каком мире? — злился Стас. Художница, одно слово. Стас был реалистом и отлично понимал, что происходит, только поделать ничего не мог. Кого волнует, что санитарные нормы даже в роддоме нарушают, а автосервис — это далеко не роддом? Есть нормы — есть работа, нет норм — нет работы. В другое время Стас бы решил эти вопросы. Сто раз решал. Сунул проверяющим конверт — и все дела. Но сейчас — не то что раньше. Сейчас на него очень серьезные люди имели очень серьезный зуб. И сунуть конверт проверяющему означало почти наверняка пойти под суд за попытку дать взятку должностному лицу при исполнении. Все было просто: его хотели закрыть и его закрыли. Никакие нормы не имеют к этому отношения. Нормы — для того, чтобы их нарушать. Пока ты никому не мешаешь — на это не обращают внимания. Зато когда кто-нибудь из власть имущих решит оттяпать твой бизнес, дело жизни твоей, — тут же все нарушения всплывут, тут же тебе все припомнят.

Все было плохо — и дома, и на работе. Свознячок, который Ольга почувствовала в тот день, когда они везли Машку на утренник, а в зеркале заднего вида маячила машина Митяя, превратился в штормовой ветер. Он рвал крышу, бил стекла и грозился разрушить все, чем Ольга жила, все, что она любила. Стас возвращался по вечерам с серым, безжизненным лицом, выпивал стопку водки и молча ложился спать, отвернувшись к стенке. На Ольгины вопросы он не отвечал.

Дети чувствовали неладное, капризничали, ссорились между собой, чего у них сроду не водилось. Машка то и дело порывалась плакать безо всякой причины, и один раз Стас, который в жизни не то что руку на детей не поднял — голос не повысил, накричал на нее и запер в детской.

Ольга пыталась, как могла, утешать детей, готовила Стасу ужин, улыбалась, запретила себе плакать при нем. Но что толку? Пришла беда, и она ничего не могла поделать. Она все надеялась, что как-нибудь само все уладится, как-нибудь утрясется. Она не верила, что их жизнь вот так вот за здорово живешь можно раскатать по асфальту только потому, что Стас хорошо работает и какому-то там Кольке Васину приглянулся его сервис. Ведь не может все это быть на самом деле! А потом во дворе ее встретили Чапа с дружком, и Ольга поняла, наконец: все это может быть, оно происходит на самом деле, и ничего уже не утрясется.

* * *

Чапа с дружком ждали Ольгу около детского сада. Ольга целый день просидела в налоговой и теперь переживала, что всех детей разобрали и Машка там кукует одна. В ларьке возле налоговой Ольга купила шоколадку и альбом с наклейками про принцесс (Машка давно намекала, что вон у Ленки такой альбом есть, но Ольга держалась — очень уж принцессы были уродливые). Она надеялась, что шоколадка и принцессы Машку обрадуют и она не станет расстраиваться, что ее забрали последней.

Ольга подходила к воротам, когда из припаркованной прямо на тротуаре машины вышли двое в черных кожанках поверх спортивных костюмов и вразвалочку пошли к ней. Ольга их уже видела, этих бритых парней. Тот, что повыше, в день, когда впервые повеяло бедой, курил во дворе сервиса, а потом затоптал окурок на клумбе.

Собственно, Ольга сразу поняла, что гориллы ждут именно ее, но все равно попыталась обойти их, не заметить — глаза в землю, ничего не вижу, ничего не слышу, я не я, и лошадь не моя, как говорила мама.

Низенький взял ее под локоток:

— Ольга Михайловна? Поговорить бы.

— О чем? — Голос противно зазвенел.

— Об общих делах.

Главное — не паниковать. Сохранять спокойствие. Сейчас день, мы на улице, они ничего не посмеют мне сделать.

— У нас нет общих дел. Я вас в первый раз вижу!

Низенький ухмыльнулся:

— Не разочаровывайте нас, Ольга Михайловна. Вы ведь женщина умная, во всех отношениях, вразумите мужа. Ну, нехорошо, в самом деле! Ему уважаемые люди хорошее предложение сделали, а он себя ведет... неправильно. Неразумно. Да, Чапа?

Чапа лузгал семечки, привалившись к стволу дерева и уставившись на Ольгу странно прозрачными, голубыми глазами. Услышав, что к нему обращаются, Чапа медленно мотнул бритой башкой со скошенным лбом, что, по всей видимости, означало его полное согласие с напарником. На нижней губе Чапы налипла подсолнечная шелуха. Он провел языком по губам, сплюнул на тротуар.

Ольга отвернулась. Ее затрясло.

— Я не знаю, о чем вы...

— Бросьте, Ольга Михайловна! — низенький говорил с улыбочкой, тихо, почти ласково, как добрый папаша с непонятливым сынком. Сверкнули на солнце золотые фиксы на передних зубах. — И мы все знаем, и вы все знаете! Не ломайтесь. Вы, может, не понимаете, что, если ваш муж не согласится, плохо будет ему! Ну, и вам заодно с ним. А у вас семья, дети... У вас же дети! Правильно?

Что? Что он сказал? Ольга почувствовала, как руки стали липкими.

— Дети?

— Ну да! — весело кивнул низенький. — Чудесные малютки. Вы их очень любите, я знаю. Мы тоже очень любим детей. А, Чапа? Ты любишь детей?

Чапа снова сплюнул шелуху.

— Обожаю.

— Ты не хочешь, чтобы твои дети остались сиротами, а, Чапа? — Низенький продолжал улыбаться, но глаза его были жесткими, холодными.

— Не-а. Не хочу, — лениво протянул Чапа.

— А чтобы они отвечали за твои ошибки? Хочешь, Чапа?

— Я ошибок не допускаю, — сообщил Чапа и подмигнул Ольге.

— Молодец, Чапа! — Низенький кивнул в сторону напарника, как бы призывая Ольгу в свидетели, что тот большой молодец. — Вот видите, Ольга Михайловна, он никаких ошибок не допускает, зато с *его* детьми все в порядке. Если вы уговорите мужа, с вашими тоже все будет в порядке!

К горлу подкатила тошнота, живот скрутило. Ольга прикрыла глаза, и в голове тут же нарисовалась до жути реальная и выпуклая картинка: Чапа, все с тем же скучающим видом, держит за ворот Машку, смотрит на нее своими прозрачными глазами, сплевывает шелуху, достает нож... Она задышала, как рыба на берегу:

— Вы... Вы не посмеете...

Низенький наклонился к ней, обнял за плечи и зашептал прямо в ухо:

— Мальчик у вас, Ольга Михайловна, такой славный. Такой замечательный, домашний мальчик Миша. И девочка, конечно, тоже! Поберегите их, Ольга Михайловна! А теперь бегите, бегите, небось заждалась Машенька-то!

Он наконец выпустил Ольгу, и она, торопясь и спотыкаясь, кинулась в ворота, не оглядываясь.

Детей в тот же вечер забрал свекор. Без них в доме стало совсем пусто, как будто всю жизнь из их прежде уютного теплого и веселого дома вынули, одна видимость осталась. Вещи были на своих местах, и разноцветные чашки по-прежнему стояли в кухне на полке, и покрывало с маками на кровати, и веселые голубые шторы на окнах. Но все краски разом как бы поблекли, и с порога чувствовалось — в доме неладно.

* * *

Ольга разговаривала со свекровью, когда щелкнул замок входной двери. Свекровь отчитывалась за день: Машенька хорошо покушала, в садике ей наказали выучить стихотворение, и они с дедом учили целый вечер, Миша пошел на двор погулять, все нормально, из окна его видно, нет, горло не болит... Трубку детям дать? А зачем? Машенька сейчас в постели уже, а Мишку, что ли, со двора звать?

— Светлана Петровна, по математике у Мишки как? У него там проблемы были. — Ольга высунулась из кухни в прихожую, тихо охнула и прикрыла рот ладошкой. — Извините, я вам перезвоню... Да-да, Стас пришел. Я перезвоню!

Она швырнула трубку и кинулась к мужу.

Стас сгорбившись сидел на пуфике, стягивал ботинок, скривившись, а лицо и куртка — все было в крови. Глаз заплыл, подбородок, нос — сплошное месиво...

Главное — не плакать. Стас ненавидит, когда она пугается и плачет. Плакать сейчас нельзя.

— С-суки... — процедил муж и скинул наконец ботинок.

Что ж она стоит-то? Ольга бросилась к нему через тесную прихожую, обняла. Стас тут же сморщился от боли, цыкнул языком, зашипел, как кот.

— Тихо...

— Больно, Стасенька?

— Ничего, нормально... С-суки... Слава богу, зубы целы, кажется.

Скинул куртку ей на руки, пошел в ванную.

Пока Стас стоял, наклонившись над раковиной, Ольга маялась в дверях с полотенцем наготове. Вода в раковине была вся красная, как будто свеклу мыли.

«Это не свекла, это кровь», — подумала она, тупо уставившись на розовое в раковине. Ольга никогда раньше не видела столько крови.

Потом, подавая ужин, она все косилась на Стаса, ждала, чтобы он заговорил, боялась спрашивать. После того как муж промыл раны и Ольга смазала их перекисью, оказалось, все не так страшно, как выглядело поначалу. Губа была разбита, щека заплыла и почти закрыла глаз, нос распух, но Стас сказал, что, кажется, он не сломан, и в трампункт ехать отказался. Взял из морозилки пакет со льдом, приложил к переносице и сидел так, пока она разогревала мясо.

— Как ты, Стася?

— Ниче, жить буду.

— Тебя убить хотели? — Ольга принялась собирать тарелки. Руки у нее тряслись.

— Хотели бы — убили. А это так... Предупредительный выстрел был...

— В тебя стреляли?!

— Пока нет. Фигура речи.

— Кто это был, Стас?

— Сама знаешь.

Она знала, конечно. Все те же. Они не остановятся и не отстанут, пока не получат то, что хотят.

— Стас, нужно в милицию пойти. В конце концов, милиция должна вмешаться...

Стас вдруг рассмеялся, но тут же схватился за ребра и скривился — смеяться было больно.

— Так вот они и вмешались.

— Кто? — Ольга ничего не понимала. На секунду ей показалось, что муж сошел с ума.

— Менты, кто ж еще?

Стаса остановили, когда он шел с работы. Двое патрульных, и при них капитан. Ждали, наверное, — где это видано, чтобы патрульные с капитаном на дежурство выходили. Капитан стоял в сторонке, сержантик козырнул и потребовал предъявить документы. Стас пошарил по карманам, но паспорта не нашел и вспомнил, что паспорт остался лежать в конторе, в копировальном аппарате. Он ксерил документы, копии взял, а паспорт вынуть из ксерокса забыл. Стас пытался было объяснить это ментам — ну забыл, мол, ребята, извиняйте. Контора — вот она, за углом, давайте сходим, я вам все предъявлю. Но ребята не хотели никуда идти. Напротив, сообщили Стасу, что он до смешного похож на преступника, который ограбил инкассаторскую машину в соседней области и сейчас в розыске. Так что мы вас, гражданин, задерживаем до выяснения, пройдемте. Стасу бы помолчать, но, видно, напряжение последнего месяца сказалось, и он уперся: не пойду я никуда, вот вам телефон, звоните жене. Она привезет документы.

Сержантик поглядел на капитана, тот кивнул, и Стас получил крепкий удар под дых. Упал, скорчившись, на асфальт и тут же получил ногой в челюсть, после чего, на свое счастье, отключился.

В обезьяннике его продержали часа три, потом отпустили. Видно, получили указание припугнуть, но не увечить. Выпуская его, капитан посоветовал: «Не будь дураком, парень. В другой раз так легко не отделаешься». И про предупредительный выстрел сказал.

...Потом Стас лежал в спальне, закинув руки за голову, и глядел в потолок. Жена сидела рядом, щелкала выключателем торшера. Щелк. Свет в лицо. Щелк — темнота. И снова. И снова.

— Прекрати, — Стас перевернулся на бок, — и так тошно!

Ольга кивнула, оставила в покое торшер, всхлипнула. Ну вот, опять сейчас затянет: «Стасенька, может, заплатить кому-нибудь, может, что-то сделать?..»

А что тут сделаешь? У нас ведь главный тот, у кого сила. А сила — у Кольки. И заплатить некому, потому что они сволочи, не берет никто. Видать, указание получили...

— Стасенька, а может, черт с ним, пойдем к этому Кольке, скажем, что мы согласны, — сказала Ольга. — Ну, не пропадать же совсем!

Стас вскинулся, сел резко, боль ударила под ребра так, что в глазах поплыло.

— Сдурела? Да я лучше вон в Казахстан уеду, чем с этой паскудой... работать. Это мое дело, понятно? Только мое. Я из-за него не жрал, не спал, вкалывал по двадцать часов. Мое, а не Колькино.

— Стас, он не даст тебе работать! Нас уже закрыли, тебя избили, детям угрожают!

Пора сказать ей, что закрыли и угрожали — это еще полдела. Разговор предстоит неприятный, но деваться, похоже, некуда.

Стас сел на кровати, уставился в пол:

— На меня уголовное дело завели, Оль...

* * *

Весь вечер Митяй не находил себе места. Слонялся по квартире, раза три включал телик, потом снова выключал. Завалился было на диван с газетой, но понял, что не может прочесть ни строчки, и газету сунул под диван. Он выпил чаю, потом — коньяку, но непонятная маета все не отпускала, и он наворачивал круги по квартире.

В одиннадцать вечера Митяй спустился к машине и поехал кататься — иногда, если на него накатывала такая вот дребедень, он катался по трассе — пятьдесят километров туда, а потом — пятьдесят обратно. На скорости у него из головы как бы выдувало всю дурь, мысли приобретали четкость, становилось понятно, в чем проблема, и часто — как ее решать.

По уму, надо, конечно, предупредить Ольгу. И он пытался, что, разве не так? Она его, правда, не стала слушать. Сбежала. Вроде бы он сделал все, что мог, пора умывать руки. Но дело-то уж больно серьезное, вот в чем вопрос. Митяй был в курсе проблем с Колькой Васиным, знал, что на Стаса завели уголовное дело. Он про Стаса все знал. И еще — очень хорошо знал Ольгу. Может, даже лучше, чем она сама себя. И уж точно лучше, чем Стас. Митяй уверен был: ради своего обожаемого мужа Ольга на что угодно пойдет. А если так — вся ее жизнь может полететь под откос за здорово живешь. Поэтому слушает она, не слушает, прогоняет или нет, а предупредить ее, рассказать все как есть — нужно.

С другой стороны, никакой выгоды Митяю в этом нет. Тем более что Ольга все равно его не послушает. Он ведь уже пробовал. Вот пускай теперь сама разбирается. Пусть на собственной шкуре почувствует, какой ее Стас молодец, пусть похлебает то, что он ей приготовил, большой ложкой. И когда все кончится — а ведь все когда-нибудь кончается, разве не так? — она останется совсем одна, свободная, перепуганная, одинокая. И вот тогда придет твое время, Митяй. Ей нужен будет кто-то — друг, поддержка, близкий человек, мужчина. И этим мужчиной станешь ты. Но сперва она должна дойти до самого дна. Не мешай. Не езди никуда, Митяй, не говори с ней, не будь дураком. И тогда ты получишь то, о чем мечтал все эти годы, — ты получишь ее.

Митяй покатался по трассе, вернулся домой и лег спать. Но уснуть так и не смог.

Да плевать на все! Он поискал телефонную трубку — телефон, как обычно, завалился под кровать — и набрал номер своего дружбана Стаса — ее номер. Два гудка, три... А если подойдет Стас? Но подошла она, Ольга.

— Оля? Это я... Я хотел...

Он не успел ничего больше сказать. В трубке коротко запищало. Не хочет разговаривать. Не хочет его слышать. А он предупредить хотел. Да и черт с тобой — подумал Митяй. Пусть все будет, как будет. Ему от этого прямая выгода.

— Кто звонил?

— Номером ошиблись. — Ольга снова села на постель рядом с мужем, положила руку на плечо. Стас едва сдержался, чтобы эту ее руку не стряхнуть, даже плечом чуть дернул. Что за ерунду жена спрашивает: зачем уголовное дело да за что? Неужели непонятно: был бы человек, а дело найдется. У нас ведь как? Не важно, с чего это самое дело начинается. Важно, что заканчивается оно одним и тем же: небо в клеточку и дружбаны в полосочку, а на вышке комсорг с автоматом...

— Так что, если не отмажемся, закатают меня по полной программе. Не хотел говорить, да ты все равно узнаешь. Все узнают...

— Но почему? Мы же ничего такого...

Все-таки жена у него инопланетянка, абсолютно.

— Оль, ты что, правда не понимаешь? Мы все такое...

— Что?

— То! У нас так не бывает, чтоб хоть какой-нибудь закон не нарушить, е-мое!.. Да если жить по правилам да по закону, то только в гробу лежать законно! А все остальное нет. А я в гробу не лежал. Я зарплаты, блин, черным налом платил, квитанций на ремонт не выдавал, кассовый аппарат у нас за сортиром, в кладовке стоит...

— Ох, говорила я, что этот аппарат...

Она говорила! Подумать только!

— Конечно, ты все знаешь!.. Только если б не аппарат, унитаз бы как-нибудь не так стоял! Да ладно, чего говорить-то. Все. Нет меня.

Она ухватила его за плечи (по ребрам снова полоснуло болью), развернула к себе, встряхнула:

— Не смей! Не смей так говорить, Стас! У нас семья, дети! Что они, не понимают, у нас дети?.. Мишка с ума сойдет! Тебя не могут посадить. Не мо-гут!

— Все они могут, Оль!

Она затрясла головой, волосы разметались, полетели белым облаком:

— Нет! Нет! Я не дам! Я никому не дам! Никто не посмеет! Я не пущу тебя в тюрьму. Пусть хоть сто уголовных дел, хоть тысяча! Мне все равно.

Слезы заливали лицо, глаза блестели... Стас обнял ее, прижал голову к плечу:

— Не плачь, маленькая... Ну? Чш-ш-ш...

Он сидел и качал ее, словно она и вправду маленькая девочка, а она все твердила:

— Мы должны что-то придумать.. Мы должны придумать.

Вообще-то, одна мыслишка у Стаса имелась. Не то чтобы даже мыслишка, а так... Вариант... Не очень хороший, не самый красивый... Он, конечно, такого ни за что не предложит. Но вот если Ольга по собственной инициативе... Вот тогда, может быть... В конце концов, она сама ему про любовь постоянно говорит... Мол, ради любимого человека — что угодно, и все такое прочее...

— Если я под суд пойду, меня, ясное дело, под первый номер закатают. Ты же знаешь, как нас любят — тех, кто сам деньги зарабатывает и не просит ни у кого!.. Ни пощады, ни снисхождения не жди!..

— Стасенька, ну что же делать-то?

Что делать, что делать?! Снять штаны и бегать, блин!

— Маленькая, я не знаю. Только если меня... посадят, то как пить дать... надолго. Я же не бедная овечка, несмышленыш, я предприниматель, кровопийца. Да меня любой судья заранее осудит. Осудил, считай!

Ольга затрясла головой:

— Не может такого быть, чтобы не было никакого выхода!

— Ну, какой, какой выход?! Хорошо бы свалить на кого-нибудь, мол, я ни при чем... Только на кого мне валить-то?..

Стас отвернулся. Пусть жена подумает, пусть пошевелит мозгами.

— Оль, а ты меня из тюрьмы-то... того... а? Ждать-то будешь? Или все — прости-прощай, вот и вся любовь? Зачем тебе муж... с уголовным прошлым?

Жена глянула на него дико, круглыми глазами:

— Ты что? С ума сошел?

— Да ни фига я не сошел! Кому я нужен? Кто за меня горой стоять будет? Никто!

— Я буду.

— Да что толку-то?

— Как что толку?! — не поняла она. — Я... я так тебя люблю! Я для тебя все, что хочешь!.. Ну, все, что хочешь...

Стас опустил плечи, отвернулся:

— Да ничего я не хочу. Вкалывал всю жизнь, думал, будем жить как люди, детей в заграничный курорт повезем, на море. Думал, дом построим, цветов насадим... Помнишь, ты хотела, чтобы цветы были? Теперь-то уж ни дома, ни цветов, ничего... Подвел я тебя, маленькая... Прости.

Он обнял жену, притянул к себе.

Подвел? Что он такое говорит? Господи! Его избили, отняли дело, которое он с нуля, на голом месте поднимал, ночами не спал! Его могут посадить в тюрьму, а он... Он думает о ней, прощения просит, что подвел, что цветов теперь не будет! Это она, она его подвела! Должна была защитить, придумать что-то, грудью на амбразуру кинуться! А вместо этого — сидит, рыдает и ничего, ничегошеньки не может сделать. Или... Или все-таки может?

Ольга покрепче прижалась к мужу:

— Стас, а если... А если... я?

— Что... ты?

— Если я скажу, что это я во всем виновата? Ну, что ты ничего не знал, все бумаги, все дела у меня, я же бухгалтер! Все на мне — и налоги, и кассовые аппараты, и зарплата... черным налом... Меня, может, пожалеют, а? Как ты думаешь? Много, наверное, не дадут?..

Стас прижал ее к себе, поцеловал — жарко, порывисто.

— Да тебе больше двух лет никак не дадут! Да по-хорошему тебя вообще сразу отпустят, у тебя же детей двое, и даже если по-плохому, все равно больше двух лет не дадут, это точно. А там амнистия, все дела, и ты дома...

Ну, слава богу! Ольга боялась, что Стас станет возражать, говорить, что она не должна, не может, что надо найти другой какой-то выход. Боялась, что придется его убеждать: так — лучше всего. Боялась, что если он станет уж очень сильно возражать, она может смалодушничать и передумать. Она же трусиха. Все знают. Но Стас не возражал.

— Если ты все на себя возьмешь, мы выкрутимся, маленькая. Я-то надолго сяду, а ты — нет. Ты же мать, и работник отличный, и трудовая у тебя в порядке, и характеристика с места работы! И потом, ты же не капиталист проклятый, вроде меня, а женщина слабая...

— Я слабая, — кивнула Ольга. Ей сделалось тоскливо и очень страшно. Она готова была все взять на себя, понимала, что так — лучше, но как же страшно-то, господи! Была бы она сильной — не боялась бы...

— Если я сяду, ты ж пропадешь без меня, маленькая, — Стас все говорил, говорил. — Детям есть-пить надо? Надо. Родителям на лекарства надо? Надо. И дело заново начинать придется, хоть с Колькой Васиным, хоть без Кольки. Ты же не начнешь.

Она прижалась к нему, зажмурилась, вдруг остро осознала, что скоро останется одна, что, может быть, долго еще не будет сидеть вот так вот, прижавшись к теплому Стасову боку, и не почувствует больше ни тепла, ни защиты...

— Мне страшно, Стася. Вдруг меня надолго посадят?

Он погладил ее по голове, прижал крепче:

— Не бойся, маленькая. Мы или вдвоем выплывем, или вдвоем потонем. По-другому никак не получается.

Да она и сама знает: не получается по-другому. Но все равно страшно.

— Это трудно очень, я ж все понимаю. — Стас замолчал, посмотрел на нее внимательно, сузив глаза: — Может, ты так?.. В горячке? Для красного словца — все, мол, для тебя сделаю, а теперь того... не хочешь... так ты только скажи, я все пойму, я сам на нары пойду, хоть на пять лет, хоть на десять, чтоб у тебя с детьми все в порядке было!

Нет! Этого она не допустит. Все, что угодно, —

лишь бы защитить, лишь бы не дать в обиду — Стаса, детей...

— Нет. Я не в горячке... Мне страшно, Стас! Очень. А Григорий Матвеевич как?.. А знакомые наши?.. Они все будут знать, что я... в тюрьме? Что меня... посадили?

Сказала и тут же о своих словах пожалела. Нельзя, чтобы Стас чувствовал себя виноватым. А то он, дурачок, решит играть в благородство, мол, я тебя в это втравил, мне и отвечать. Начнет каяться: зачем, мол, собственное дело затеял, работал бы на заводе — и не было бы сейчас никаких проблем.

Но ведь Стас так любит эти свои машины, что жить без них не может, так гордится своей мастерской... Без нее, мастерской этой, он был бы совсем другим, и жизнь у них была бы другой. Нет, все правильно. Без мужа Ольга пропадет, и Мишка, и Машка... Если Стаса посадят — жизнь рухнет. А Ольга... Ничего с ней не сделается. Много не дадут, а там — амнистия, Стас сам сказал.

Потом они лежали, обнявшись, и Стас укачивал Ольгу, как маленькую, и шептал в ухо:

— Вот кончится все, и... отдыхать поедем. На море. Куда ты там хотела, в Турцию или Грецию...

— В Грецию. Там красиво. Я целый фильм видела.

— Значит, в Грецию. Возьмем ребят и поедем.

— Там хорошо, в Греции. Тепло. Море.

— Олифа растет.

— Оливки, дурачок! Оливковые рощи.

— Ну, хрен с ними, пусть оливки. Нам бы только сейчас... устоять.

Ольга не сомневалась: они устоят. У них есть любовь, есть общая мечта о Греции, есть ради чего жить, за что бороться. Все они правильно решили. Всего-то и надо — немного потерпеть. Время пролетит незаметно, и они снова будут вместе, и поедут к морю и будут гулять по оливковым рощам...

— Мы устоим... Все будет хорошо, Стас. Я знаю. Чувствую. Женщины — они ведь все чувствуют.

Стас прикрыл глаза, улыбнулся:

— Художница ты моя...

Да за эти слова, за улыбку эту — не только в тюрьму, она на эшафот пойдет.

...Следствие длилось два месяца. Судебное заседание заняло двадцать пять минут, из которых десять ушло на чтение заранее написанного и отпечатанного приговора. Судья — толстая тетка в перманенте — была простужена, куталась в пуховый козий платок и несколько раз прерывала чтение, чтобы прокашляться.

Общественный защитник под столом решал кроссворд, прокурор тоскливо косился на часы и думал, что, если бы в этом деле не была как-то замазана областная администрация, Громова вполне могла бы получить срок условно.

Пока судья зачитывала приговор — два года с отбыванием в колонии общего режима, — Громова сидела тихо, сгорбившись и уставившись в пол. Судья опасалась, как бы осужденная не выкинула какого коленца напоследок — такие вот, тихие, бывают с сюрпризами, сидит-сидит, а потом устроит истерику, вцепится в решетку и давай орать... А то в обморок свалится. Однажды даже «Скорую» пришлось вызывать.

Но Громова истерик не устраивала, спокойно дала себя увести.

* * *

Где-то снаружи лаяли собаки. Бетонные стены, потрескавшаяся плитка на полу. И шеренга раздетых догола женщин — молодые, старые... Несколько десятков. Только эсэсовцев в высоких фуражках не хватает и трубы крематория за окошком. Впрочем, труба имелась — в зоне была своя котельная.

Ольга переминалась босыми ногами по ледяному полу. Происходящее напоминало один из ее кошмаров, с той разницей, что никакой это был не сон. Тусклые лампы под потолком, стальные двери, серые коридоры — все настоящее, на самом деле.

Плечистая надзирательница — кровь с молоком, румянец во всю щеку, черные кудри из-под форменной ушанки — снимала с полки казенные ватники, складывала на длинный струганый стол. Ее напарница — немолодая, сухощавая, с густо подведенными синим глазами — раскладывала поверх ватников белье, торопила очередь:

— Чего встала? Получай, расписывайся... Спиной повернись! Передом! К стене! Не спать там! До ночи простоите!

Сунув очередной осужденной казенное бельишко, она повернулась к напарнице, продолжая прерванный разговор:

— Так вот, я ему говорю: чего ж ты суп не выключил?! А он мне — да я и не видал, что он кипит. Давай проходи туда!

— Ну и чего?

Черноволосая ловко распотрошила новый тюк с ватниками.

— Чего-чего? Выкипел весь! Пришла я, по всему дому вонища, не продохнешь!

— А кастрюля чего? Сгорела?

— Сгоре-е-ела! Я ему — давай покупай мне новую! Студень на Новый год в чем я буду варить? К стене! Задом повернись!

— А ты как варишь?

— Да как все, так и я. Покупаю бульонку, тут самое главное так попасть, чтобы не только кости, но и мясо на них было, я в палатке беру, которая на базаре сразу с правой стороны... Ты чего ревешь, корова?! Расписывайся давай! К стене проходи! В первый раз небось... Они по первому разу все нежные такие, не дотронься! Ну вот, и на ночь надо, чтоб в холодную воду, мясо-то. Глаза разуй, корова! На меня смотри!

Ольга замерла перед надзирательницей.

— Задом повернись! Руки, руки в стороны!

Холодные шершавые ладони прошлись по плечам, бокам, ягодицам. К горлу подкатила тошнота.

— Чего встала?! Поворачивайся!

Надзирательница крепко ухватила Ольгу за подбородок, сунула указательный палец ей в рот, оттянула щеку, будто ярмарочной лошади...

— Туда теперь!

Толкнула Ольгу в спину, отряхнула руки о юбку.

— А я на ночь в воду не кладу. Чего ему киснуть-то? — Молодая сунула Ольге ватник и белье. — Про ходи, проходи! Да ты что творишь-то?! Ты мне щас языком своим все мыть будешь! Галя! Ты погляди!

Ольга стояла у стены на коленях, тяжело дыша. Подышав, она сложилась пополам, и ее снова вырвало — прямо под ноги надзирательнице с подведенными синим глазами.

В то самое время, когда Ольга корчилась на полу у бетонной стены приемного отделения колонии номер 1234 общего режима, ее обожаемый муж сидел перед телевизором и, не отрываясь от экрана, жевал бутерброд со своей любимой полукопченой колбасой.

— Российская сборная по футболу проведет отборочный матч в Мадриде уже в следующем месяце... — бубнил диктор. — А сейчас — прогноз погоды.

Стас потянулся за следующим бутербродом. Заверещал дверной звонок. Как был, с бутербродом в руках, Стас поплелся в прихожую. И кого там принесло? Поесть спокойно не дадут!

За дверью стоял Митяй, закадычный друг.

— А! Митяй! Че тебя давно не видно? Заходи давай, щас мы с тобой водочки накатим, киношку посмотрим...

Но Митяй заходить не стал, а молча, с разворота, засветил своему лучшему корешу в челюсть.

* * *

Коридор был длинный, темный, без окон — только тусклые лампы в железных намордниках под потолком... Каждый раз, сворачивая за угол, Ольга надеялась, что уж теперь-то точно увидит выход, но выхода все не было — только серые стены, ряд мигающих жиденьким желтым светом лампочек да стальные двери с глазками и засовами по обе стороны — камеры.

Ольга вдруг подумала, что, может, это и не камеры никакие, а за одной из этих дверей — выход, солнце, люди... А она, глупая, проходит мимо?

Она потянула за ручку ближней двери. Та с лязгом отворилась. Нет, это был не выход. За дверью Ольга увидела судебный зал заседаний. Судья — та же, что читала ей приговор, в пуховом платке поверх мантии, выговаривает что-то плачущей девушке с косичками. Услышав скрип открывшейся двери, судья подняла глаза, заметила Ольгу.

— Вы — следующая! Пройдите!

Ольга шарахнулась, захлопнула дверь, побежала дальше по коридору и... уперлась в очередную дверь.

Эта дверь вела в большой, плохо освещенный класс. Доска на стене, парты, а вместо учительского стола — мольберт. Рядом с мольбертом — девочка. Да это же она, Ольга. Только маленькая, рисует грачей на березе. А рядом — ее учитель, Григорий Матвеевич. Ольга, улыбаясь, заспешила к нему.

— Григорий Матвеевич, как же хорошо, что я вас нашла!

Учитель обернулся, и Ольга вскрикнула в ужасе: никакой это был не Григорий Матвеевич! Пальто — его, шляпа — серая, с помятыми полями — тоже, но между воротом пальто и полями шляпы зиял провал, там ничего не было, кроме сгустка темноты. Ольга выскочила — прочь от этого наваждения, прочь от человека без лица! Бегом по коридору, дальше, дальше, а вот и выход! Вниз по ступенькам, за угол — и вот она дома, слава богу! В своей квартирке, в гостиной. Только как-то странно выглядит ее квартира. Пыльная, с засохшими цветами в вазах, и патефон на серванте. Сроду у них никакого патефона не было, зачем Стас его купил?

Крутится, заедая и шепелявя, пластинка, кто-то дребезжащим голосом поет о любви и осенних астрах. Ольга зовет: «Стас!»

Открывается дверь спальни, а на пороге — не Стас, Митяй.

— Потанцуем, Оля?

Ольга пятится, машет руками:

— Где Стас? Что ты с ним сделал?

Почему-то она знает: что-то Митяй со Стасом сделал плохое.

— Брось, ничего я с ним не сделал, — Митяй растягивает бледные губы в нехорошей ухмылочке. — Просто он сейчас занят.

Митяй открывает дверь спальни, и Ольга видит, как Стас танцует с тюремной надзирательницей. Губы у нее ярко намазаны красным — то ли помада, то ли кровь.

Ольга захлопывает дверь, снова бежит по коридору. Из-за стальной двери — детский плач : «Мама! Мама!» Это Машка! Что они с ней делают?

— Машка! Я иду!

Ольга дергает дверь, но та заперта. Машкин голос срывается на визг, Ольга бьется в дверь, лампы мигают под потолком. Ольга кричит, кричит...

Она с криком села на койке. Ее трясло, на губах — солоно от слез.

— Че разоралась, спать не даешь! — донеслось из дальнего угла. Тут же зашикали из угла напротив:

— Рот, бля, закрой, сука, а то я тя щаз сама закрою!

— Кто там гавкает? Я тя так закрою...

Ольга посидела, тяжело дыша. Потом снова легла, натянула на плечи одеяло. Ото рта шел легонький пар. В камере — дай бог около нуля.

В дальнем углу завозились, зло матернулась Люда-Самоход, здоровенная бабища, получившая три года за торговлю паленой водкой.

— Эй, психованная!

Это Изольда, соседка с нижней койки. Изольду в зоне уважают. Она здесь уже по третьему разу. Рассказывают, что на второй ходке Изольда кому-то распорола заточкой горло.

Ольга накрылась с головой одеялом, подышала на руки. Без толку. Все равно холод до костей пробирает.

— Эй! Че молчишь-то?

Изольда не унималась. Ольга решила молчать. Но Изольда снизу крепко пнула сетку кровати.

— Ну! Психиатрическая! Че молчишь? Спишь, что ль? Скажи сон-то!

Изольда была любопытна и обожала слушать про сны, чудеса и прочее такое же мистическое. Как-то Ольга пересказала ей «Светлану» Жуковского. С тех пор Изольда взяла над Ольгой шефство. Каждый вечер она требовала историю. За это не давала ее в обиду и иногда подкармливала. Вываливала на шконку сухари, сало, конфеты, басила почти нежно: «Жри давай, а то вон синяя вся, ажно черная, кони двинешь — кто мне рассказывать станет?»

— Ну, скажи, скажи. Скажи сон-то!.. Давай. Говори. Чего снилось?

Ольга со вздохом перевернулась на спину, вытянулась на тощем матраце, заложила руки за голову.

— Коридор... Длинный, страшный, стены серые, а потолка и пола как будто нет, все в таком сизом тумане... По обеим сторонам — двери, много. Я одну дверь открываю и попадаю в комнату... Такая глухая-глухая, ни окон, ни дверей. Или были окна, что ли?..

— Одноходка, значит, — подала голос Изольда.

— Что? — не поняла Ольга.

— Да комната эта твоя. Одна комната — одна ходка, значит, — объяснила Изольда. — Ну? И чего дальше-то?

— Дальше появляется в этой комнате судья, и будто бы меня снова собираются судить... А я же знаю, что суд уже был, что это неправильно, понимаешь? Я заорала и убежала...

— Кричать во сне нехорошо, — глубокомысленно изрекла Изольда. Она знала значение всех снов, что во сне хорошо, что плохо, что к дождю, а что — к свиданию...

— А в другой комнате — учитель мой, Григорий Матвеевич, — продолжала Ольга. Почему-то ей вдруг показалось важным рассказать весь этот тягомотный вязкий сон. Будто бы если она его расскажет, сон потеряет силу, сдуется и исчезнет. — Учитель старенький такой, весь сгорбленный... А в углу — девочка маленькая рисует, как будто я и не я. Он поворачивается, а лица у него... нет.

— Врешь! Как нет?! — испуганно выдохнула Изольда. — Совсем нет?

— Совсем нет.

Изольда села на койке, облокотилась спиной о стойку, сцепила руки на колене и прикрыла глаза. Пару минут она молчала.

— Меня-то художествами не образовывали, —

сказала наконец Изольда. — А был у меня один светляк, хотя бывало, что и майдан гонял[1]. Жорой его звали, так он песни играл, а я пела...

Ольга уже выучила, что светляк — это вор, который днем работает. Изольда периодически про свой роман с этим самым светляком рассказывала. Повспоминав, она обычно принималась петь. «Наверное, и теперь петь станет», — подумала Ольга. В сущности, ей было все равно, будет Изольда петь или, напротив, пустится в пляс. Так, просто отметила про себя, как раньше, глядя в окно на затянутое тучами небо, отмечала: дождь будет, надо взять зонтик и положить Машке дождевик.

Машка сейчас спит, подсунув к животу плюшевого слона. Одеяло скомкано в ногах, пижама до ушей задралась... Надо Стасу написать, чтобы он окно на кухне закрывал по ночам. А то Машка опять простынет.

На нижней шконке Изольда жалобно затянула:

— Вы ответьте, братцы-граждане, кем пришит начальник. Течет речка, моет золотишко, молодой жульман заработал вышку...

Из дальнего угла опять заматерились, грохнули то ли табуретом, то ли ботинком в стену, Изольда ругнулась в ответ. На соседних койках тоже недовольно загомонили:

— Закрутила! Еще тут арию булдырить!

— Цыц, ведьма!.. Ломи копыта отсюдова!

Ольга повернулась на бок, накрыла голову подушкой, чтобы ничего не слышать, никого не видеть... Господи, да почему же Стас-то не едет? И писем не

---

[1] Ездил поездом с целью воровства (*угол. жаргон*).

пишет. За два месяца — всего одно письмо, да и то коротенькое, пять строк. Мол, все нормально, дети в порядке, целую, пока. После этого письма — ни слова, ни звука, она измаялась вся. Что у них случилось? Может, все плохо совсем?

— Гад он. Вот и не едет! А ты — дура!

Зойка, Ольгина соседка справа, сдернула у нее с головы подушку, зашвырнула в угол:

— Хоре трещать, спать не даешь!

Значит, Ольга снова думала вслух. В последнее время с ней такое случалось.

Изольда снизу снова пнула в сетку.

— Хватит квакать там! Дрыхайте давайте, и так до побудки всего ничего осталось.

После того как Изольда вспоминала своего светляка, настроение у нее обычно портилось.

— Сама не квакай! — Зойка за словом в карман не лезла, на Изольду ей начхать было. — Дуры вы обои со своими козлами!

— Он не гад, — тихо сказала Ольга. И почему ей важно было, чтобы эти чужие тетки ее Стаса не считали гадом? Смешно. А все равно важно было почему-то. — Там, наверное, случилось что-то, вот он и не едет. И не пишет потому, что меня расстраивать не хочет. Он такой у меня... Дурачок...

Может, Машка все-таки заболела? Она по зиме все время простужается, у нее миндалины. Врач говорил, если дальше так пойдет, придется удалять... Сказал, хорошо бы на море летом... Они уже все распланировали, а тут все эти несчастья на них свалились. Ну ничего, до лета, может быть, еще и амнистия будет...

Зойка, будто подслушав Ольгины мысли, сказала:

— Ниче, мамкам амнистия скоро выйдет. Нагуляемся тогда!

— Госпади, да какая из тебя мамка, срань ты подзаборная, — протянула Изольда. — Чалиться тебе от звонка до звонка. Амнистия! От обхохочесся!

— Че несешь, чувырла?! — Зойка приподнялась на локте.

— Я чувырла?!

— Ты чувырла!

Изольда спустила ноги с койки. Еще чуть-чуть — и они бы всерьез сцепились. Но тут грохнула о стену дверь камеры, и надзирательница гаркнула:

— По-одъем! Становись!

Ольга обреченно стянула одеяло, спрыгнула на ледяной пол... Если бы у нее не было впереди Греции, моря, песка, она бы умерла здесь, наверное...

Странно все-таки устроен человек. Ольга постепенно привыкла и к холоду, и к вони, и к духоте. Она хлебала жуткие казенные щи, спала на тощем матраце, через который спиной чувствовала все ухабы и рытвины ржавой панцирной сетки — и ничего. По-настоящему, всерьез, она мучилась от того, что ей не хватало красок, не хватало яркого, цветного, которого так много было в ее прежней, до тюрьмы, жизни. Дома у нее были ярко-голубые шторы, пестрые, разноцветные чашки, красные маки на покрывале, зеленый фикус в кадке, солнечно-желтый сыр на бутербродах, синие ленты у Машки в волосах... А тут все серое. Если существует ад, думала иногда Ольга, то он совсем не похож на девять кругов, описанных Данте. И на огненную геенну не похож... Ад, если он существует, похож вот на эту их жизнь в зоне. Серое небо, серые стены, серые ватники, серые лица, щи в миске, пол под ногами, простыня на шконке — все серое, беспросветное... И это серое высасывает душу, выпивает кровь, она и сама тут стала серой, почти бесплотной, куском зимнего неба...

Серая строчка по серому сукну, стрекот швейных машинок... Серые сгорбленные спины зэчек над машинками... Ольга отложила в сторону готовый шинельный рукав — в цеху шили военную форму, — взяла со стола новую стопку заготовок, прижала лапку. Машинка снова застрекотала. Работа в швейном цеху монотонная, но несложная. Не надо особо задумываться, не надо сосредотачиваться. Руки строчат, а ты можешь вспоминать дом или мечтать... Ольга привычно принялась думать про Грецию. Про синее море, зеленые оливковые рощи, желтое солнце... Но мечты и воспоминания от постоянного употребления тоже как будто бы слиняли, потеряли сочность красок, посерели. Будто бы тюремная серость была заразной, словно это плесень и споры этой плесени проникли в Ольгины воспоминания и мечты... Не получалось у нее представить синее море, желтое солнце. Все выходило какое-то грязное, будто на акварельный рисунок плеснули из ведра грязной водой.

Зойка выключила машинку, потянулась. Ольга подняла голову от шитья.

— Перерыв?

— У тебя — нету. А мне к пацаненку, на кормежку пора.

Пацаненок — это Зойкин сын. Костик. Константин... красивое имя. Длинноватое для мальчика, но красивое. В переводе с греческого означает «верный». Малышу полгода всего — а он уже в тюрьме. Зойка никогда не называла его по имени. Как-то раз

Ольга спросила — почему? Зойка ответила — не твоего ума, мол, дело. Че его по имени звать? Пацаненок — он и есть пацаненок, как ни назови.

Интересно, если бы девочка родилась — Зойка бы ее тоже звала как-нибудь безлично? Пацанка или еще как? Наверное, нет. Наверное, по имени бы называла. Может, она в этом мальчике видит будущего мужчину? Не такого, как Ольгин Стас, а гада и козла?

После того, как Зойка проломила табуретом голову своему гражданскому мужу, мужиков она иначе как швалью не называла и в любовь не верила. Если Ольга заговаривала про Стаса — срезала ее тут же: мол, гад он и шваль. Ты тут на нарах паришься, а он про тебя и думать забыл, вышел из истории чистенький и рад-радешенек.

История Зойкина была самая что ни на есть обыкновенная, на зоне таких — каждая вторая. Ну, уж каждая третья — точно. Познакомились, полюбились, зажили вместе. И все было хорошо, пока Зойка не узнала, что беременна. Она обрадовалась, а сожитель, как выяснилось, пацаненка этого не хотел. Велел Зойке отправляться на аборт. Зойка на аборт не пошла, а сожителю высказала в том духе, что я, мол, не какая-то там пропащая, я на фабрике вкалываю, так что лети-ка ты, сокол мой, откедова пришел. А с ребенком я, если что, сама справлюсь, и выращу, и выучу, и на ноги поставлю, у меня, вон, и комната в общежитии, и зарплата, и диплом техникума имеется. Сокол, вместо того чтобы испариться, запил. Полгода они с Зойкой кое-как прожили, то ругались, то мирились, и она уж подумала, что, может, все обойдется. Может, сокол увидит ребеночка да и оттает. А потом привыкнет, еще радоваться будет, что сынок его папкой называет. Однако сокол имел совершенно другие виды на ситуацию. Едва Зойка вернулась из роддома, заявил: сдавай, мол, пацана в дом малютки, чтобы тут духу его не было. Мол, мужики говорят, нагуляла ты его незнамо от кого, пока я деньгу зашибал, шлюха ты такая-растакая. Слово за слово — пошли в ход кулаки. Сожитель засветил Зойке в живот со всей дури и уже собирался взяться за пацаненка, которому было от роду четыре дня. Тут уж у Зойки в глазах потемнело, и дальше она ничего не помнила. В себя пришла, уже когда соседи милицию вызвали. Сожитель лежал на полу с проломленной башкой. Рядом валялся табурет с отломанной ножкой.

Сожителя в больнице с того света кое-как вытащили. А Зойке дали три года за превышение мер необходимой самообороны. Через дружков сожитель Зойке передал, чтоб домой не возвращалась. Увижу, мол, убью. И тебя, и пацаненка. Зойка верила — убьет. И домой возвращаться не собиралась. В Москве у нее была двоюродная бабка. Зойка надеялась, что бабка ее с ребенком на первое время приютит. А там уж она как-нибудь устроится, не пропадет. Только бы дождаться амнистии.

* * *

Амнистии они дождались в начале осени.

Ольга так до конца и не поверила, что это — все. И только когда за спиной с лязгом закрылись ворота зоны, она наконец поняла: свободна. Все кончено, она вытерпела, выстояла, самое страшное позади, и можно вернуться — домой, к детям, к Стасу, в нормальную человеческую жизнь, где нет надзирательниц, побудки по звонку, серых бесконечных дней и таких же бесконечных ночей, снов, полных пустых комнат, серых коридоров и мерзлой жути, от которой просыпаешься с криком. Все кончилось, как будто и не было.

Ольга втянула носом воздух, зажмурилась на солнце. Какая же красота вокруг! Разноцветные листья, красная рябина, синие указатели у дороги. Даже ворота колонии кажутся снаружи уже не такими серыми. Вот ведь счастье-то!

Ольга поглядела по сторонам, высматривая Стаса. Но Стаса не было. Она несколько раз писала, что попадает под амнистию, что освобождается сегодня. И Стасу писала, и Григорию Матвеевичу. Может, письма затерялись, не дошли до адресата? Так ведь бывает. Как-то раз на зону вернулось письмо, отправленное больше года назад. На конверте стояла пометка: неверный адрес. Может, она неразборчиво написала и ее письма тоже когда-нибудь вернутся в колонию? Ольга улыбнулась: что ж, пусть возвращаются. Она к тому времени уже будет в Греции. Будет гулять со Стасом и с детьми по оливковым рощам и плескаться в море, а по вечерам — ужинать в каком-нибудь маленьком ресторанчике на берегу, пить метаксу и слушать, как усатые музыканты наигрывают сиртаки.

Подошла Зойка. На руках — замотанный в серенькое казенное одеяло пацаненок. Костик...

— Ну что, подружка? Не приехал обмылок-то?

Ольга пожала плечами:

— Может, задержался...

— Ага, или день перепутал, — хохотнула Зойка. —

Гад он, говорила я тебе, а ты, дура блаженная, не верила.

— Зоя, ну зачем вы так? Он, наверное, на работе закрутился. И с детьми. Он же один там с ними...

— Так я разве что говорю? — Зойка сделала невинные глаза. — Замучился, бедняжечка. Конечно! Ладно, подруга, прощевай. Больше не свидимся. Только если опять на нарах...

Ольга поежилась — не от холода, от того, что слишком близко пока что были эти самые нары.

— Я, Зоя, на нары больше не хочу...

— И я не хочу.

— Дай малыша подержать, — попросила Ольга. Она так стосковалась по детям...

Пацаненок Костик был розовый, упитанный. Ольга глянула на Зою. Та смотрела на своего Костика с нежностью, но, перехватив Ольгин взгляд, посуровела и резко, почти грубо выдернула у нее ребенка.

— Все, давай. Долгие проводы — хуже, чем сифилис, как говорится. Пошла я. Пока, подруга.

И зашагала прочь. Ольга постояла еще немного — на случай, если Стас все же приедет, а потом пошла к автобусной остановке.

...До родного города Ольга добралась уже под вечер. Ехать пришлось на перекладных. На дорогу ушли почти все деньги, которые Ольге выдали за семь месяцев работы в швейном цехе колонии. Почувствовав, что проголодалась, на последнюю десятку она купила около автостанции пирожок с капустой, умяла его прямо на ходу и даже крошки из пакета собрала в щепоть и в рот закинула, до того показалось вкусно. Много ли надо для счастья? Да почти ничего. Счастье сойти с автобуса и шагать по тротуару — не строем, а как все нормальные люди. Купить пирожок в палатке, а не дожидаться, когда раздатчица плеснет в жестяную миску серых вонючих щей. Счастье — это когда до дома двадцать минут пешком по осенним бульварам, а дома тебя уже ждут Мишка, и Машка, и Стас...

Чуть не дойдя до площади, Ольга остановилась посреди тротуара переложить сумку из одной руки в другую — сумка не тяжелая была, но пузатая и неудобная. В просвет между домами виден был поворот речки и кусочек церкви. Над куполом с криком кружили то ли грачи, то ли галки. Наверное, собираются в стаю перед отлетом на юг. Так это все было красиво — и речка, и церковь в лучах закатного солнца, и птицы, что Ольга залюбовалась. Стояла, смотрела и улыбалась. Она могла бы так до ночи стоять, наверное, если бы не весьма ощутимый тычок в спину.

Ольга обернулась. Увидела сердитую бабульку с клюкой. В руке у бабуси болталась авоська, на дне авоськи — пакет кефира. Старуха зыркнула на Ольгу из-под темного, в крапушку, платочка, пожевала губами недовольно:

— Чтой-то ты? Молодая, а хуже бабки столетней, спишь на ходу! Давай дорогу, вишь, у меня нога костяная!

И продемонстрировала Ольге свою клюку, сделанную каким-то народным умельцем из алюминиевой лыжной палки.

Ольга улыбнулась:

— Простите. Загляделась.

— И-и, на что тут глядеть-то? — Старуха в недоумении осмотрелась, будто выискивая, не появилось ли чего стоящего, на что и впрямь поглядеть интересно — может, зверинец привезли, или Колька-дебошир снова без порток чешет по проспекту? С Кольки — с него станется, в прошлом годе однажды вытворил, весь город животики надорвал. Но ни зверинца, ни Кольки без порток в пределах видимости не наблюдалось.

— Не на что тут глядеть! — строго сказала бабулька. — Маета одна!

Ольга пожала плечами: кому маета, а кому — райские кущи.

— Я давно дома не была, бабуль, соскучилась.

— Ну разве соскучилась... Тогда понятно... Тогда смотри... Только дорогу не загораживай, а то расставилась, людям не пройти, — забубнила старуха и, постукивая своей лыжной палкой, бодренько засеменила дальше по улице.

Ольга свернула за угол и через пять минут вышла к своему дому.

За прошедшее время ничего здесь не изменилось. Те же липы у подъезда, та же поломанная песочница с горкой пивных банок в углу. Сколько лет уже им обещают детскую площадку обустроить, и все никак...

Машины Стаса возле дома не было. Наверное, он на работе еще.

Ольга подняла глаза. Вот они, их окна. Вторые слева на третьем этаже. Интересно, а что это Стас занавески сменил? Хорошие же были занавески, веселые, ярко-голубые. Стасу они вроде нравились. А теперь окна спальни почему-то закрывали плотные темно-зеленые шторы. Да бог с ними, какая разница, в конце концов?! Ольга взбежала на третий этаж, на ходу вытаскивая из кармана ключи.

...Дверь не открывалась. Ключ входил до половины, а дальше — ни в какую. Ольга стояла на площадке и не знала, что теперь делать. Может, Стас все-таки дома? Может, спит, а ключ в двери оставил?

Ольга нажала кнопку звонка. Тишина. Она позвонила еще, и еще, и еще... Наверняка спит и звонка не слышит. Соня... Ольга улыбнулась. Это же Стас, ну конечно. Спит так, что из пушки стреляй — не разбудишь. Она заколотила кулаком в дверь. Позвала — Ста-ас! Стася! — сначала негромко, потом в полный голос. В квартире по-прежнему было тихо. Зато дверь напротив приоткрылась на цепочку. В щелке показалась Галина Викторовна. Соседка была в бигудях и каком-то немыслимом красном халате.

— Что тут происходит? Почему такой шум? — строго поинтересовалась соседка.

— Галина Викторовна! Здравствуйте! Это я! А вы не знаете, где Стас? И дети?.. А то я дверь открыть не могу, стучу-стучу...

— Понятия не имею, где они! — оборвала ее Галина Викторовна. И собралась было захлопнуть дверь.

— Галина Викторовна, простите бога ради, можно я от вас позвоню? — Ольга кинулась к дверям.

— Нечего от меня звонить! У меня не телефонный узел. Вон, за углом автомат — идите, звоните! — буркнула соседка. — Идите, идите, — добавила она, видя, что Ольга все еще топчется на площадке. — Нечего вам тут делать. Уходите сейчас же, а то я в милицию позвоню!

И хлопнула дверью прямо перед носом у оторопевшей Ольги.

* * *

Ольга сидела на скамейке у подъезда, ворошила ногой опавшие листья и убеждала себя, что вот сейчас Стас приедет и все ей объяснит. А если нет? Если он не приедет? Если случилось что-то ужасное? Может, кто-то из детей попал в больницу? Или Стаса снова избили? Или вообще убили? А детей отправили в детский дом?.. Да нет, что за ерунда? Если бы случилось что-то действительно страшное, ей бы сообщили. В конце концов, у Стаса есть родители, и, уж конечно, ни о каком детском доме и речи быть не может. И вообще: больше с ними ничего плохого никогда случиться не может. Теперь будет лишь одно хорошее.

Вот только почему она не может домой попасть? Где Стас? Где все? Мимо прошел дядечка с портфелем. Кажется, со второго этажа. Эдуард Михайлович? Нет, Михаил Эдуардович.

— Здравствуйте, Михаил Эдуардович!

Михаил Эдуардович глянул затравленно, кивнул:

— День добрый!

И на рысях припустил к подъезду как от чумной.

Ольга еще немного посидела, потом сходила к телефону-автомату за угол. Но телефон, как всегда, был поломан.

Когда Ольга вернулась, дворничиха Фаина, толстая татарка в завязанном крест-накрест платке, шоркала по двору метлой, сгребая в кучу опавшие листья. Увидев Ольгу, охнула, взялась за сердце, руками всплеснула:

— Ай, Оля! Ты? Вернулась?

— Вернулась, — Ольга кивнула. — Кончились мои мучения.

Фаина снова всплеснула руками:

— Ай, Оля, бедная ты, бедная! Они ж только начинаются, мучения твои, вот как!

У Ольги потемнело в глазах. Значит, все-таки что-то случилось.

— Фаина! Что?! С детьми что-то?

— Дети, слава Аллаху, хорошо, ладненькие, здоровы, сладкие! Машенька красавица, невеста совсем, — затараторила Фаина. — И Миша вырос, большой, вчера видела — не узнала его, растет, как на дрожжах...

Значит, дети в порядке.

— Фаиночка, скажите, что происходит? Дома никого, я дверь никак не открою!..

Фаина отвела глаза, скривилась, словно от кислого.

— Ай, Олечка, никогда он мне не нравился! Вот другие говорят — видный мужчина, красивый, богатый, а мне не нравился, нет! Глаза бегают. И говорит нехорошо. Сам вроде улыбается, а вижу — врет, да.

— Кто вам не нравился, Фаина? Кто что говорит?

Господи, да что же за мучение! Почему никто не объяснит ей толком, что тут происходит?!

Фаина зыркнула на въезжающую во двор машину, плюнула:

— Тьфу, шайтан, собачий сын!

Ухватила метлу и зашоркала по асфальту, так ничего и не объяснив.

Ольга тоже посмотрела на незнакомую машину — длинную, блестящую — и с криком вскочила со скамейки: за рулем сидел Стас. Живой, здоровый, даже, кажется, немножко потолстел.

Стас только успел затормозить, а Ольга уже распахнула дверь, сунулась в теплое нутро салона. Она улыбалась сквозь слезы, теребила рукав его пальто, смотрела и насмотреться не могла:

— Стася, родной... Слава богу, ты приехал... Стас, я ждала, я домой попасть не могу, ключ заело... Где ребята? Все хорошо у вас? Я так соскучилась, так соскучилась, боже мой, ты не представляешь...

Стас отодвинул ее, полез из машины. Ольга, не выпуская рукав мужнина пальто, попятилась от двери, споткнулась о бордюр, едва удержалась на ногах. И все говорила, говорила... А потом заметила наконец, что он молчит. И замолчала тоже, уставилась на него, хлопала глазами.

Стас отвернулся, взял со скамейки ее сумку:

— Садись, Оль, в машину.

— Стася? — Ольге стало страшно. — Почему ты ко мне не приезжал? Почему не писал?

— Я писал. — Стас сунул сумку на заднее сиденье. — Давай садись!

— Я тебя ждала. Думала, ты меня встретишь...

— Я думал, завтра.

Отворачивается. Глаза прячет. Почему он прячет глаза?

— Что завтра?

— Вернешься завтра. Мне соседка позвонила, что ты... тут уже. Похудела вроде.

— В тюрьме плохо кормят, Стас.

Ну посмотри на меня, посмотри, наконец! Обними меня, поцелуй! Я так истосковалась, у меня сейчас сердце разорвется! Ничего мне не надо, только прижаться, зарыться носом в воротник, и стоять так, и вдыхать твой запах. Ну посмотри на меня!

Нет. Не смотрит. Открыл переднюю дверь:

— Поедем покатаемся.

Ольга снова вцепилась ему в рукав, попыталась заглянуть в глаза:

— Стася! Я не хочу кататься! Я домой хочу! Я есть хочу! Я в ванну хочу! Я замерзла, Стас! Стас! Посмотри на меня!

— В машине тепло, погреешься.

Как в машине? Почему в машине?

— Стас? Что с детьми?

Может, Фаина наврала? Может, дети больны?

— В порядке дети. Садись.

Хлопнула дверь подъезда. Зарысил по дорожке Михаил Эдуардович — теперь уже без портфеля, зато с авоськой. Шляпу за тулью приподнял: «День добрый!» Да ведь виделись уже! А ему неважно — виделись, нет. Встал у лавочки, вроде как кашне поправляет, а сам во все глаза смотрит, что дальше будет, уши навострил.

Стас покосился на Михаила Эдуардовича, желваки заходили:

— Поехали, поехали, садись! Что ты танцы-то устраиваешь?!

Господи, какие танцы?!

— Обязательно, чтобы весь дом нас слушал? Садись, поедем.

За локоть взял — цепко, зло.

— Стас! Больно, пусти!

— Садись. Поехали!

Она села.

Он газанул и вылетел со двора так, что опавшие листья птичьей стайкой взлетели над мостовой.

Григорий Матвеевич, старенький учитель рисования, увидел только, как машина свернула за угол. Он спешил, как мог, хотел Оленьку встретить, предупредить хотел. И не успел. С самого утра все пошло наперекосяк. Он специально встал ни свет ни заря, чтобы успеть на первый автобус до областного центра, а там уж пересесть на прямой рейс до города, где находилась колония. Благополучно добрался до центра, сделал пересадку, но автобус по дороге заглох, и Григорий Матвеевич потерял почти два часа времени и встретить Оленьку не успел. После он долго ждал обратного автобуса, но автобус пришел опять-таки не по расписанию, с задержкой. От автостанции Григорий Матвеевич чуть ли не бегом припустил к Оленькиному дому, но снова опоздал.

Учитель кинулся было за машиной вслед, но понял — не догнать. Заметался, замахал руками — хоть бы такси взять! Но такси, конечно, не было. Слава богу, трамвай подошел.

Григорий Матвеевич не знал, где будет Оленьку искать. Просто решил ехать в ту же сторону, куда направилась машина. В конце концов, дороги в городке — всего две, прямо и направо. Бог даст, отыщет он Оленьку.

* * *

Стас все молчал. Ольга тоже примолкла, смотрела на него, ждала.

За окном проносились убогие домушечки. Потом началась промзона — они ехали мимо бывшего мясокомбината, который пару лет назад закрылся по банкротству. Шныряли между заброшенных корпусов тощие бродячие псы, прошла компания мужиков — пьяные все, страшные...

— Стася...

Что угодно, только бы не молчал, только бы говорил с ней!

— Стас, ты машину новую купил?

Смотрит на дорогу, плечами пожимает:

— Да так... по случаю. Дешево отдавали, я и взял. А что? По-моему, хорошо. Удобная, пять лет всего.

Улыбается. Нравится, видно, машина. Он когда про машины говорит — всегда улыбается.

— Тебе как? Нравится?

— Нравится. Стасенька, куда мы едем? Где ребята?

— У мамани ребята. Забрала. Дед там антенну наладил, так они все время мультфильмы шуруют...

— Так мы к ним, что ли, едем?!

— Да мы уж приехали.

Слева — промзона, справа — свалка какая-то, дальше — тупик и ограда городского парка. Парк большой, задняя часть — запущенная, заросшая, днем туда еще ходят, а как стемнеет — нет. Страшно там.

— Стасенька? Куда мы приехали? Где...

Он перегнулся через нее, дверцу открыл:

— Выходи.

Страшно ей стало. По спине мурашки. Как это говорят? Кто-то по моей могиле прошел... Гусь, что ли...

— Стася... Я не хочу. Зачем мы тут?

— Поговорить нам надо.

— Здесь?!

— Больше негде. Выходи.

Медленно вышла, встала с машиной рядом. Стася! Нет! Не верю! Не может быть. Не надо...

Но Стас не смотрит на нее, сумку с заднего сиденья достал, пошел к свалке. Рядом со свалкой — брошенный старый «Запорожец» — горбатая ржавая сирота, двери выломаны, сиденья выпотрошены... Кто-то эту машинку любил, ездил на ней, служила она своему хозяину верой и правдой. А потом хозяин купил новую — «Жигули» какие-нибудь или даже иномарку. А старушка отправилась на свалку. Только сперва хозяин снял с нее все мало-мальски ценное. Снова мурашки по спине. Гусь прошел по моей могиле... Нет. Не верю...

Стас поставил сумку на капот «запорожцева» трупа, обернулся, посмотрел в глаза.

Молчи, не говори ничего, не хочу слышать, не хочу знать!

Мерзкий голосочек где-то внутри пискнул: так ведь ты уже все поняла, ты уже все знаешь. Знаешь, почему дверь не открылась. Почему другие шторы, почему он не смотрит в глаза...

«Нет. Не знаю!» — упрямо думала Ольга.

Стас достал из кармана сигареты. Сейчас вытащит одну, помнет в пальцах — он всегда так делает.

Достал. Помял. Прикурил.

— Присядь, Оля. В ногах правды нет.

Куда тут садиться-то? Разве рядом с сумкой, на багажник мертвого «Запорожца». Почему-то на багажник садиться не хотелось. Но Стас так посмотрел, что она послушалась. Я сяду, а хочешь — встану на голову, а хочешь — на руках через весь город пройдусь. Все, что скажешь, то и сделаю, только скажи, что все хорошо, что я напрасно перепугалась!

— Вот что, Оля... Так получилось, что... В общем, так...

Смотрит в лицо. Ждет, что она сама догадается, сама все скажет. Как сказала про тюрьму, что возьмет все на себя. Раньше она всегда так и делала, говорила за него, и он оставался как бы и ни при чем, она ведь сама предложила, так что с него взятки гладки.

Стас был добрый парень. Во всяком случае — не злой. Он не любил говорить людям неприятные вещи. Тем более Ольга ему не чужой человек. Жена все-таки, сколько лет вместе прожили. Черт! Он надеялся, она сама догадается, сама все скажет, и ему останется только согласиться: ну, раз ты так считаешь, раз ты думаешь, что так будет лучше, — что ж, не стану спорить... Но она молчала. Это расстраивало Стаса. И злило. Почему она ставит его в дурацкое положение? Почему он должен что-то объяснять, оправдываться и еще чувствовать себя виноватым? Он-то в чем виноват? С кем не бывает? Да, любил. А потом — разлюбил. Сердцу, как говорится, не прикажешь.

Стас откашлялся, закурил новую сигарету.

— Оль, я давно хотел сказать, но все как-то... Ну не в зону же ехать с таким сообщением-то...

— Кто-то... умер?

Дура!

— Все живы. Только я больше не могу...

— Что не можешь, Стас?

Ну неужели придется прям так и сказать? Вот прям словами?

— Короче, так. Я люблю другую. Я тебя разлюбил.

Господи, ну какая ж тоска! Какой же разговор неприятный получается! Уж скорее бы закончить, и домой. Дома ужин ждет, по телику футбол, полуфинал чемпионата, между прочим, а он тут лясы точит.

— Раз...любил?

— Давно уже. Но как я тебе скажу, когда ты... Когда мы...

— Какую... другую?!

До нее стало доходить, кажется. Да какая разница, какую другую? Ну вот что ей за дело? Сказал же — разлюбил. Не все ли равно, кто она, другая эта?

— Короче, Зина живет с нами, и ребятам с ней хорошо. Она заботливая, веселая, не обижает их, уж за этим я смотрю, ты не думай!.. Ты... того, Оля... Ты понапрасну их не расстраивай. Раз уж так сложилось, то ты... Уезжай, в общем. Ну что ж делать, ну я ж живой человек... Сердцу-то не прикажешь!..

— Живет с... моими детьми? С тобой?!

— Ну да! А что тут такого? Ну, мы друг друга полюбили. Что нам теперь, помирать? Или ждать, когда ты помрешь? Столько людей разводится, и ничего! Дальше живут.

— Ты со мной... разводишься?

— Документы месяц назад подал. Когда жена в тюрьме, то согласия не надо. Ну что ж делать, ну, не люблю я тебя!

Горло перехватило, будто кто накинул петлю — до боли:

— Нет! Ты слышишь? Нет! Я люблю! Я люблю тебя! Я... не хочу, не могу! Это... невозможно. Господи, да ты сам слышишь, что говоришь?!

Ну вот, так он и боялся, что сцену устроит. Нет чтобы интеллигентно, по-человечески. Говорила Зинка: не ходи, напиши, что так, мол, и так. И не приезжай, мол. А он культурно хотел, поговорить, как люди. А теперь вот истерики слушать приходится.

Стас снова закурил.

— Оля, не приходи больше. Все равно я замки поменял. На всякий случай. Чего зря детей расстраивать! Мишу и так в школе затравили, мол, мать — зэчка.

— Стас, я же... из-за тебя зэчка! А ты теперь...

— Да не теперь! Не надо из меня подлеца-то делать! Я с ней уж два года живу! Ну, так получилось!.. Разлюбил. Тебя же не было, вот она и пришла!.. Детям с ней хорошо, ты не думай!

Два года?! Ольга поверить не могла. Выходит, Стас с ней жил, она думала, что все хорошо, а он в это время уже разлюбил ее, встречался с этой своей Зинкой, так, что ли? Это в Ольгиной голове никак не укладывалось. Или люди друг друга любят, или... И как же тогда все эти слова — про семью, про вместе выплывем или вместе потонем? Нет, не может быть, что-то тут не сходится...

— Как... два года? Я... я... суд был только семь месяцев назад... Два года?!

— Ну да! Ну что тут такого?! Да все разводятся! Вон Катька со своим разошлась, Митяй Ленку бросил, Колька тоже...

— Какой... Колька?

— Да Васин! Из-за которого весь сыр-бор был! Он теперь мой первый кореш! Представляешь? Смех!

Смешно. Колька Васин — первый кореш. Обхохочешься.

Ольга и расхохоталась. Ну конечно! Это все сон. Это же не может быть правдой, да? Колька Васин — первый кореш? Бред. Два года с какой-то Зинкой? Нет-нет, определенно она спит. Вот сейчас она проснется, напялит казенный ватник, пойдет в свой швейный цех, будет строчить шинельные рукава и дожидаться амнистии...

— Ну вот и хорошо. Я так и знал, что ты все поймешь, — на лице Стаса нарисовалось облегчение. Может, еще и полуфинал посмотреть успеет. — В общем, договорились, да?

И по плечу потрепал — молодец, мол, Мухтар! Хорошая собака!

Прикосновение было реальным. Пальцы Стаса — теплые, родные, чуть шершавые — пахли сигаретным дымом и машинным маслом. Ольга поняла, что никакой это не сон, это все на самом деле. И Зинка. И Колька. И Стас, который все это ей с улыбкой рассказывает.

В глазах у нее потемнело, будто разом настала ночь. Наверное, с Зойкой, соседкой по нарам, так же было, когда она ухватила табурет и поперла с ним на своего Федьку.

Ольга накинулась на Стаса, метилась в лицо — разбить в кровь, выбить из него всю эту блажь, чтобы узнал, чтобы вернулся, чтобы снова стал собой прежним. Она кричала — сипло, надрывно, как никогда в жизни. Она такие слова выплевывала ему в лицо, каких сроду не то что не говорила — знать не знала. Всю тюремную словесную грязь, всю мерзость пустила в ход.

— Я ж за тебя срок мотала! За тебя! Ты... ты! Гнида ты! Поскребыш!

Он испугался. Женщина, которая била его по лицу, была не его женой. Она выкрикивала такое, чего он ни в армии, ни в гараже сроду не слыхал. Слава богу, домой не пустил, слава богу, замки поменял вовремя... Пригрел змею на груди. Права маманя...

Поймал ее руки — тонкие, но, зараза, цепкие. Всю щеку раскровенила, сука бешеная.

— А ну! Осади! Тихо, тихо! Научилась там, среди зэков, руками-то махать! Тихо, ну!

Смазал по щеке — в силу, всерьез, чтобы в себя пришла. Она схватилась за щеку, сразу сникла, перегнулась пополам, заскулила.

— Стасенька, милый, не бросай меня! Что я буду делать?! Куда я пойду?! И... Миша с Машей...

Плюхнулась задницей в грязь, сидит, раскачивается, сопли в три ручья — смотреть тошно. Ну что за женщина? Нельзя как-то красиво все сделать, что ли? Просто разойтись по-хорошему, вот без этого всего? Художница, блин, а устроила... Хуже бабы базарной, честное слово! Надо же как-то... Ну, гордость иметь, что ли...

Нет, Стас — парень не злой. Похлопал ее по плечу по-доброму:

— Ну-у, завела! Водопад! Нормально все. Устроишься где-нибудь, работать пойдешь. Не всю жизнь за моей спиной-то!..

— Я за тебя... срок получила.

— Невелик срок — семь месяцев. Все правильно я тогда решил. Тебя-то отпустили, а меня бы по полной закатали! Ну, я поехал. А ты к детям не лезь. Что их зазря расстраивать! Маша Зину мамой зовет. Миша тоже привыкнет. Ты их только того... не беспокой. Денег дать тебе — на автобус там, на все дела?

Ольга поползла по асфальту, вцепилась в брючину — ну чисто репей. Господи! Ну сколько можно устраивать народный театр?! Стасу сделалось противно.

— Стас! Не уходи!

Осторожно выпростал ногу, штанину отряхнул. Достал бумажник, отсчитал четыреста рублей, потом подумал и добавил еще сотню для ровного счета.

Больше мелочи в бумажнике не было, и Стас с сожалением подумал, что вот придется теперь на заправке разменивать пятитысячную купюру. Ну уж ладно, чего там... Не зверь же он...

...Машина Стаса давно скрылась за поворотом, а Ольга так и сидела на земле, уткнув голову в колени. Не было у нее сил подняться, не было сил кричать, она только раскачивалась из стороны в сторону и тихонько поскуливала. Где-то по самому краю сознания вспыхивала пунктиром единственная удивленная мысль: неужели я еще жива?

Чьи-то руки подхватили ее под мышки, дернули вверх. На одно безумное мгновение Ольге почудилось, что это Стас вернулся, что наваждение прошло.

— Вот так, голубушка, вот так... дышите. Оленька, дышите...

Нет, не Стас. Григорий Матвеевич. Откуда он тут? Зачем?

— Я, Оленька, торопился, предупредить вас хотел, да не успел. Вот ведь несчастье-то...

Ноги ее не держали, были ватными. Голова моталась, как у тряпичной куклы.

Григорий Матвеевич прислонил Ольгу к капоту ржавого «Запорожца», на котором все еще стояла ее сумка.

— Воды нет... вам бы... воды... Присядьте... присядьте, голубушка.

Горло вдруг разжало, отпустило, и изнутри прорвалось все то, о чем она скулила, стоя коленями в дорожной грязи:

— Он сказал... два года!.. Сказал, чтобы я не приходила... Маша ее мамой зовет... Так не бывает... Я же вместо него... под суд, в тюрьму, а он... Я не знаю, как мне жить... Я не хочу! Не хочу жить! Не могу! Не хочу!

Григорий Матвеевич ухватил ее неожиданно сильными руками за локти, держал крепко.

— Все пройдет. Все пройдет. Надо сейчас перетерпеть. Отпустит, скоро отпустит, легче станет.

Она снова вернулась. Как?! Как ей станет легче?! Как можно это пережить? Нельзя!

— Пренебречь! Одно вам остается, Оленька, — пренебречь.

Пренебречь! Кем пренебречь, господи? Ведь дети же! Дети!

— Как-нибудь, но только пренебречь!

— Он меня не любил! Он специально... нарочно все придумал... Он избавился от меня!..

Снова обмякла в руках у Григория Матвеевича. Он опустил ее на капот, руку на спину положил:

— Поплачьте. Поплачьте, это поможет... Поможет пренебречь... По-всякому жизнь поворачивается, Оленька, милая.

Какая жизнь, о чем он? Нет у нее больше никакой жизни, была — да вся вышла. Был Стас, были дети, а теперь у детей мама — Зинка, а у Стаса лучший друг — Колька Васин, который ее в тюрьму засадил.

— Он обещал: отдыхать поедем. В Грецию. Я так хотела. Я только и думала что про Грецию эту. Шила и про Грецию думала. Там море, тепло... А теперь? Ничего не осталось!

Григорий Матвеевич встряхнул ее, голос сорвался на фальцет:

— Нет-с, уважаемая! Ничего у нее не осталось! У вас дети остались! Что они должны делать?!

— У них... другая мать есть. Он сказал, что им с ней... хорошо. Лучше, чем с зэчкой...

— Он сказал!.. Это ваши дети! Какая Анна Каренина у нас завелась! Что? Вот так вот и отдадите своих детей новой мамаше? В распыл пустите? Пусть как хотят живут? Сколько им лет, вашим детям?!

— Мишке восемь, а Машке четыре.

— Младенцы! Они не виноваты, что у них отец подлец! Первосортнейший подлец! Хотите, чтобы они с подлецом жили?!

— Я ничего не хочу. Я жить не хочу.

— От хотенья вашего ничего не изменится, Оленька. Вам надо сильной быть. Твердой, как скала гранитная. Бороться надо, Оленька. За детей. Все остальное в данный момент — чепуха!

Как бороться? С кем? Она слабая. Она не умеет бороться!

— Придется научиться! Выхода нет. Трусость — подлейшее качество, а нам на сегодня подлости достаточно! Вполне-с... Поднимайтесь, поднимайтесь потихоньку, Оленька. Пойдемте!

Куда? Ей некуда идти. Нет больше дома, нет семьи, ее место — тут, рядом с трупом брошенной, никому больше не нужной машинки. Она сама — такая же, отслужившая свое рухлядь.

Но Григорий Матвеевич был другого мнения. Одной рукой он подхватил сумку, другой — взял Ольгу за локоть и засеменил к трамвайной остановке.

* * *

Ветви оливковых деревьев тихонько шелестели, яркие бабочки, с воробья размером, порхали над рощей. Как же в этой Греции жарко, просто невыносимо. Сесть бы сейчас в тенечек. Но тени нигде нет, даже под деревьями. Солнце палит нещадно, все тело горит, и во рту пересохло, а укрыться негде. Страшно хочется пить...

— Пить... Пить хочется...

Григорий Матвеевич засуетился, схватил чашку, налил водички из чайника, приподнял Ольгу на подушке:

— Вот, голубушка... Попейте... Ах ты, господи, несчастье... Пейте, пейте, полегчает... При температуре надо много пить...

Ольга жадно выпила, откинулась на подушку. Лихорадочный румянец на запавших щеках, глаза мутные, руки-ноги плетьми болтаются... И вся горит.

Напугавшись высоченной температуры, Григорий Матвеевич вызвал «Скорую». Приехал врач — молодой, румяный, улыбчивый. Сказал — грипп. Рановато что-то в этом году, обычно в ноябре начинается... Велел давать Ольге антибиотики, аспирин, теплое питье — и через неделю все будет в порядке. Так и вышло. На шестой день Ольга уже сама хлебала сваренный Григорием Матвеевичем куриный бульон из мисочки — куриный бульон при гриппе первейшее средство, всем известно.

Доела, отставила мисочку.

— Григорий Матвеевич, а где мои вещи?

Вещи ее, выстиранные и выглаженные, лежали на стуле, тут же в комнате.

— Вон они, Оленька, дожидаются вас.

Ольга сунула ноги в тапки, зашаркала к стулу. По пути ее сильно качнуло, она ухватилась за диван, постояла немного, тяжело дыша.

— Голубушка моя, куда вы собрались? Доктор вам

постельный режим прописал, у вас может воспаление легких случиться! Вы должны лежать и выздоравливать.

— Я должна увидеть детей, Григорий Матвеевич.

Он пытался Ольгу отговорить, а когда понял, что никакими уговорами тут не поможешь, заявил решительно:

— Одну я вас не пущу, так и знайте!

...Родители Стаса, выйдя на пенсию, окончательно поселились на даче. Когдатошняя щитовая бытовка давно уже превратилась в крепкий двухэтажный дом с резными наличниками и спутниковой антенной на крыше, которой отец Стаса страшно гордился. И отопление в доме имелось от котла, и тесовый трехметровый забор, и собака Буран на цепи — все как полагается.

Светлана Петровна как раз выставляла на стол пирог, когда Буран во дворе зашелся лаем. Светлана Петровна выглянула в окошко. Буран без толку лаять не станет. Это не какой-то вам пустобрех, настоящий сторожевой пес кавказской породы, Стас три года назад за него страшные деньги отдал. Светлана Петровна сына отругала — зачем, мол, потратился, но сама была довольна. Дом у них, как говорится, — полная чаша. И телевизора два, и ковры, и золото, и шуба у нее, вон, каракулевая, муж из-за границы привез. Он тогда начальника городской администрации возил, а тот ему путевочку выделил в Болгарию, вот оттуда и привез шубу-то. Уж десять лет, а все как новая...

За воротами, под фонарем, топтались двое. На алкашей вроде не похожи, хотя кто их теперь разберет, швали разной развелось... Светлана Петровна задернула шторку. Бог с ними. Сунутся — Буран их враз порвет.

В ворота заколотили. И чего неймется?

Светлана Петровна растворила окошко:

— А ну пшли отсюдова! Ишь, хулиганье! Щас собаку спущу!

Она хлопнула рамой — окна современные, пластиковые, сынок расстарался, заказал — и пошла за чайником, досадуя, что какое-то отребье приличным людям ужинать мешает. Ужин в семье считался делом важным, почти святым. К ужину непременно полагалось горячее — кура под майонезом, жареная картошка со шкварками, да капустки квашеной из погреба, да яблочек моченых, да грибков. Анатолий Иванович пропускал пятьдесят граммов водочки под соленый огурец, после чего всей семьей долго пили чай с пирогом и смотрели по телевизору какую-нибудь передачу хорошую — «Поле чудес» или «Кривое зеркало» с Петросяном. Ясное дело, никаким оглоедам подзаборным ужин семейству портить не дозволялось.

Машка вылезла было из-за стола, но Светлана Петровна ее поймала и обратно усадила:

— Манечка! Куда ты, рыбонька моя?

— Стихи учить буду, — ответила рыбонька.

И до чего же девчонка сладкая, чисто твой пирожок!

— Погоди. Вот покушаешь, и пойдем стихи с тобой учить.

Маня скривилась:

— Не хочу есть.

— А пирожка-то? Бабушка пирожок спекла, дед вон плакать будет, если ты не покушаешь!

Маня нехотя согласилась, полезла на стул, хоть и насупилась. Эх, грехи наши тяжкие... Кушает девочка плохо и спит нехорошо. Ну чего не хватает, спрашивается? Вроде все есть. Накормлена-напоена, и игрушек полная комната, и коньки, вон, купили, и качели дед во дворе поставил. А Манечка покачается-покачается на качелях, потом сядет в уголку да давай плакать так, что сердце разрывается. Спросишь, в чем дело, — только хуже плачет.

В калитку снова заколотили. Анатолий Иванович недовольно поморщился, газету с программой в сторону отложил.

— Света, ну что там?

Светлана Петровна выставила на стол чайник, накинула платок:

— Толя, Манечке чаю налей. Я сейчас, собаку только спущу.

Кутаясь в платок, Светлана Петровна пошла к калитке.

— А ну, брысь отсюдова!

— Светлана Петровна, — позвали из-за забора. — Ребята у вас?

Нате-здрасьте! Ольга! Явилась — не запылилась. Светлана Петровна взяла Бурана за ошейник, растворила калитку. Так и есть: стоит за калиткой ее разлюбезная невестка. Из тюрьмы — да прямиком к ним. К невестке у Светланы Петровны свой счет был. Не о такой же она для сына мечтала. Когда он еще только связался с этой Ольгой, целую ночь в подушку проплакала — не пара она Стасу, ох, не пара. Голь перекатная, да еще с этими интеллигентскими вывертами. Художница, как же! Да у художницы этой и посмотреть не на что. Чем Стаса взяла — непонятно. Не иначе, присушила.

Когда выяснилось, что Ольга у Стаса в фирме намошенничала, Светлана Петровна так и сказала сыну: я, мол, сразу знала, что она тебе не подходит, никогда она мне не нравилась. Бухгалтерша! Воровка она, а не бухгалтерша, вот кто! Мало того, что Стаса по ее милости чуть не упекли за решетку, так еще Машенька с Мишенькой из-за нее пострадали, Мишеньку вон в школе задразнили, что мать зэчка. Деду пришлось ходить к директору, требовать, чтобы пропесочили обидчиков, разобрались чтобы.

— Ты чего явилась? Чего тебе здесь надо?!

Светлана Петровна двинулась на Ольгу, придерживая до поры до времени Бурана. Пусть только попробует что-нибудь выкинуть, вот только пускай попробует! Живо спущу собаку с цепи — и полетят клочки по закоулочкам!

— Светлана Петровна, я хочу увидеть детей.

Светлана Петровна аж задохнулась от негодования. Детей! Увидеть она хочет! А когда под носом у Стасика пакостила, про детей ты подумала?! Нет, вы посмотрите — детей ей подайте! И как наглости хватает! И как глаза ее бесстыжие смотрят!

— Убирайся! Стаса чуть под монастырь не подвела и наглость имеешь являться! Совсем стыд потеряла!

— Я? Стаса? Куда я его подвела?

— Да ты хоть со мной-то не кривляйся! Чума болотная! Ты че, думаешь, я не знаю, что он из-за твоих дел чуть под суд не пошел! Ну чего глаза-то вылупила? Кто ему все бумаги понапутал?! Кто все документы попортил?! Не ты?! Детей ей покажите! А фигу не хочешь?!

И Светлана Петровна, сложив кукиш, сунула его Ольге в нос.

— Вот тебе дети! А ну марш отседова! Не доводи до греха!

Ольга стояла как пришибленная. Светлана Петровна удовлетворенно усмехнулась, смерила ее презрительным взглядом. Что, милая, поджала хвост? Думала, Стас матери ничего не расскажет про твои художества?

Однако невестка все не унималась. Вот ведь человек!

— Светлана Петровна, вы ошибаетесь. Ничего я не путала и не портила. Я все... взяла на себя, чтобы он остался на свободе. Я хочу увидеть Мишу и Машу.

Светлана Петровна уперла руки в боки:

— Ах ты, какое душевное благородство! На себя взяла! Знаем мы, как ты взяла! Да если б Стасик не спохватился, ты бы его в тюрьму упекла, зараза! Он-то к тебе всей душой столько лет, а ты... избавиться от него хотела! Проваливай отсюдова, нечего тебе тут делать!

Светлана Петровна дернула Бурана за ошейник, и тот зашелся лаем. Ольга попятилась, но совсем не ушла.

— Отдайте мне детей. Отдайте, Светлана Петровна!

— Да я тебя в милицию отдам! — Светлана Петровна теряла терпение. — Зэчка проклятая! Напакостила, и убирайся отсюда! Это мои внуки, а не твои дети! Зиночка их вырастит, людьми сделает! Нам такая мать не нужна!

Григорий Матвеевич взял Ольгу за рукав:

— Оленька, голубушка, идемте отсюда.. Ну вы же видите, ничего не получится... Пойдемте, мы с вами все обсудим и что-нибудь придумаем. Вы сейчас слабенькая совсем... Не нужно.. Едемте домой...

— Во-во, ехай-ехай! — поддержала Григория Матвеевича Светлана Петровна. — Послушай старого человека. Хоть и юродивый, а дело говорит!

Стукнула дверь, изнутри послышалось бормотание телевизора, какая-то развеселая мультяшная музыка, и звонкий голос крикнул:

— Баб! Ну ты где?!

— Здесь, Мишенька, здесь, мой хороший, иду уже, бегу, — мгновенно отозвалась Светлана Петровна.

Ольга рванулась во двор:

— Мишка! Мишка!

Поздно. Дверь закрылась. Светлана Петровна ухватила Ольгу за грудки, зашипела в лицо, оглядываясь на окна:

— Уходи, проклятая! А еще явишься, милицию вызову, чтоб тебя обратно, надолго чтоб...

Вытолкала Ольгу со двора, в руки Григорию Матвеевичу, захлопнула калитку. Ольга услышала, как лязгнули запоры.

...Маня прихлебывала чай из блюдечка — ну вылитый Стасик. Он когда маленький был, тоже вот так вот из блюдца чай дул.

— Баб, а ты на кого кричала?

Маня подняла от блюдца раскрасневшуюся мордаху.

— Да попрошайки к нам повадились, — Светлана Петровна махнула рукой — мол, ничего особенного.

— Мы с Бураном их прогнали. Эх... Развелось бомжей кругом!..

— Кто такой... божей? Зверь такой? — Машка явно заинтересовалась неведомым зверем.

— Это не зверь, кошечка моя. Бомжи — это всякие нехорошие люди, вроде вашей мамы. — Светлана Петровна погладила Машку по голове, придвинула блюдо с пирожками. — Ты кушай, кушай.

— Наша мама — не бомжи, она хорошая и скоро приедет! — подал голос Мишка. Светлана Петровна ругнулась про себя — сболтнула лишнего, теперь объясняйся... Но уж, видно, ничего не поделаешь.

— Маму вашу в тюрьму посадили, потому что она воровка. Она теперь в тюрьме и не приедет. Теперь у вас мама — Зина.

Мишка насупился, вылез из-за стола, ушел в свою комнату. Снова будет дуться. Эх, грехи наши тяжкие, и за что бедным детям такое испытание?

— Толь! Ну пойди ты с ним поговори! — Светлана Петровна верила, что муж может объяснить кому и что угодно. — Ну сил моих больше нет! Он ведь теперь со мной разговаривать не будет и кушать не станет мне назло, потому что я про его мамочку драгоценную плохо сказала!

— Ты, мать, не волнуйся. Утрясется все. — Анатолий Иванович снова взялся за газету. — Мишке — ему время нужно, чтобы привыкнуть. Погоди чуток.

Машка нахмурилась, явно что-то соображая, потом спросила:

— Ба, а всех плохих в тюрьму сажают?

— Всех, рыбонька моя, всех!

— Тогда Сережку Кузнецова тоже надо в тюрьму

посадить, — сообщила Машка. — Он плюется и девочек обижает.

— Посадят, рыбонька моя, обязательно посадят. Вот вырастет — и посадят, если не отучится плеваться!

— Хорошо, — Машка удовлетворенно кивнула. Ей очень хотелось избавиться от Сережки. — Ба! А когда мама вернется?

Светлана Петровна беспомощно опустилась на стул, посмотрела на мужа, ища поддержки. Но Анатолий Иванович сделал вид, что ничего не слышал. Сидел, загородившись газетой.

* * *

Поездка на дачу даром не прошла. У Ольги таки случилось воспаление легких, и несколько дней Григорий Матвеевич всерьез боялся, что она не выкарабкается. Снова пришлось вызывать «Скорую». На сей раз приехала средних лет угрюмая врачиха, не разуваясь и не помыв рук, прошла к больной. Глянула на термометр, послушала легкие, сообщила, что у Ольги, по всей видимости, двусторонняя пневмония, но в больницу везти отказалась.

— Помилуйте, ведь вы видите, в каком она состоянии! — увещевал Григорий Матвеевич. — Вы же врач, вы, позволю себе заметить, клятву Гиппократа давали!

Но врачиха объяснила, что Гиппократ Гиппократом, а без полиса в больницу нельзя. Может, во времена Гиппократа и можно было, тогда ни у кого полисов не было, но сейчас-то — другое дело, в цивилизованном мире живем, гражданин, все должно быть по закону. Есть полис — есть медобслуживание, нет полиса — нет медобслуживания, вот так, и никак иначе.

Всех документов у Ольги была справка об освобождении, и врачиха, переписав данные, посоветовала Григорию Матвеевичу:

— Вы ее, если оклемается, отправьте на туберкулез провериться и на венерические, а то наплачетесь потом...

Три недели Григорий Матвеевич тащил Ольгу с того света практически за уши, колол антибиотики, купил у соседа-охотника пол-литровую банку дико вонючего, но исключительно полезного медвежьего жира и этим жиром Ольгу растирал, укутывал одеялом, вливал в рот горячее молоко — все с тем же медвежьим жиром... Заваривал в кастрюльке шалфей для ингаляций, заставлял дышать. Вскакивал по ночам, когда Ольга снова начинала бредить, давал жаропонижающее, поил, успокаивал, смачивал лоб и ладони водкой, чтобы сбить температуру... И болезнь потихоньку стала отступать.

К концу ноября Ольга достаточно окрепла, чтобы под руку с Григорием Матвеевичем гулять по двору. В декабре он сделал ей временную регистрацию (Стас Ольгу после развода из квартиры выписал), и она начала искать работу.

Ольга проштудировала все газеты с объявлениями о вакансиях, нашла несколько подходящих. Но на первом же собеседовании Ольге объяснили: претендовать на работу по специальности она больше не сможет — никогда и ни при каких обстоятельствах.

— Вы что себе позволяете, женщина?! — кадровичка даже пятнами пошла от возмущения. — Вы себе отчет вообще отдаете?! У нас тут приличное учреждение, а не бордель! Вы мне что в резюме написали?!

Ольга посмотрела в резюме, которое кадровичка брезгливо, двумя пальцами, держала у нее перед носом. Резюме как резюме, ничего выдающегося. Громова Ольга Михайловна, специальность — бухучет, стаж работы на должности главного бухгалтера — семь лет...

Кадровичка ткнула пальцем в нижнюю строчку: «С такого-то по такое-то временно не работала».

— Вы что же, милочка, думали, здесь дурачки сидят?! Думали, мы не проверяем, кого на работу берем?! Почему вы временно не работали, Ольга Михайловна? Сами скажете или мне вам сказать?! Так я скажу! Я все скажу! И в какой колонии вы отбывали наказание, и по каким статьям! Хороша бы я была, если бы воровку и мошенницу приняла на работу в бухгалтерию! Уму непостижимо. Уходите немедленно, пока я охрану не вызвала! И на будущее запомните: в приличное учреждение вам дорога заказана. Хорошо, если кто-нибудь согласится уборщицей взять. Да и то я бы подумала.

Ольга сунулась еще в несколько мест, но там было все то же самое.

Несколько раз она пыталась прорваться к Мишке в школу. Бесполезно. Школьный охранник ее просто вытолкал, чуть с крыльца не спустил.

Ольга стала караулить Машку возле детского сада. Закончилось это совершенно безобразной сценой.

Ольга пришла к концу дня и прохаживалась вдоль забора, стараясь не особенно лезть на глаза мамашам с детьми, выходящим из ворот. Она вышагивала туда-обратно, поджидая, когда приедут за Машкой.

Кто ее забирает? Стас? Наверное, нет. Скорее всего, Светлана Петровна. Или эта его новая Зинка.

Из-за угла вывернула машина, и сердце у Ольги заколотилось. Это была машина Стаса. Не новая, на которой Стас отвез Ольгу в промзону «поговорить». Старая. Их семейная машина, верная лошадка с блестящими красными боками. На заднем стекле красовалась наклейка, которую Ольга когда-то собственноручно налепила: улыбающаяся детская мордаха.

Ольга спряталась за телефонную будку. Из машины вышла блондинистая девица в шубке, цокая высоченными каблуками, прошла в метре от Ольги. Пахнуло приторными духами. Так вот она, значит, какая, Зинка... Ольга закурила и стала ждать.

Минут через пятнадцать Зинка появилась снова. На этот раз она вела за руку Машу.

Машка вырывалась и канючила:

— Не хочу!.. Не пойду!..

Девица тянула ее к машине и пыталась задобрить:

— Мы с тобой сейчас на машине поедем. К папочке поедем! Все хотят на машине ехать!

— А я не хочу! Я Мишке хотела картинку подарить! А ты меня забрала, я дорисовать не успела!

— Ну, дома дорисуешь.

— Дома мне никто не помогает, — не унималась Машка. — А в саду воспитательница помогает! Я в садик хочу! Не хочу домой!

Зинка закатила глаза, скривилась:

— Как же ты мне надоела!..

Машка мгновенно выдернула руку:

— Ты мне сама надоела! Я все папе расскажу!

Зинка тут же включила задний ход:

— Знаешь что? Давай мы сейчас поедем к папочке, а по дороге я тебе чупа-чупс куплю. Хочешь? С игрушкой?

— Хочу. Только купи два. Мишка тоже хочет.

— Ладно. Куплю два.

— А жувачку с принцессами?

— Какую еще жвачку?

— Говорю же, с принцессами!

— Посмотрим.

— Не посмотрим, а жувачку я хочу!

Девица снова ухватила Машку за руку, и они, продолжая торговаться за жвачку с принцессами, направились к машине.

Ольга все стояла за телефонной будкой — ноги будто к земле приросли. Девица вытащила ключи, пискнула сигнализация. Божечки! Да что же она стоит-то?! Они же уедут сейчас.

Ольга кинулась вслед за дочкой:

— Маша! Машенька!

Машка обернулась, замерла на месте с открытым ртом, попятилась:

— Мама...

Зинка среагировала моментально. Увидев бегущую к машине Ольгу, она ухватила Машку за куртку, запихнула в машину и встала перед дверью, загораживая Ольге дорогу. Ольга пыталась ее оттолкнуть, выкрикивала что-то совершенно бессвязное, звала дочь. Зинка хватала Ольгу за руки и орала:

— Помогите! Милиция! Она ненормальная! Кто-нибудь! Позовите милицию!

Ольга как-то исхитрилась оттереть Зинку от машины, принялась дергать дверцу, царапаться в стекло.

— Маша, это я, я вернулась! Машка! Я скоро тебя заберу! И Мишку заберу!

Машка сидела, забившись в угол, и смотрела на Ольгу круглыми глазами. Ольга прижалась к окошку — губами, ладонями, но тут Зинка, продолжая выкликать милицию и орать, что на нее напала ненормальная бандитка, ухватила ее за волосы и оттащила в сторону.

Набежали люди, вокруг машины образовалась небольшая толпа, какой-то мужик поймал Ольгу сзади за локти. Зинка, воспользовавшись паузой, быстро юркнула в салон и с места в карьер газанула. Ольга вывернулась, оставив в руках у мужика пальто, побежала вслед за машиной. Взвизгнули тормоза. Ольгу швырнуло на тротуар. Она открыла глаза и увидела у самого лица бампер.

— Ты что?! Ты дура совсем, под колеса кидаться?! А если б я затормозить не успел?!

Водитель «Жигулей», белый как мел, высунулся из окна:

— А если б я убил тебя, дуру?!

«Дура» медленно поднялась, повернулась к нему и сказала:

— Это было бы просто прекрасно!

* * *

— На площади рядом с елкой каток залили. Обещали, что в Новый год будет фейерверк, Дед Мороз со Снегурочкой и катание на санях.

Григорий Матвеевич водрузил на макушку елки рождественскую звезду, слез с табурета и принялся обкладывать крестовину ватой.

— Ну вот... Еще серпантину — и будет у нас с вами, Олечка, не елка, а настоящее произведение искусства!

Ольга лежала на диване, уткнувшись носом в стену, прижимала к животу плюшевого слона с оторванным ухом.

— Оленька, может, кофейку? Я за молоком свежим сбегал, принес. Из бочки...

— Спасибо, Григорий Матвеевич. Что-то не хочется.

— А как насчет прогулки? Снег выпал. Морозец приятный такой. Пойдемте?

Ольга повыше натянула одеяло:

— Нет. Я полежу.

Григорий Матвеевич сел на краешек дивана:

— Оля, так нельзя! Вы себя погубите! Сколько можно лежать?!

Ольга перевернулась на спину, пристроила слона на живот.

— Григорий Матвеевич, а помните, как вы этого слона Машке купили?

— Помню. Оля, надо встать!

Но Ольга его не слушала.

— Машка в детском саду боялась деревянного коня. Никто не боялся, а она боялась. Вот дурочка. Разве можно бояться... деревянного коня?

Григорий Матвеевич покачал головой:

— Трусость — худший из человеческих пороков, еще Михал Афанасьевич писал! Кто коня боится, а кто на улицу выйти.

Ольга снова отвернулась к стенке.

— Перестаньте. Я просто хочу немного полежать.

Но Григорий Матвеевич решительно сдернул одеяло.

— Не могу! Перестать — не могу! Ну-ка, поднимайтесь, поднимайтесь!

Он усадил Ольгу на диване, сунул под ноги тапки.

— Немедленно одеваться, обуваться и гулять! Пять минут на сборы.

Ольга вытащила из-под скомканного одеяла слона, снова прижала к животу.

— Он сказал, родительские права отнимут...

Григорий Матвеевич насторожился. Что за новость? Как это — права отнимут?

— Не могут они у вас права отнять. Нечего и волноваться! По закону...

— Закон у кого в руках, того и защищает.

Ольга снова завалилась на диван. Григорий Матвеевич осторожно тронул ее за плечо:

— Может, мне сходить, поговорить с ними?.. Не звери же они, люди. Как же детям без матери?

— Вы ведь уже ходили, Григорий Матвеевич. Два раза ходили. Ничего у нас с вами не выйдет... Нечего и стараться.

Ну что тут будешь делать? Что за люди, нет, что за люди эти ее родственники! Не люди — кальмары! Учитель погладил Ольгу по голове, словно она была маленькой девочкой:

— Оленька, так нельзя! Я знаю, вы нежная, добрая... Но тут ведь — как на войне, Оленька. Даже если нет надежды — нельзя сдаваться, непозволительно. Вам надо сильной стать, самой сильной, ради детей, Оленька! Если вы не справитесь, они-то уж... Так-то... Что же им теперь?! Пропадать совсем?

Ольга потеребила слоновье плюшевое ухо, потом решительно спустила ноги с дивана, стянула со стула кофту:

— Хорошо, Григорий Матвеевич. Пойдемте погуляем. Поглядим, что там за каток на площади.

...Седьмого января, в самое Рождество, Григорий Матвеевич вернулся с этюдов и увидел, что Ольга собирает вещи. Значит, все же решилась ехать. Учителю это ее решение категорически не нравилось. Последние три дня они спорили до хрипоты, он исчерпал все разумные аргументы, но Оленьку так и не убедил.

Ольга складывала в чемодан вещи, а Григорий Матвеевич стоял рядом и увещевал:

— Ну куда, куда вы поедете, в какой такой райцентр?! Зачем?! Во-первых, это чужой город, это далеко, три часа автобусом...

— Григорий Матвеевич, там мне дают работу.

— Уборщицей на швейной фабрике. Прелестно! Оля, ну вы понимаете, что это невозможно! Хоть моя пенсия и невелика, но уроки, занятия, я еще могу... Проживем! Не следует пороть горячку. Обдумайте все как следует.

Ольга отодвинула в сторону чемодан, взяла учителя за руки. До чего же тонкие, хрупкие руки у стариков...

— Григорий Матвеевич, мы ведь уже все решили с вами. Мне нужна работа, надо собрать деньги — на суд, на адвоката.

— Я вполне... могу-с... Ученики, уроки... — забормотал Григорий Матвеевич.

— Нет. Не хватает вам только по урокам бегать из-за меня. Я вам очень благодарна за все. Если бы не вы... Но тут я сама должна. Или выплыву, или утону. Одна.

* * *

На входе в коридор фабричного общежития громоздились сваленные в кучу колченогие стулья. Пахло едой, стиральным порошком, пылью. Комендант — невысокий бойкий мужичок в лихо заломленной на затылок кепке — шагал впереди, показывая Ольге, где что.

— Тута душ. Вода с шести до восьми, с двух до трех, ну, и с девятнадцати до двадцати одного, само собой, постирочная. У тебе таз есть?

Ольга покачала головой — таза у нее не было.

— У меня тазьев нету, — предупредил комендант. — Но ты у соседки займешь. Соседка у тебе боевая, страсть! С ней подолгу никто не живет.

— Почему?

— Дак, говорю же, боевая, страсть! Гладильная. У тебе утюг свой?

Ольга призналась, что утюга у нее тоже нет.

— У мене тоже нету. У соседки займешь. Она боевая, страсть! Тут, вишь, белье девчонки сушат. Ну, кухня это. У тебе...

— Нет. Плиты у меня своей нет.

— Плита у нас своя! — Комендант, похоже, обиделся. — Тебе плита не положена по пожарной технике. Увижу, отберу. Ну все. Я тебе доставил, вот дверь. А у мене делов куча. Пока.

Ольга постояла у двери. Интересно, страсть какая боевая соседка дома? Она тихонько постучалась. Из-за двери послышался придушенный голос:

— Входи, кому чего надо!

Значит, дома. Ну что ж... Ольга открыла дверь и прямо перед собой увидела ноги в трениках и белых пуховых носочках. Ольга глянула вниз. Снизу на нее воззрилась конопатая девица в бигудях. Щеки у девицы покраснели то ли от напряжения, то ли от долгого стояния вверх ногами и приобрели выраженный свекольный оттенок.

— Здравствуйте...

Ольга прошла в комнату, стараясь не наступить на голову соседке.

— Здорово, — придушенно отозвалась та и, ловко перевернувшись, села на ковер.

— Березка, — пояснила она. — Поза такая. Для талии хорошо. Тебе чего? Если утюг, то его в седьмую забрали!..

— Мне не нужен утюг...

— Порошок стиральный вчера весь вышел! — сообщила девица.

— Нет-нет, я не за порошком...

— Пирогов сегодня я не пекла!

Ольга поставила чемодан в угол:

— Вы не поняли. Я жить пришла... Меня с вами поселили. Меня зовут Ольга Громова.

— А я — Надежда. Фамилия — Кудряшова.

Девица уставилась на Ольгу, покачала головой и усмехнулась:

— Жить пришла! Во дает!

* * *

Это был все тот же коридор — длинный, узкий, как кишка, с серыми стенами, забранными в решетчатые намордники тусклыми лампочками под потолком, с глухими стальными дверями по обеим сторонам... Тот, и все же — не совсем тот. На дверях появились латунные номерки, у одного порога даже расстелен коврик в веселую полоску. Ольга подошла ближе и брезгливо поморщилась: на коврике лежала тухлая рыбина, ребра торчали сквозь сгнившую плоть. Рыбина повернулась и покосилась на Ольгу мутным белесым глазом. Это было не страшно, но противно. Ольга отвернулась и побрела в другую сторону. Где-то в дальнем конце коридора плакали и кричали, и она стала искать, где, одну за одной открывая двери с латунными номерками. Но за каждой дверью была пустота. Ни бабки с саженцами, ни Григория Матвеевича, ни Митяя, ни патефона — просто пыльные серые комнатенки, глухие, без окон. Ольга свернула за угол и вдруг увидела горящее зеленым табло: «Выход». Она понеслась туда, где мерцали, маня, заветные буквы, распахнула дверь и уперлась носом в старую кирпичную кладку. Никакого выхода не оказалось. Коридор опять сыграл с ней злую шутку. Надпись «Выход» замигала — не зеленым уже, а тревожно красным светом, надрывно взвыла сирена... Сигнализация?

Ольга села на кровати, закрыв лицо руками, тяжело дыша — как всегда после кошмара. Продышавшись, отняла ладони от лица, огляделась. В комнате стоял серый полумрак, не разберешь, ночь или утро. Верещание не смолкало. Никакая это не сигнализация, конечно. Это будильник. Четыре утра. Пора вставать на работу.

Ольга выключила будильник, покосилась на Надежду. Та храпела без задних ног. Из пушки пали — не разбудишь.

Ольга сунула ноги в тапки, влезла в свитер и поплелась в умывалку. Ледяной водой в лицо — и сон

145

как рукой снимает. Холодно, правда, очень, но это ничего. За работой быстро согреешься.

У всех остальных на фабрике рабочий день начинался в семь утра. А у Ольги — в пять. До прихода рабочих она должна вымыть цех размером с хорошее футбольное поле. Вообще-то, уборщиц на цех полагалось две, но Ольгина напарница, Ирина, то и дело сидела на больничном с ребенком, и Ольге приходилось управляться в одиночку. Поначалу, входя в пустой гулкий цех, громыхая ведрами, она все боялась, что не справится, не успеет вымыть все к приходу рабочих, и ее уволят. Но потом приноровилась и уже не боялась. Двух часов как раз хватало, чтобы все вымести и выскрести.

Ольга как раз домывала дальний угол, когда появился Павел Семенович. Павел Семенович работал в цеху мастером и на работу приходил первым, за двадцать минут до начала. Фабричные говорили, что у Семеныча какая-то уж очень скандальная жена, потому он и сбегает из дому ни свет ни заря, прихватив термос с чаем и бутерброды.

— Здорово, Громова! — Мастер приподнял кепочку.

— Доброе утро, Павел Семенович!

— Все трудишься?

— Тружусь.

— А Ирка-то? Опять на больничном?

Ольга кивнула.

— Ну трудись, трудись, — разрешил Павел Семенович и, прошествовав в свою застекленную кабинку в углу цеха, принялся разворачивать газету, в которой носил бутерброды.

...К вечеру Ольга так уматывалась, что едва хватало сил добраться до общежития и завалиться на кровать. Она лежала, закинув руки за голову, пристроив рядом Машкиного слона, и слушала, как Надежда хрустит яблоком или сухарем, как шелестит страницами очередного женского журнала. Соседка по комнате постоянно что-нибудь грызла и ползарплаты тратила на журналы про звезд и секреты похудания. Идеалом Надежды была Кейт Мосс, и соседка страшно переживала, что к идеалу этому никак не удается приблизиться. Румяная, рыжая, с конопушками на носу. А формы такие, что доживи русский живописец Кустодиев до наших дней — непременно сделал бы Надежду своей музой и написал во всех возможных и невозможных видах. Но Кустодиев, увы, давно отправился к другим прославленным коллегам по цеху. Все, что ему остается, — любоваться на Надю Кудряшову с райского облака. На пару с Рубенсом.

Ольга сто раз объясняла Надежде, что красота подиумных андрогинов — штука нездоровая, противоестественная, и что настоящая красота — это в первую очередь округлость форм, правильные пропорции, и природа задумала женщину с грудью и попой, а воротилы модельного бизнеса пытаются пойти поперек природы и превратить человека в вешалку. Но пускай в журналах пишут что угодно, а мужчинам и сегодня нравятся не стиральные доски, а женщины вроде Надежды. Про мужские предпочтения Надежда была очень даже в курсе.

— Им пироги мои нравятся, а еще — водочки выпить, — говорила она.

Сразу после школы Надежда вышла замуж за веселого парня с гитарой. Он играл как бог, сочинял для нее стихи, но спустя время выяснилось, что парень всем радостям семейной жизни предпочитает выпить с товарищами за гаражом. Надежда промаялась пять лет, а потом оформила развод.

Ее бывший муж время от времени появлялся рядом с общежитием. Караулил Надежду, а подкараулив, просил взаймы денег.

— Нету у меня для тебя денег! — отшивала его Надежда. Но бывший не отставал, шел за ней, канючил:

— Надя! Как это может быть объяснимо, что у тебя нет денег для бывшего родного мужа? Как это можно жалеть копейку, словно ты жадная женщина?! Я знаю, что ты добрая женщина!

Заканчивалось всегда одинаково. Надежда, бубня, что надоел ей бывший муж хуже горькой редьки, сколько лет как развелись, а он все дорогу к ней не забудет, лезла в кошелечек, вытаскивала десятку или полтинник, совала страдальцу:

— Посмотри, на кого ты стал похож?! Совсем спился, свихнулся! Был же нормальный человек!

Муж отвечал, что он как раз и есть нормальный человек и уважаем всеми, а Надежда жалеет для него своих денег.

— Так потому я и жалею, что они мои! — отвечала обыкновенно Надежда. — Ты же все пропьешь! Помрешь ведь от водки этой!

— Без нее — да! От нее — никогда! — заявлял под занавес бывший родной муж и удалялся с гордо поднятой головой, чтобы через месяц-другой снова появиться.

А Надежда продолжала читать журналы и выискивать чудо-диеты. На кефире и травяном чае она выдерживала, как правило, пару дней. К вечеру второго дня Надежда начинала тосковать, а ночью, сообщив жалобным голосом, что страсть как кушать хочется, открывала тумбочку, где лежало съестное, и враз уминала пакет сухарей. А через неделю выискивала какой-нибудь новый суперспособ похудеть. Как-то раз Ольга еле-еле отговорила соседку от покупки двух дюжин аптечных пиявок, потому что Надежда вычитала где-то, что с их помощью можно похудеть за неделю на три размера безо всяких диет и гимнастики.

Надя перевернула страницу, взглянула на Ольгу. Спит, что ли? Вроде не спит.

— Оль, а Оль! — позвала она негромко.

— А?

— Так и думала, что ты не спишь. Гляди, чего пишут!

— Что?

— Новый суперспособ похудеть. Десять кило за три дня. Вот, смотри, купон. Вырезаешь, заполняешь, а-атсылаешь!.. Тебе присылают специальный браслет, ты его носишь и худеешь.

Ольга улыбнулась: все же соседка неисправима. Как дитя малое, верит всему, что в этих журналах печатают!

— Надь, так не бывает.

Надежда подхватилась, плюхнулась на край кровати, сунула Ольге под нос журнал:

— Сама посмотри, вот тут так и написано! Словами!..

— И смотреть не хочу. Еще и стоит небось пол-зарплаты. Сколько? Тысячу? Две?

— Да какая разница! — Надежде чудо-браслет явно загорелся. — Две восемьсот! Но главное же — результат. Десять кило!.. Десять, Оль!

— Не вздумай покупать. — Ольга приподнялась

на локте, попыталась отобрать у соседки журнал, но Надежда проворно спрятала его за спину:

— Обязательно куплю!

Она вернулась к себе на койку и снова погрузилась в чтение. Ольга начала задремывать, когда Надежда на своей кровати тихонько взвыла:

— У-у-у! Ну что ж тако-о-ое!

— Что?

— Не буду я браслет этот покупать!

— Ну и слава богу.

— Знаешь, чего тут дальше написано?

— Ну что там написано?

— Что действие браслета происходит, только если ничего не солить и не сахарить, а еще нельзя печеное, копченое, жирное, острое, кислое и из крема. Картошку тоже нельзя.

— А что можно?

Надежда аж скривилась от отвращения:

— Геркулесовый отвар. И чай из трав. Ну, чай — ладно, мне вон мамка целый мешок сушеной мяты прислала. Упьемся. Еще эти можно... злаки, вот что.

Ольга, думая о своем, кивнула:

— Злаки — большая сила, особенно если их есть вместе с браслетом...

Надежда уставилась на нее как на малахольную, прыснула:

— Оль, ты чего?! Браслет не есть, а на руке носить надо!

Отсмеявшись, Надежда решила, что, раз они браслет пока не покупают, нужно хоть в булочную сгонять. За печеньем или за сухарями. Лучше за сухарями, наверное. В них калорий меньше.

— Оль, вставай, пойдем до магазина пройдемся. А то ты все лежишь да лежишь, смотреть тошно!

Но Ольге никуда идти не хотелось. Не хотелось вообще ничего. И откуда у Надежды столько энергии? Такое впечатление, что она никогда не устает. Работает — как все, полную смену, да еще сверхурочные берет. После работы — печет пироги, стирает, вяжет, журналы свои читает, занимается в драмкружке при фабрике, постоянно выбивает какие-то путевки ветеранам, ругается с начальством из-за того, что в фабричном клубе нетоплено... Спит как убитая, а в шесть утра вскакивает — и понеслось все по новой. Не человек, а атомная электростанция. Хотя, если что, этот мирный атом может так рвануть, что мало не покажется. Недаром Надежду все начальство боится — и общежитское, и заводское.

Ольга повертела в руках Машкиного слона, снова пристроила на подушку:

— Надь, я устала... Да и холодно на улице.

Надежда строго глянула на Ольгу. Эта рыжая кустодиевская красавица все понимала, будто насквозь людей видела.

— Ну что ты себя травишь, дура?! Никуда не денутся твои ребята, отсудишь!

Интересно, как?

— Надь, не говори ерунды. Я кто? Никто. Бывшая зэчка. Уборщица. А там у них нормальная семья.

Надежда хмыкнула презрительно, сложила губы бантиком:

— Этот подонок твой и его бабец новый — это, что ль, семья?!

Ольга вздохнула:

— Суду не докажешь, что он подонок. Я из зоны вернулась и уборщицей работаю, а у него бизнес, квартира, новая жена. С кем детям лучше?

У Надежды на этот счет никаких сомнений не было.

— Ясное дело, с тобой!

— Ясное дело, с ним. — Ольга отвернулась к стене, свернулась калачиком. — Хороший адвокат дорого стоит. Дороже, чем твой чудодейственный браслет, в тыщу раз...

Надежда постояла, пощипала пухлый подбородочек, решила, по всей видимости, что в данный конкретный момент вечности хорошего адвоката раздобыть не получится — да и то сказать, полвосьмого вечера, адвокаты все по домам сидят, телик смотрят, — решительно накинула пальто:

— С адвокатом проблему решим. Придумаем чего-нибудь.

Что-что, а решать проблемы Надежда умела. И всегда что-нибудь придумывала. Не далее как вчера Ольга в очередной раз наблюдала этот мирный атом в женском обличье в действии. В райцентр приехал столичный цирк. По местным меркам гастроли цирка из самой Москвы были штукой посильнее «Фауста» Гете. За билетами в профком выстроилась очередь, шептались, что на всех не хватит, чуть до драки не дошло. Впрочем, билетов хватило.

Представление начиналось в двенадцать. В девять утра к зданию дирекции начали приводить ребятишек — умытые, принаряженные, они спорили, будут показывать слона или нет, и можно ли в цирке зверя угощать конфетами. Кто-то доказывал, что со зверями можно даже фотографироваться, но это было уж совсем невероятно.

Пока мамаши, сбившись в кучку, кутались в шубы и топали ногами, чтобы окончательно не закоченеть, Надежда металась вокруг детей, пытаясь пересчитать их и построить.

— Так, все встали парами! Парами, парами! — надрывалась она — Девочка, где твоя пара? Вставай сюда! Сюда, сюда!.. А ты с кем, мальчик? С мамой?

— Не, мама меня привела, а сама ушла.

— Ладно. Вот будет твоя пара. За руки взялись! Сейчас автобус придет!.. Так, каждый посмотрел на свою пару и запомнил ее! Если пара потерялась, надо громко кричать! Все поняли?! Когда войдете в автобус, сядете так же, как сейчас стоите!.. Мальчик, ты почему опять без пары?

— Мне моя пара не нравится! Мне вон та нравится!..

Автобус обещали подать в десять. Но в половине одиннадцатого его все еще не было. Мамашки заволновались — до райцентра ехать самое малое час, что там себе в гараже думают? Кто-то побежал в дирекцию, стали звонить в гараж. И тут оказалось, что автобус сломался и никуда ехать не может. Расходитесь, граждане, по домам, цирк отменяется.

Дети ударились в рев, мамаши на чем свет кляли сломанный автобус, начальника транспортного цеха и комбинатское начальство. Они пытались растащить ревущих детей по домам, когда к дирекции лихо подкатил «пазик». Из «пазика» выскочила Надежда Кудряшова, замахала руками:

— Все сюда! Парами, парами! Заходим, садимся! Побыстрее! А то на представление опоздаем!

За спиной у Надежды маячил водитель «пазика», категорически не понимавший, что вообще происходит. Ехал он себе спокойно, никого не трогал, и тут под колеса кидается эта ненормальная, колотит в дверь, велит разворачиваться...

— Эй! — Водитель попытался ухватить Надежду за рукав. — Эй! Я их не повезу! Я не договаривался!

— Вот сейчас и договоримся, дяденька.

Надежда затолкала в «пазик» последнюю пару, пересчитала детей.

— Ты чей? Комбинатский?

— Да я-то комбинатский, а ты-то, видать, полоумная!

— Вот и хорошо, что комбинатский, дяденька. Ты их, значит, в цирк, а потом обратно сюда. Понял?

— Да не повезу я их никуда, русским языком же говорю!

— А я сейчас Василию Васильевичу позвоню. Ты с его автобазы, дяденька?

Водитель кивнул.

— Ну вот и хорошо. Василь Василич путевку тебе выпишет. А я его попрошу, чтобы он тебе не два часа, а полсмены засчитал. Подходит?

Если Василь Василич вместо двух часов засчитает полсмены — это, конечно, совсем другой коленкор. Это можно. Вот только сомнительно, что Василич так расщедрится.

— Да с чего он тебя послушается?!

Надежда уставилась на водителя с веселым удивлением:

— Как с чего? Меня все слушаются! Ну, понял, что ль, дяденька?

«Пазик» наконец уехал. А Надежда побежала в

дирекцию звонить Василь Василичу, которого никогда в жизни не видела — знала только, что есть такой и что на автобазе его боятся как огня.

* * *

Булочная уже закрылась. Надежда посмотрела на часы и заколотила в дверь:

— Эй! Есть кто живой?!

Высунулась недовольная продавщица.

— Чего шумишь? Не видишь — закрыто.

— Вы ж до восьми работаете. Время — без двух, вон, на часы посмотрите. Чего это вы моду взяли раньше времени закрывать?

Продавщица что-то буркнула себе под нос, но Надежду пустила. И сухарей свешала. С этой рыжей связываться — себе дороже.

Надежда отсчитала двадцать два рубля, аккуратно сгребла семь копеек сдачи и удалилась, счастливая, поблагодарив продавщицу, чем особенно ее уязвила.

Снова ударили морозы, щеки щипало, и Надежда к общежитию шла почти бегом, прижимая к груди драгоценные свои сухари и размышляя, где бы так половчее найти адвоката, чтобы и хороший, и недорого. Надо будет в дирекцию сходить, объяснить ситуацию, пусть почешутся. В конце концов, должны же они сотрудникам фабрики помогать, или как? Пускай помощь материальную выделят, что ли...

У проходной стояла длинная заграничная машина, рядом с машиной маялся высокий мужик в длиннополой дубленке. Завидев Надежду, замахал руками:

— Девушка! Девушка, извините!

Надежда остановилась, пританцовывая. Ох, ну и

мороз! Градусов тридцать, не меньше! А ведь февраль уже, пора бы и потеплеть...

— Девушка, скажите, как мне Громову найти. Вы ее не знаете? Ольга Громова. Мне сказали, она тут живет...

Надежда замерла на месте, уставилась на мужика. Не иначе, муженек бывший пожаловал. И что ему, спрашивается, нужно? Мириться приехал?

Надежда подняла голову, смерила мужика взглядом королевы в изгнании:

— Допустим, я Громову знаю. А вам она по какому вопросу?

Мужик замялся. Ну точно, бывший. Вон, глаза прячет свои бесстыжие.

— По личному. Мне поговорить с ней нужно.

— И о чем это вы с ней говорить собираетесь? — Надежда надвинулась на мужика своим внушительным бюстом, так что тот попятился к машине.

— Мне... Я перед ней виноват... Прощения попросить хотел... Можете ее позвать?

* * *

Надежда ворвалась в комнату, сдернула с Ольги одеяло:

— Оль! Вставай! Там твой заявился! По личному!

Ольга, совершенно очумев, уставилась на соседку.

— Какому... Личному? Кто?

— Да говорю, бывший твой пожаловал! Шикарный такой, гад, на машине, весь из себя! Поговорить хочет! Сказал, виноват, мириться приехал!

Стас приехал мириться?! Ей разрешат видеться с детьми?! Может, она их увидит уже сегодня!

— Оль, ты только не волнуйся, ты ему, главное, воли не давай! Он прощения просить хочет, так ты скажи, что не извинишь, пока детей не отдаст, слышь, Оль?!

Но Ольга не слышала. Как была, в халате, она неслась по коридору на выход. Надежда сорвала с вешалки пальто, кинулась следом. Но Ольги уже и след простыл. Сумасшедшая! Голая — на мороз!

Надежда села на кровать, подперла щеку ладошкой. Не история — а прямо целый роман, как в книжке, честное слово. Любовь, предательство, тюрьма, а потом, когда героиня, ну, Ольга то есть, теряет надежду, приезжает принц на белом коне, и во всем раскаивается, и увозит ее в свою страну за семь морей... Не беда, что вместо белого коня — черная машина...

Ольга неслась к машине, загребая ногами снег. С одной ноги слетела тапка, но она даже не заметила.

— Оля!

Ольга остановилась как подстреленная, ухватилась руками за грудь.

— Митяй? Ты что тут... Ты откуда? Почему?

— Здравствуй, Оля. Я не знал, что ты вернулась, а то бы раньше приехал.

Он узнал случайно. Со Стасом Митяй с того вечера, как засветил дружку своему бывшему в табло, больше не разговаривал. Стас как-то пришел с бутылкой, помириться хотел, но Митяй дверь ему не открыл. А тут столкнулся на улице со Стасовой мамашей. Светлана Петровна обрадовалась, принялась выкладывать новости — про то, какую Анатолий Иванович баньку срубил, не банька, а игрушечка, и как у Стасика дела в гору идут, вот думает второй сервис открывать, на Металлургов, за складами, и про Зиночку, на которую они с отцом не нарадуются.

— А что Ольга? — как бы между прочим поинтересовался Митяй.

— Заявлялась тут, — Светлана Петровна скривилась. — Целый спектакль устроила. Насилу ее вытолкали. Все нервы нам вымотала, змея.

— Когда заявлялась?

По подсчетам Митяя, Ольге оставалось сидеть еще год с небольшим.

— Да осенью еще, с этим своим, юродивым... Ее по амнистии выпустили, а она сразу давай права качать. Ну, Стасик-то ее быстро окоротил...

Адрес общежития дал Митяю Григорий Матвеевич.

— Я, Оль, как сумасшедший гнал, два раза гайцы тормозили.

— Зачем?

— Как — зачем? Работа у гайцов такая — полосатыми палками махать.

— Зачем ты гнал как сумасшедший?

Сказать правду? Потому что теперь ты — моя? Больше у тебя никого нет, и я торопился забрать тебя отсюда? Увезти к себе? Согреть? Приручить? Потому что ты мне нужна. Потому что я ждал десять лет и вот дождался.

— Увидеть тебя хотел.

— Увидел? Что-то еще надо?

А она изменилась. Жесткая стала. Но все равно красивая...

— Да ничего мне не надо!

— Не надо, и уходи.

Митяй выбил из пачки сигарету, закурил — не сразу, с третьей попытки, так руки дрожали.

— Я... поговорить приехал.

— Дай сигаретку.

Митяй протянул пачку, зажигалку поднес:

— Ты ж вроде не курила никогда?

Она взяла сигарету, затянулась в кулак, пустила дым ему в лицо:

— Та, которая не курила, была не я, Митя. Ты к той приехал?

— Я к тебе приехал. Пойдем... покатаемся?

Ольга хохотнула — резко, словно ножом полоснула:

— Я уже накаталась, Митя.

Все же он уговорил ее сесть в машину. Они ехали по шоссе, и Ольга подумала, что все повторяется, как в дурном сне: ровно так же она ехала со Стасом. Он тогда привез ее на свалку и сказал, что любит другую. Когда это было? Три месяца назад? Четыре? А кажется, будто жизнь прошла.

Стас тогда в машине все молчал. Говорила она. А теперь наоборот. Митяй говорит, говорит... Зачем? О чем?

— Оля, я тебя тогда предупредить хотел! Мы со Стасом со школы еще... а потом в армии...

— О чем ты? Это все не имеет значения.

Митяй тряхнул головой:

— Имеет! Может, если б предупредил, ты бы грудью на амбразуру не полезла...

Какая еще амбразура?

— Ты же вместо него в тюрягу пошла!

Вот как? Так Митяй в курсе?

— Откуда ты знаешь, что я за Стаса пошла?

— Все знают!

Врет. Никто не знал. Ну, может, кто-то и знал, но уж точно не все.

— Я тебя, Оль, про Зинку предупредить хотел... Рассказать...

— Митя, я ничего не хочу слушать.

— ...А до Зинки Катя была, а до нее Аня или Маня, что ли!.. Все в курсе были, одна ты у нас... святая.

Она вцепилась в руль, вывернула так, что машина пошла юзом:

— Тормози! Сейчас же!

...Ольга стояла на обочине, мяла в горсти снег. Он подошел сзади, положил руку на плечо:

— Оля... Не надо. Иди в машину. Холодно...

Она позволила накинуть себе на плечи дубленку, отвести в машину. Губы синие, совсем закоченела. Митяй включил печку на полную мощность, стал растирать ей ледяные пальцы. Она сидела, не шевелясь, уставившись перед собой. Потом спросила:

— Мить, а правда, что она у него... два года?

— Да правда, все правда! Тамарка, секретарша ваша, помнишь ее? Так вот она Зинке звонила, когда ты с работы уезжала, и та тут как тут! Да у нас город... полтора человека, все знали, одна ты!..

Ольга отобрала руки, отодвинулась:

— Зачем ты приехал? Рассказать мне, что я дура? Не только бывшая зэчка, но еще и дура?

Он хлопнул по рулю — так, что клаксон взвыл дурным голосом:

— Конечно, дура! Еще бы не дура! И я тебя люблю. И всегда любил! Когда на Ленке женился, любил!

Когда ты детей родила, любил! И когда ты за него на нары пошла, все равно любил! И сейчас люблю!

Она вдруг помягчела, улыбнулась, став на минуту той, прежней, девочкой-художницей, в которую Митяй без памяти влюбился на свадьбе своего друга. Погладила его по щеке:

— Не выдумывай, Митя. Тебе меня жалко, вот ты и выдумываешь. Почему ты ему не помог, Митя? Когда все это... заварилось? Ты же в городе всех и вся знаешь? А ты?..

Он отвел глаза.

— Я его наказать хотел. Потому и не стал.

— Меня ты наказал, Митя, и больше никого. Отвези меня обратно, пожалуйста. Мне на работу рано вставать.

Митяй кричал, что никуда не уедет. Просил, умолял, чуть не на коленях ползал:

— Оля! Поедем со мной! Ко мне! Мы все сначала начнем! Я все сделаю, клянусь!

Но она не хотела ничего начинать заново, вот в чем беда. Она ни о ком, кроме детей, думать не могла. Она никому не верила больше. Никого не любила. И ей никто никогда не будет нужен, кроме Мишки с Машкой.

— Ты, Митя, хороший мужик, наверное... Но это не ко мне. Прости.

Наверное, если бы Митяй тогда предложил ей денег, если бы обещал помочь отсудить детей — она бы согласилась. На все согласилась бы. Жить с ним, спать, ноги мыть, воду пить, тапки носить в зубах. Но он не предложил. Не догадался.

* * *

Было воскресенье. Чуть потеплело, и с крыши капало. Солнце шпарило во всю силу, под окном проснулись воробьи... Надежда на весь день укатила на экскурсию, которую сама же и организовала. Ольга была предоставлена сама себе, и от этого остро хотелось повеситься.

Она ненавидела выходные. В будни живется просто и ясно: в четыре часа встал, до восьми вечера — работа, потом — в койку, и спать, и так всю неделю. Но в воскресенье есть свободное время на то, чтобы вспоминать детей, жалеть себя, снова и снова переживать, что у нее отнимут родительские права.

Ольга послонялась по комнате, взяла с тарелки пирожок с морковкой — Надежда вчера напекла, — пожевала, отложила в сторону. Чем заняться? На улицу выходить не хочется. Там сейчас полно детей, гуляют с родителями, радуются погожему дню... На детей Ольга не могла спокойно смотреть, сразу начинало сердце щемить, и на глаза наворачивались слезы.

Она принесла из сушильни стираное белье, разложила на кровати. Может, в шкафу заодно убраться? А то там черт ногу сломит, в шкафу этом. Где-то у них был рулон оберточной бумаги? Надежда притащила из упаковочного «на всякий случай». Полки застелить, что ли?

Ольга достала из угла бумагу, расстелила на полу, открыла дверцы и критически осмотрела содержимое их, как Надежда выражалась, шифоньера. Чего только нет! Даже картонная шляпа-канотье с бумажной розой — Надежда ее сама клеила для выступления драмкружка. А это что за сверток на нижней полке?

Ольга вытащила сверток, развернула холстинку, и на пол посыпались кисти, тюбики с краской, пастели... Бог ты мой, да это же ее кисти и краски! Все это Григорий Матвеевич сунул в чемодан перед самым отъездом и наказал рисовать. А она затолкала сверток в шкаф, да и забыла про него.

Ольга опустилась на колени, вдохнула запах красок, подняла с полу черный угольный карандаш. Карандаш привычно лег в руку. Странное, почти забытое ощущение из прошлой жизни... Провела карандашом по разложенной по полу бумаге. На шершавой серой поверхности появилась загогулина. Ольга провела еще раз, посмотрела и поставила две жирые черные точки. С бумажного листа на нее глянула веселая маленькая собачка, похожая на фабричную Жульку. Ольга черкнула еще пару раз, и рядом с Жулькой нарисовалась мисочка, а в мисочке — здоровенная мозговая кость. А Ольга уже рисовала будку, и полосатого котенка на крыше, и грачей на березе... Впервые за много лет ей отчаянно захотелось рисовать. Все равно что — деревья, людей, мастера цеха Павла Семеновича, собаку Жульку, кошку Марусю, тарелку с пирогами, чайник с треснувшей крышкой — неважно... Главное — водить карандашом по бумаге, разводить краски, накладывать мазок за мазком...

Ольга остановилась, только когда совсем стемнело. Зажгла свет, глянула на часы. Батюшки-светы! Половина девятого! Надежда скоро вернется, а у нее — полный кавардак! Шкаф как был не разобран, так и остался, зато весь пол — в рисунках, набросках, эскизах...

Ольга торопливо свернула рисунки в трубочку,

затолкала за шкаф. Вытряхнула из обувной коробки, где у нее хранилась всякая ерунда — нитки, ножницы, изолента и другие вещи, которые могут пригодиться в хозяйстве, — бережно уложила туда карандаши и кисти. Коробку задвинула подальше, на нижнюю полку, к самой стеночке.

С тех пор Ольга полюбила воскресенья. Проводив Надежду, она доставала кисти и жадно, со страстью, рисовала весь день напролет.

...Весна пришла поздно, зато теплая и дружная. Снег стаял за несколько дней. В начале недели на дворе еще лежали грязные снеговые кучи, а к выходным на газоне уже пробивалась свежая травка. Фабричные принарядились, сменили темные зимние пальто на веселые плащики, самые смелые уже щеголяли в туфлях на тонкий чулок. Ольга перемыла в цеху окна, и теперь там даже по утрам было ярко, солнечно, и — странное дело! — входя туда со своим неизменным ведром и шваброй, Ольга радовалась этому солнцу, и утру, и весне. Она по-прежнему скучала по детям, она по-прежнему ни о ком другом думать не могла. И ночные кошмары никуда не делись, и слезы в подушку. Но она начала верить, что все еще может получиться. Что, может быть, ей удастся скопить денег, найти хорошего адвоката и добиться разрешения хотя бы видеться с детьми — о большем она пока боялась мечтать.

И совершенно неожиданно жизнь, повернувшаяся было совсем уж к лесу передом, а к Ольге — наоборот, начала ей улыбаться.

Ольгу вызвали в профком и предложили путевку в профилакторий — вроде как поощрение за отличную работу. Ольга подозревала, что без Надежды тут не обошлось, но та отнекивалась и делала такие невинные глаза, что Ольга в конце концов от нее отстала.

В профилакторий она не поехала, конечно. Путевку давали бесплатную, но две недели отдыха никто ей оплачивать не будет. А Ольге позарез были нужны деньги на адвоката. Она ужималась, как могла, экономила на еде, штопала дыры на колготках, мыла голову детским мылом, потому что оно самое дешевое, а из транспорта пользовалась только бесплатной фабричной развозкой. Но скопить все равно удавалось мало. Пачка купюр, запрятанная в шкафу под стопкой белья, оставалась до обидного тоненькой. Каждый раз, пересчитывая свои накопления, Ольга тяжело вздыхала, прикидывая, сколько времени понадобится, чтобы набрать нужную сумму.

Однажды она чуть не сошла с ума, не найдя денег в привычном месте. Ольга металась по общежитию с дикими глазами, выпытывала у вахтера, кто входил, но вахтер, конечно, никого подозрительного не видел. Когда Надежда вернулась со смены, Ольга в три ручья рыдала, зарывшись в подушку.

— Оль? Ты чего? Умер кто-то?

Надежда всерьез заволновалась.

— Не-е-ет... Нас обворовали... Меня то есть...

— Как обворовали?!

Надежда опустилась на стул.

— Ну-ка, живо вытирай слезы, выпей воды и все по порядку рассказывай!

Ольга, икая и хлюпая носом, принялась рассказывать, как сунулась пересчитать деньги, а там — пусто!

Надежда взглянула на Ольгу и расхохоталась:

— Ну, Оль, ну ты даешь! Ну кто ж деньги в белье прячет?! Курам на смех! В белье первым делом залезут, ты что, не знаешь? У нас замки-то — одна видимость! Скрепкой можно открыть! Погоди-ка...

Надежда полезла под кровать, пошебуршала там и извлекла на свет божий старый войлочный Ольгин ботинок.

— На, держи! — Она сунула ботинок в руки оторопевшей Ольге. — Ну что ты хлопаешь глазами? Тут твои денежки, я их в ботиночек перепрятала, чтобы никто, не дай бог, не попер!

...Профкомовскую путевку в итоге отдали какой-то многодетной Наталье из красильного цеха. Зато в конце месяца в бухгалтерии Ольга получила на целых пятьсот рублей больше обычного, потому что Павел Семенович, оказывается, выписал ей премию.

Но на этом чудеса не кончились. Как-то под вечер — Ольга уже легла, а Надежда сидела на кровати в позе спящего льва, исключительно полезной для похудания, и накручивала бигуди — в комнату ворвалась Клава с третьего этажа и сообщила, что Громову с утра срочно вызывают в кадры. Ольга первым делом решила, конечно, что ее увольняют, сокращают или урезают зарплату. Всю ночь не могла уснуть, ворочалась и ломала голову, как быть, если ее таки выгонят с работы.

Но выяснилось, что выгонять ее никто не собирается. Совсем наоборот.

— Громова! Ты заявление на швею подавала, — кадровичка заглянула в бумаги.

— Подавала. Только это давным-давно было...

— Ну так оформляйся тогда, если не раздумала. У вас в швейном место освободилось — Буданова в декрет уходит. Павел Семенович тебя порекомендовал.

Ольга чуть на месте не подпрыгнула. Швеей?! Господи, да это же... Это же зарплата чуть не в два раза больше! И никаких больше ведер, никаких мокрых тряпок!

— А с какого числа оформляться можно?

— Да с завтрашнего и оформляйся.

Ольга готова была расцеловать и кадровичку, и Пал Семеныча, и даже фабричную собаку Жульку.

По такому случаю Ольга решила устроить праздник. Из отдела кадров она не пошла сразу в общежитие, а отправилась в магазин. Конечно, бутылка шампанского, кулечек винограда и двести граммов шоколадных конфет были непозволительной роскошью. Но Ольга решила: пусть! Со своей новой зарплатой она чувствовала себя почти миллионершей.

Ольга шла по городу, неся виноград в руках, чтобы не помялся. Сейчас она придет домой, выложит всю эту непозволительную роскошь на стол, и они с Надеждой устроят настоящий кутеж!

Кивнув вахтеру, Ольга поднялась на свой второй этаж, распахнула дверь, да так и замерла на пороге. Вся комната была увешана какими-то немыслимыми воздушными шариками, бумажными цветами, лентами, звездами. Стол, обычно скромно ютившийся в уголку, выдвинут был в центр комнаты и уставлен всякой всячиной — тут была и домашняя квашеная капуста, и огурчики, и винегрет, и соленые опята, и водка в запотевшей бутылке, и огромная кастрюля, накрытая холщовым полотенцем, из которой вкусно пахло Надеждиными фирменными пирогами.

По соседству со всем этим великолепием на стуле сидела Надежда в своем самом нарядном платье и горько рыдала.

Ольга чуть не выронила из рук бутылку. Опомнилась, пристроила на край стола, кинулась к подруге:

— Надя! Ты что? Что случилось?!

Надежда подняла на нее зареванное лицо — нос покраснел, глаза опухли:

— Вот! Вот что случилось!

И потрясла у Ольги перед носом какими-то бумажными листами. Ольга присмотрелась и ахнула. В руках у Надежды были ее, Ольгины, рисунки.

— Я... полезла... я... достала... — всхлипывала Надежда. — Я... хотела стол накрыть, а там... там...

— Что?! Крыса?!

— Сама-а-а ты кры-ы-ыса! — взвыла Надежда с новой силой. — Там... такая... красотища! У-у-у...

Все понятно. У Надежды Кудряшовой, ударницы, отличницы производства, общественницы и, наконец, просто кустодиевской красавицы, случился приступ буйного помешательства.

— Оль! Это... ты?!

— Ну я, я!

Надежда порывисто и крепко обняла Ольгу, прижалась к плечу мокрой щекой — кофта мгновенно намокла от обильных Надеждиных слез.

— Ты ге-ений! Ге-ений!

Ольга в себя прийти не могла. Ей что, правда так нравится? Вот так вот, до слез, до соплей? Она действительно рыдает от полноты чувств, что ли? Считает Ольгу гением?! Поверить невозможно. Но... Ольга знала лучше, чем кто бы то ни было: Надя Кудряшова в принципе не умеет врать. Наделив ее всеми другими возможными и невозможными талантами, в этом бог ей отказал.

— Надь? Тебе правда нравится, да? Надя! Ну не рыдай!

— Не могу-у!.. — Надежда хлюпнула носом.

— Лучше ты мне скажи, с какой радости стол накрыт?

— Сейчас... сейчас девочки придут. Ваши, из цеха, и наших парочка.

— А что за повод-то? По какому случаю девочки?

Надежда всхлипнула:

— Так день рождения у нас.

— Ясно, — Ольга принялась снимать куртку, с сожалением взглянув на свой кулечек винограда, совершенно затерявшийся среди пирогов, грибов и прочих разносолов

— А у кого? В смысле, чей день рождения отмечаете?

Надежда округлила глаза:

— Так твой...

— Мой?!

— Ну да... Твой. А мой в ноябре. Я, стало быть, Скорпион! Насекомое с жалом на хвосте! А у тебя — сегодня. Забыла, что ли? Ну, ты даешь!

Надежда утерла слезы, подскочила, сунулась в тумбочку, вытряхнула из ящика пачку разноцветных журналов:

— Вот! Сексуальный гороскоп! Сейчас все про тебя прочитаем!

— Какой еще гороскоп?

— Так сексуальный! Все, как по полкам, разложено! Да, и еще анкета — блеск! Слушай! — Она сдвинула в сторону кастрюлю с пирогами, разложила журнал на столе. — Если вы познакомились на улице с привлекательным мужчиной и он пошел вас провожать, как вы поступите у дверей своей квартиры? А — пригласите его на чашку кофе. Бэ — попросите показать паспорт. Це — справитесь о здоровье его мамочки?

— Справлюсь у него, как пройти в библиотеку, и уйду, а он пусть делает, что хочет.

— Тут такого нету.

Ольга села на кровать:

— Надь? Это ты придумала?

— Чего?

— Праздник.

— Ну а что? — Надежда пожала пухлым плечиком. — Ну, я. День рождения только раз в году. Ты Чебурашка, а я Крокодил Гена. Сейчас еще пионеры подгребут... С аккордеоном.

У Ольги на глаза навернулись слезы. Ей хотелось объяснить, как важно, как замечательно, что Надежда придумала этот праздник, и пироги, и воздушные шарики, и аккордеон. Как прекрасно, что Ольгу поселили именно с ней и что Надежда нашла рисунки, и плакала над ними, и называла Ольгу гением. Хотя это она, конечно, переборщила, с гением-то. Ольга хотела сказать, что никогда в жизни у нее не было подруги. Муж был, дети, учитель рисования, а подруги — не было. И какое это, оказывается, счастье, когда у человека есть подруга, да еще такая, как Надя. Но в горле стоял ком, и все, что Ольга могла сказать, — это «спасибо».

* * *

— Вставай! Ольга! Ну Ольга же! Да вставай, господи!

Надежда трясла ее за плечо. Ольга резко села на кровати:

— Что?! Дети?! Что с ними?!

— К телефону тебя, вставай скорее!

Надежда уже подсовывала Ольге халат:

— Давай-давай-давай, быстро!

Путаясь в рукавах халата, Ольга кинулась искать тапки. Господи, да где ж они?!

Надежда Ольге сунула свои туфли:

— Надевай! Свитер, свитер накинь, замерзнешь!

В дверь колотили.

— Громова! Скоро там?! Тебе аппарат вызывает! Москва! Слышь, Громова?!

Какая еще Москва? Почему Москва?!

Надежда распахнула дверь:

— Пошли быстрей!

За дверью обнаружился вахтер. Он держался за голову и охал:

— Е-мое! Ну, Кудряшова, у тебя не рука, а лом чугунный! Дверью человеку по лбу залепить! Это ж думать надо!

— Да ладно, — отмахнулась Надежда. — У тебя лоб небось тоже чугунный, ничего с ним не станется!

И кинулась догонять Ольгу, которая уже неслась по лестнице, перепрыгивая через две ступеньки.

В трубке трещало. На пороге каптерки толкались вахтер с Надеждой. Вахтер забыл про ушибленный лоб и жадно тянул шею, чтобы не пропустить чего интересного. Не каждый день в общежитие среди ночи из самой Москвы звонят!

— Алло! Алло! Слушаю! — Ольга почти кричала.

— Громова Ольга Михайловна?

— Да! Это я!

— Это вас беспокоит рекламное агентство «Солнечный ветер».

— Какой Петер? Вас плохо слышно!

— Вы отправляли к нам на конкурс свои работы?

— На какой конкурс?..

Надежда протиснулась в каптерку, зашипела Ольге в свободное ухо:

— Конкурс, конкурс. «Морской прибой»!

— Вы меня слышите? Это агентство «Солнечный ветер»! Вы отправляли рисунки к нам на конкурс?

Надежда энергично затрясла головой, вырвала у ничего не соображающей и одуревшей от всего этого гама, крика и треска в трубке Ольги телефон:

— Да, да, отправляла, отправляла! Слышите? Да, это мы, и мы отправляли! Але!.. Да! Что? Наши работы на конкурсе первое место получили? Да, сможем приехать, сможем! Да, пишу телефон! Сейчас! Оля! Ручку дайте мне!

Вахтер сунул Надежде в руку огрызок карандаша.

— Да, да, пишу! — И она быстро принялась записывать на уголке газеты, которую вахтер читал на сон грядущий. — Гостиницу закажете, ага... Двадцать пятого награждение... Поняла... А премия, премия будет? Ага... А сколько?

Услышав сколько, Надежда подскочила, округлила глаза и прикрыла рот ладошкой.

— Ну что там? Что? — Ольга потянула трубку к себе.

— Твои рисунки выиграли первую премию! Три! Тысячи! Долларов! Да! Это я не вам!

— Сколько-о?

— Три тысячи! Долларов! Нет-нет, я вас слышу! Нет! Не надо нам на счет ничего переводить! Да, мы желаем денежки получить в руки! В руки, говорю! Ага! Да, мы точно будем! Да! Сто процентов!

В трубке запищали короткие гудки. Надежда прижала телефон к груди и заорала во весь голос:

— Три! Тысячи! Долларов! Двадцать! Пятого! Числа! В Москве! Первая! Премия!

Исчерпав на этом запас сил, она плюхнулась на стул. Стул, не выдержав такой экспрессии, жалобно скрипнул, хрупнул ножками и рухнул на пол, увлекая за собой Надежду.

...Потом они сидели на Ольгиной кровати, накрывшись вдвоем одним одеялом, и пили валокардин.

— Ты выпей, выпей! — уговаривала Надежда, пихая Ольге рюмку с вонючей жидкостью. — Фу, я-то уж хлопнула, гадость какая, валокордин этот! Как его люди пьют, хуже водки! Да выпей, говорю!

— Не хочу, не надо! — отнекивалась Ольга. — Зачем мне валокордин, я же не сердечница!

— Как зачем! А для успокоения нервов! Дай я тогда еще тяпну!

— Да ладно уж, я тоже тяпну! Спасибо тебе, Надь. Когда ты им рисунки-то послала?!

— Да как объявление в газете прочитала, так и послала. А что, думаю? У нас тут гениальный художник пропадает! Может, он второй... как его, господи! На батон похоже!..

— На что?

Ольга выпила валокордину, скривилась. Надежда сунула ей огурец:

— Ты закуси, закуси... Ну, на батон! Я передачу видела по телику. Похоже на батон, а зовут... зовут... Антуан, что ли?

— Ватто!

— Ну. Он самый! То есть ты он самый и есть! —

Она накапала еще по рюмке валокордина. — Ну чего? Будем здоровы? За морской прибой, да?

— Солнечный ветер, — машинально поправила Ольга.

Впрочем, какая разница?!

* * *

Билет на проходящий до Москвы купили купейный, дорогущий. Ольга стала было отговариваться: мол, не может она себе позволить столько платить за сутки в поезде, но Надежда была непреклонна: ты, мол, у нас не кто-нибудь, а надежда отечественного изобразительного искусства, лауреат конкурса, и все такое прочее. Нечего толкаться в плацкарте со всякими непонятными гражданами. В конце концов Ольге ничего не осталось, кроме как согласиться. Ночь перед отъездом они не спали. Ольга складывала и перекладывала вещи, наглаживала парадное черное платье, оставшееся от прошлой, сытой и счастливой, дотюремной жизни. Когда-то это платье — по колено, с разрезом на боку — очень нравилось Стасу. Ольга купила его к годовщине свадьбы, четыре года назад. Стас тогда повел ее в ресторан и под столом гладил по ноге, а потом они целовались в машине и перепугались, как школьники, когда их застукала соседка, вышедшая на двор выгулять свою облезлую злую болонку. Теперь было странно об этом вспоминать. Будто бы и не с ней все было — и ресторан, и поцелуи в машине, и все эти десять лет безмятежного счастья, которое, оказывается, делили с ней и Катя, и Маша, и Зинка...

Когда платье извлекли из недр шкафа, выяснилось, что оно пообтрепалось, слиняло и болтается на Ольге, как на вешалке. Ко всему, на подоле обнаружилось застарелое жирное пятно. Но теперь, постиранное и отглаженное, платье выглядело вполне себе неплохо, не стыдно и в Москве показаться. Тем более ничего лучшего у Ольги все равно не было.

— Ты деньги на дорогу, ну, на автобус там, на мелкие расходы, в кошелек положи. А все остальные — спрячь, я тебе там специальный карман пришила, на пуговицах! — Надежда разложила перед Ольгой сложную конструкцию, при жизни бывшую панталонами. Штанины у панталон были обрезаны, а на животе, с изнанки, красовался объемистый карман. Карман действительно застегивался на пуговицы. Надежда велела панталоны, превращенные ее силами в портмоне, не снимать ни при каких обстоятельствах, пуговицы не расстегивать, деньги не доставать и никому про них не рассказывать.

— Я там еще шнурок вставила, вместо резинки. Ты завяжи крепко, на два узла...

— Да это не штаны, а просто пояс верности какой-то! — Ольга скептически оглядела панталоны. — Надь, как-то, мне кажется, это слишком — и шнурок, и карман...

— Ничего не слишком! Еще спасибо мне потом скажешь! Давай. Примерь! А я на кухню, у меня там кура в сковородке и пироги...

Пирогов Надежда напекла в дорогу целую гору. Ольга пыталась было спорить: ну куда столько, ну не съем я их.

— Ничего, соседей угостишь.

Надежда семенила по перрону, волоча в руке сумку с провизией, которой хватило бы на роту солдат.

— Куру я пожарила получше и завернула в фольгу. Все-таки ехать долго. Фольгу у Таньки заняла, сказала, что ты в Москву уезжаешь! Пироги в миске. Миску не бросай, это хорошая, мамкина. Мыла кусок положила, твое больно страшное! И не зевай там нигде, в этой Москве! Никому не верь. На улицах не знакомься. Сексуальный гороскоп ни с кем не читай. Пуговицы, пуговицы не расстегивай, запомнила? И шнурок не развязывай! Вообще — ты поосторожнее там, Ольга.

Ольга обняла подругу:

— Я буду очень, очень осторожна. Особенно насчет сексуального гороскопа. Мне главное — чтобы деньги дали.

Из динамика прямо над головой забубнило:

— Граждане пассажиры! Поезд номер сто тридцать восемь прибывает на второй путь. Стоянка — три минуты!

Ольга подхватила чемодан:

— Ну все... Надь! Ну ты чего? Не реви, я ненадолго, вернусь скоро.

Надежда хрюкнула носом. Она не верила, что Ольга скоро вернется. И очень надеялась, что она не вернется вовсе. То есть Надежда, конечно, будет скучать, и все такое, и вообще, такой подруги, как Ольга, у нее не было, такая подруга раз в жизни бывает, да и то не у каждого. Но Надежда свято верила в Ольгин талант и в то, что таланту этому место никак не в их родном захолустье, а как минимум в столице. А там и до Парижа рукой подать. Как у них это называется? Мормантр? Нет! Мон матер! Или по-другому? Ну, неважно. Главное, не реветь на вокзале. Вот придет домой — и там уж вволю наплачется.

— Ты если не вернешься — так хоть пиши, ладно?

— Ладно, — Ольга кивнула. — Если не вернусь, напишу. И ты тогда ко мне приедешь. Надя, ты удивительная женщина. Я больше таких не знаю. Если бы не ты, я бы... пропала. Совсем пропала.

— Ну ладно, ладно... Перестань. Нечего тут устраивать прощание славянки. Не на Северный полюс уезжаешь.

Надежда сердито смахнула набежавшие слезы.

— Иди в вагон, а то без тебя уедут!

Через минуту поезд тронулся и вскоре скрылся вдали.

* * *

Утро добрым не бывает, факт. Особенно — в понедельник.

Генеральный директор рекламного агентства «Солнечный ветер» Дмитрий Грозовский пребывал в самом что ни на есть мрачном состоянии духа. Он шваркнул на стол эскизы рекламы йогуртов. Несколько листов спланировали на ковер. Никуда не годится! Черт бы взял совсем эти йогурты! В жизни их не любил, и не зря. Всю кровь выпили.

Дима откинулся в кресле, потер затекшую шею, нажал кнопку селектора:

— Дарью ко мне. Живо!

— Минуточку, — пискнуло из селектора.

А секретаршу-то, похоже, надо будет искать новую. Эта... как ее? Дина? Не справляется Дина с работой. Большая ошибка нанимать секретарем грудастую длинноногую девицу с неоконченным высшим. Но он эту ошибку раз за разом совершает. А в результате в офисе бардак.

В дверь постучали. Дима крутанулся в кресле:

— Дарья, заходи, я не голый!

Дарья — высоченная, худющая, в немыслимых красных очках — вошла, уселась напротив, сверкнув кружевной резинкой чулка.

— Откуда я знаю, может, как раз в этот момент ты голый!

— И не мечтай даже!

Дарья глянула поверх узких очков:

— А ты чего такой злой-то?

— Я добрый! Я, черт возьми, добрее всех! Я как папа Карло впахиваю за все агентство, а мне приносят это?!

Носком ботинка он указал на валяющиеся по полу эскизы.

— Это твой отдел наваял? Про йогурты?

— Если про йогурты — то мой. — Дарья присела на корточки и принялась собирать с пола рисунки.

— Твой, значит. Скажи, пожалуйста, ты действительно считаешь, что это можно назвать работой, да? То есть нормальной работой, я хочу сказать?

Дарья посмотрела снизу вверх:

— Дим, я не понимаю...

— Зато я понимаю очень хорошо! Я получил этот заказ черт знает как! Полгода выбивал! Это заказчик гигантский! Ги-гант-ский! Что мы должны для него сделать? Нет, ты мне скажи!..

Дарья встала, сложила рисунки в стопочку и с видом пионерки на присяге отрапортовала:

— Мы должны сделать убойную рекламную кампанию йогуртов и творожных сырков.

— Для?..

— Для детей.

— Умница ты моя! Йогурт мы назвали... как? Бармалей... чик. Сырок мы назвали... как? Бармалей... ка. Бармалейка! Скажи, Даш, ты лично хочешь бармалея, бармалейчика, бармамосика и бармамулечку? Нет? Ты же понимаешь прекрасно, что это чушь собачья и полная туфта! Но и это не самое козырное! Самое козырное, что мне принесли рисунки бармалейчика и бармалейки, а нарисовано... что?

— Что? — Дарья подняла бровь с самым невинным видом.

— А ты возьми и посмотри — что, если до сих пор у тебя времени не нашлось. Давай-давай, полюбуйся!

Дарья молча перебирала рисунки на столе, с каждой минутой все больше мрачнея. Повертев последний лист так и эдак, она сложила эскизы стопочкой, свернула трубкой и сунула в урну, после чего глубоко задумалась.

Дима удовлетворенно кивнул:

— Вот и я про то же. Это ни фига не бармалейчик с бармалейкой. Это вообще ничего! Даже ты не понимаешь, что сия абстракция означает. А, между прочим, наваяли-то эту Гернику[1] твои креативщики! Что я заказчику скажу?

Дарья вздохнула:

— Ну, хорошо. Я согласна. Это Вадик делал. Он у нас любитель абстрактных форм...

— Увы, безо всякого содержания!.. И не «ну хорошо», а переделать все, и быстро!

— Переделаем.

— Стой! — Дима выдвинул ящик стола, достал папку. — Показать тебе, как надо работать? Ты иди,

---

[1] Название картины П. Пикассо.

иди сюда, не тормози! Смотри и наслаждайся! Вот! Человек сидит в глухой провинции, на фабрике, черт бы ее взял, и рисует! И не надо мне никаких бармалейчиков и бармалеек!

Дарья полистала рисунки человека с фабрики. Собака, цветок в горшке, толстая тетка моет окно... Миленько. Такой наив-наив. Ну и что?

— Дим, таких картинок тебе кто хочешь десяток нарисует!

— А вот и нет, дорогая! — Дима вскочил с кресла, зашагал по кабинету. — Это вам только кажется, что вся сила в вашей креативной мысли! Потому что у вас жизнь — клубника со сливками, и все вы гениальные и возвышенные! Вот так надо рисовать. Чтобы, черт побери, за душу брало.

— Дим, прости, пожалуйста, я тебя правильно поняла? Ты хочешь, чтобы йогурт брал тебя за душу?

— Именно. Только тогда с нами будут иметь дело.

Дарья пожала плечами:

— Ну, возьми ее на работу, раз тебе эти цветочки-котятки так понравились!..

Дима взял из стоящей на низком столике вазы апельсин, подбросил, поймал, снова подбросил...

— Возьму, если пойдет.

У Дарьи аж челюсть отвалилась. Что значит — если пойдет? Ее, можно сказать, со свиным рылом в калашный ряд зовут...

— К нам? Не пойдет?! С ума сошел?

— А что, может, и не пойдет, — Дима снова подбросил апельсин и уселся на место. — Они там, на фабриках, тоже возвышенные...

— Ты что, ее не видел?

— Почему? Видел. На церемонии награждения.

— И как? Достаточно возвышенная?

— В самый раз. Все, Дарья, иди уже, не маячь. Займись йогуртами.

* * *

Ольга долго не могла найти Афанасьевский переулок. Несколько раз спрашивала у прохожих, но те только пожимали плечами на бегу. Как можно не знать, где в твоем городе какая улица находится. Может, не местные? Хотя... Москва — она такая огромная, что и местные-то, наверное, не все знают.

Ольга была в Москве один-единственный раз в жизни, с мамой. В той давней поездке больше всего Ольгу поразил даже не врубелевский «Демон» (хотя она и простояла перед ним, словно зачарованная, почти целый час), а километровая очередь в Третьяковскую галерею. Ольга не представляла, что такие гигантские очереди вообще существуют. И еще запомнила ощущение простора.

Теперь простора не было. Было коловращение плотно спрессованной массы людей и машин. Этот безумный город давил, подминал под себя, увлекал в гудящий водоворот. Оставалось только надеяться, что тебя не утащит на дно, не раздавит, не переломает кости, а вынесет на поверхность и прибьет течением к берегу.

На вручение премии Ольга чуть не опоздала — заблудилась в метро. Перепуганная, растрепанная, в заляпанных грязью, разбитых туфлях, она вышла на залитую светом сцену и чуть не разревелась от ужаса. Ольга едва дождалась, когда ведущий договорит приветственную речь, чуть ли не вырвала у него из рук диплом и тут же сбежала. Потом, в гостинице, приняв душ и успокоившись, она решила, что вела себя совершенно неприлично и по-идиотски.

Ольга позвонила в «Солнечный ветер», чтобы извиниться за свое поведение и поблагодарить. Трубку сняла секретарша, попросила обождать и через минуту сообщила, что генеральный сейчас разговаривать не может, но завтра ждет Ольгу в офисе в двенадцать тридцать.

Ольга вышла из гостиницы с запасом, за час. Но оказалось, что в Москве час — это вообще ничего, курам на смех. Особенно если ты не местная и заблудилась в переулках. Ольга посмотрела на часы, поняла, что катастрофически, безвозвратно опоздала, и совсем уж было собралась ехать обратно в гостиницу — все равно этот Афанасьевский переулок не найти. Но тут, на счастье, ей навстречу попался милиционер. Ольга кинулась к нему, как к родному, и оказалось, что нужный переулок — вот он, за углом, и за последние полчаса Ольга минимум три раза мимо него проходила.

В ее опоздании не было, как выяснилось, ничего катастрофического, а уж тем более — непоправимого.

— Посидите здесь, — хорошенькая ногастая секретарша указала на красный кожаный диванчик, хищно изогнувшийся в углу приемной.

— Дмитрий Эдуардович просил вас подождать, он пока занят с клиентами. Вообще-то, совещание было назначено на одиннадцать, но вы знаете, пробки... Так что только начали. Чай, кофе?

Ольга попросила кофе и уселась в уголок —

ждать. Несмотря на авангардные формы, диванчик оказался мягким и удобным.

Сдвинувшееся из-за пробок совещание закончилось, когда стрелка настенных часов, будто бы сошедших с полотен Сальвадора Дали, приближалась к четырем. Из приемной высыпало человек десять народу — солидные дядьки в костюмах, патлатые молодые люди с серьгами в самых неожиданных местах, похожая на марсианку девушка баскетбольного роста. На носу у нее были ярко-красные очки, от уха к скуле тянулся микрофон, довершал образ узкий пиджак из переливающейся всеми цветами радуги блестящей клеенки. Марсианская девушка кивнула на Ольгу, перебросилась парой слов с секретаршей и, открыв дверь кабинета генерального, крикнула:

— Дим! Там твоя Мона Лиза пришла! Ты как? Не голый?!

Потом обернулась к Ольге и кивнула на дверь:

— Идите. А то он сейчас снова совещаться начнет.

Ольга вошла, всерьез опасаясь, что генеральный там все же голый и уже совещается с какими-нибудь очередными инопланетянами. Но он, слава богу, был совершенно одет — не в разноцветную клеенку, а в человеческий серый свитер — и даже галантно придвинул ей кресло.

Собираясь на аудиенцию, Ольга заготовила целую речь с благодарностями и извинениями за свое идиотское поведение. Даже на бумажке записала, чтобы не забыть. И несколько раз повторяла, пока ехала в метро. Но оказалось, что, пока Ольга искала переулок, а потом три часа сидела в приемной, из головы все выветрилось. А бумажка с речью осталась в кармане пальто, в вестибюле.

Она начала мямлить:

— Я хотела вас поблагодарить... сказать спасибо... я даже не поверила...

В дверь постучали. Генеральный вытянул шею, гаркнул:

— Да!

Дверь слегка приоткрылась, и в щель просунулась выбритая голова с вытатуированным на макушке то ли китайским, то ли японским иероглифом:

— Дмитрий Эдуардович, можно на минутку?

— Нет, я занят.

Голова исчезла так же стремительно, как появилась.

Ольга снова стала мямлить насчет благодарностей, но Дима всю эту неинтересную бадягу слушать не собирался и перешел сразу к делу:

— У меня к вам есть предложение. Вы где работаете?

— На швейной фабрике.

— А рисовать где учились? Что окончили?

Ольга совсем растерялась.

— Окончила? Бухгалтерские курсы. А рисовать... Я брала частные уроки, у меня совершенно гениальный учитель был... То есть до сих пор есть...

В дверь снова постучали. На сей раз это была девушка — слава богу, не бритая и без татуировки.

— Дмитрий Эдуардович, у меня вопрос...

— Ответ — нет!

Девушка немедленно скрылась за дверью.

— Так вот, я хотел вам предложить...

В дверь снова постучали.

— Прошу меня извинить.

Грозовский вскочил с места, в два прыжка пересек кабинет, распахнул дверь настежь (патлатый парень с серьгой в носу шарахнулся в сторону) и оглядел набившуюся в приемную толпу. Похоже, здесь собрались все сотрудники агентства, включая внештатников и курьера.

— Да, я разговариваю с нашей победительницей, — громко сообщил генеральный всем присутствующим и сделал широкий жест в Ольгину сторону, как бы предлагая убедиться, что беседа имеет место. — Да, это она. Кто еще не видел, может посмотреть. Да, я собираюсь предложить ей работу. И да — я все еще полностью одет! Все?

На несколько секунд приемная погрузилась в гробовую тишину, после чего стремительно опустела. Грозовский захлопнул дверь и вернулся на место. Он потер виски, отбил дробь пальцами по столешнице и предложил:

— А пойдемте-ка лучше поедим. А?

Ольга совершенно обалдела от всего происходящего и ляпнула:

— Я не хочу. Я... обедала.

— Ну, еще раз пообедаете! Идемте, что вы, в самом деле! Тут через дорогу очень милая кафешка.

— Дмитрий...

— Дима.

Ольга теребила подол.

— Вы сказали... То есть я слышала, как вы говорили... Вы правда хотите предложить мне работу?

Грозовский пожал плечами:

— Хочу. А что? Я же вам не интим предлагаю? В чем проблема-то?

— У меня... плохая биография.

— А с аппетитом как?

— Тоже плохо.

— Ладно. — Дима снял с вешалки куртку, намотал длиннющий шарф. — Тогда я буду есть, а вы — каяться. Пошли?

«Кафешка» через дорогу оказалась небольшим, но весьма респектабельным заведением с льняными салфетками, свежими бутоньерками и меню на десяти страницах.

Они сидели за столиком у окна. За окном бежали по своим делам люди, мимо проносились машины...

Пока Дима ел, Ольга успела вкратце рассказать ему всю свою плохую биографию. То есть не всю, конечно, а то, что ему следовало знать.

Дима отодвинул тарелку, закурил:

— Очень трогательно. Но я не понял, как это мешает тебе на меня поработать. Мы на «ты», ладно? В нашем мире все на «ты».

— Ладно...

— Так вот, — продолжал Дима. — Уверен, что у тебя есть несколько веских причин на меня поработать. Во-первых, я буду тебе платить столько, что ты наймешь любого адвоката. Или двух. Или десяток. Они от твоего Ромео мокрого места не оставят, а от его Джульетты ногтей. Во-вторых, ты талантливая девочка...

— Я не девочка.

— В нашем мире все девочки, кому не шестьдесят, — Дима махнул рукой. — Начиная с шестидесяти — молодухи. Ну, где ты на консервном заводе применишь свои таланты?

— На швейной фабрике...

— Тем более. В-третьих, ты научишься жить в Москве, а после Москвы ничего не страшно, даже Гондурас. Ты не собираешься в Гондурас?

Какой еще Гондурас? Он о чем вообще? Ольга не поспевала за Димой, не понимала половину из того, что он говорит, не могла сообразить, шутит он или всерьез. Зачем он ее обедать повел? Зачем сидит и доказывает, что у него работать лучше, чем на швейной фабрике? Ведь и так ясно, что лучше.

— Зачем я вам, Дима?

— А я буду делать деньги на твоих картинках, — с готовностью объяснил Грозовский. — Не сразу, конечно, а когда научишься. Это непросто — под заказчика работать. А ты будешь делать деньги на мне. Я тебе буду платить.

Дима прихлебывал кофе, смотрел на нее, ждал. А она все никак не могла уложить в голове происходящее. Слишком все быстро, слишком всего много... Два дня назад она сидела в цеху за машинкой. Сегодня — за столом в центре Москвы. И Дима, которого нужно звать на «ты», ждет, что она ответит на его предложение. Отвечать, судя по всему, надо немедленно, сейчас. Но Ольга так не умеет, не привыкла. Она должна, наверное, все обдумать... А как быть с оформлением? У нее трудовая на фабрике. А с жильем что делать? В агентстве-то, наверное, общежития не дают?

Ольга вздохнула:

— Дима, я не знаю, мне в Москве и жить негде...

— О! Это уже конкретный разговор, — обрадовался Дима. — Дашка тебя со своей старушкой-процентщицей познакомит, она всем приезжим комнаты сдает. У нее этих комнат, по-моему, штук десять, и все в жутких коммуналках. Могу даже для начала за тебя заплатить, если тебе нечем. Согласна?

Еще бы она была не согласна!

Все завертелось так стремительно, что у Ольги шла кругом голова. Вчера утром она сошла с поезда на Казанском вокзале, а сегодня к вечеру уже получила работу, квартиру и обещание, что регистрация будет готова через два дня.

Квартира была грязная, замусоренная, с немытыми окнами и ванной, в которой можно было снимать фильмы ужасов. Мебель — допотопная, бачок в туалете — течет, плита — ровесница революции. Зато рядом с метро и, как сказала старушка-процентщица, сдававшая комнаты, почти в центре. От «почти центра» до «самого центра» было полчаса на метро. Но Ольга уже поняла: Москва есть Москва, тут все не так, как в родном городке, надо привыкать.

Старуха-процентщица — моложавая дама с лиловыми кудряшками, выглядывающими из-под каракулевой шляпы, — взяла у Ольги ксерокопию паспорта для оформления регистрации, заверила, что сосед по квартире — очень тихий и интеллигентный одинокий мужчина, так что беспокойства никакого не причинит, и откланялась. А Ольга взялась за уборку. Тихий интеллигентный сосед излишней аккуратностью, судя по всему, не страдал.

...Ольга вылила из ведра грязную воду, отжала тряпку и повесила на трубу под раковиной. Ну вот. Кажется, все. За каких-то два часа комната совершенно преобразилась.

Ольга достала из чемодана Машкиного слона, пристроила на кровать и пошла на кухню ставить чайник.

За этот безумный, длинный день она здорово устала. И то сказать: за сутки с ней случилось столько всего, сколько с человеком порой за год не происходит. Ольга покосилась на закопченный чайник, который пыхтел на газу, но все никак не хотел закипать. А Надежда, наверное, пирогов напекла... Ольга сообразила, что за весь день сегодня ничего, кроме кофе, во рту не держала. Есть захотелось так, что аж в животе заурчало. На часах — десять. В провинции в это время все уже спать ложатся, и если, например, вдруг выяснится, что в доме — ни крошки хлеба и в холодильнике — шаром покати, ничего не остается, кроме как ждать до утра, когда откроются продуктовые магазины. Но Москва — сумасшедший город, который, похоже, вообще никогда не спит. И магазины тут все круглосуточные. А те, что не круглосуточные, работают минимум до одиннадцати вечера.

Ольга выключила так и не вскипевший чайник, накинула пальто, проверила, на месте ли ключи (а то потом в квартиру не попадешь и кукуй на лестнице, жди, когда бабка явится или вернется домой тихий, скромный сосед).

В супермаркете через дорогу Ольга, не мудрствуя, кинула в корзину батон, упаковку каких-то сосисок и контейнер с тертой свеклой — самое знакомое и самое дешевое, что попалось на глаза. По дороге домой она не удержалась, отщипнула от свежего, вкусно пахнущего батона горбушку и сжевала прямо на ходу. Скидывая в прихожей пальто, Ольга предвкушала, как сейчас отварит сосисок, нарежет хлеба, откроет свеклу, и...

— Ну что?! Явилась! — раздался из темноты сиплый голос.

Ольга выронила из рук покупки, вжалась в стену:

— Кто здесь?!

Она нашарила выключатель. Вспыхнул свет. За кухонным столом расположилось заросшее буйным волосом существо в тельняшке. Дыша перегаром, существо ощерилось и сообщило:

— Сосед я твой, курва!

* * *

Длинный офисный коридор, залитый холодным, слепящим светом. Где-то позади хлопает сверкающими стальными створками сломанный лифт, под потолком — камеры наблюдения... Ольга, задыхаясь, бежала по коридору. Позади слышался топот, и Ольга знала, что это — за ней. Где-то здесь должна быть лестница, она это помнила точно. Запасный выход. Ольга свернула за угол и уперлась в стену. В небольшом закутке — прожженный диванчик, пепельница на высокой ноге и табличка «Место для курения». Запасного выхода не было. Ольга вжалась в стену. Шаги приближались.

...Она с криком села на кровати, прижав ладони к лицу. В комнате было тихо. Никто за ней не гнался. Просто сон, ничего страшного.

Запищал будильник. Полвосьмого. Надо вставать.

Она накинула халат, затянула волосы в узел и потащилась в ванную.

На кухню Ольга вышла уже полностью одетая, готовая к выходу.

— А! Здорово, лимитчица!

За столом расположился сосед Толик, которого квартирная хозяйка за глаза отрекомендовала Ольге как тихого и интеллигентного одинокого мужчину.

«Тихий интеллигентный» мужчина в белье восседал на табурете, уперев руки в колени. Он был небрит, судя по запаху — немыт, всклокочен и с видом вселенской скорби созерцал батарею пустых бутылок в углу.

Ольга открыла свой кухонный шкафчик (правый), достала пачку кофе, ковшик, зажгла свою горелку (левую).

— Че молчишь-то, лимита?! От воспитание! Привыкли у себя там в Урюпинске...

Ольга насыпала кофе в ковшик.

— Доброе утро.

— Утро-то? Кому доброе, а кому нет. Десятка есть?

— Какая десятка?

— Какая? Такая. Бумажная. Мне на пузырь не хватает.

Ольга покачала головой:

— Нет.

«Тихий интеллигентный» мужчина изобразил крайнюю степень разочарования:

— Как?! Десятки нет?

— Нет.

Анатолий решил зайти с другого боку:

— Слышь, лимита! А того... Выпить хочешь?

— Нет.

— Че, брезгуешь? — обиделся Толик. — Ты мной, красавица, не брезгуй. Ты у меня под боком живешь! Я те в один момент раз — и готово! Тут, понимаешь, не Урюпинск!

Ольга молча помешала кофе, дала пенке подняться, сняла с огня. Каждое утро у них начиналось одинаково, и за две недели совместной жизни Ольга научилась вести себя с соседом, как правительство Израиля с террористами: провокации игнорировать, в переговоры не вступать.

Толик скрипнул табуретом, втянул носом воздух:

— Ах, какие мы в Урюпинсках все аристократы, кофеи по утрам пьем! Слышь! Лимита! Угости рабочего человека! Ну трубы же горят! Оглохла, что ль?

Ольга налила кофе в чашку, сполоснула ковшик и вышла из кухни. Разумеется, теперь Толик потащится следом и будет бубнить под дверью, что лимитчики перекрыли коренным москвичам весь кислород, что его, москвича-пролетария, обидели и он подлое бабское нутро до дна знает...

Допив кофе, Ольга сунула ноги в туфли и, на ходу надевая куртку, вышла из квартиры. Вслед ей неслись крики мучимого похмельем «интеллигентного» соседа: «Я те попомню, как ты коренного москвича-пролетария обидела! Ты теперь лучше домой не приходи!.. Тля, нутро бабское!..»

...Представьте себе карнавал в Рио-де-Жанейро, последние часы перед капитуляцией в ставке Гитлера, сеанс групповой терапии в отделении для буйнопомешанных и последний день Помпеи. Перемешайте, добавьте запах хорошего герленовского парфюма пополам с сигаретным дымом — и получите приблизительное представление о буднях рекламного агентства «Солнечный ветер».

За своим столом в углу офиса Ольга склонилась над эскизами для рекламы йогуртов. Вокруг хлопали двери, за перегородкой маркетолог Сева орал на кого-то по телефону, на подиуме в дальнем конце помещения ассистент фотографа пытался задрапировать ведущую МУЗ-ТВ в целлофан с логотипами стирального порошка. Ведущая должна была олицетворять чистоту и свежесть, которую порошок несет в этот бренный мир, но выглядела порядком утомленной. Она то и дело гоняла гримершу за новой порцией кофе и спрашивала, когда же они наконец закончат съемку. Гениальный фотограф Лева, который нарезал вокруг подиума круги, как акула вокруг жертвы кораблекрушения, отвечал на это, что прежде съемку неплохо бы начать. И тоже гонял гримершу за кофе.

В комнату на всех парах влетела девица с ярко-синими волосами, закатила глаза, сообщила, что сейчас будет вешаться, потому что монтажеры потеряли мастер-диск с рекламным роликом витаминов, но вешаться не стала, а пнула ни в чем не повинную тумбочку с фикусом и пулей вылетела в коридор.

Ольгина непосредственная начальница, марсианская девушка Дарья, сидела за компьютером, сосредоточенно глядя в монитор сквозь свои немыслимые красные очки. Вадик Бойко, надежда и опора креативной мысли агентства, обрабатывал фотографии, положив ноги на тумбочку. Он щелкал мышью, плечом прижимал к уху телефонную трубку, говорил и при этом еще как-то умудрялся прихлебывать кофе из огромной кружки с логотипом агентства.

...Ольга скомкала очередной рисунок, кинула в урну и сгорбилась за столом, вцепившись в волосы. Ничего у нее не получалось, хоть убей.

— Ольга!

Марсианская Дарья оторвалась от монитора и теперь смотрела на Ольгу.

— Переделали?

— Нет пока.

Дарья приподняла бровь.

— Я же просила еще три дня назад. Вы сказали, что успеете!

— Дашка, у самородков тоже случаются творческие кризисы, как у нас, простых смертных, — встрял Вадим и снова забубнил в телефонную трубку: — Нет, это я не тебе. Это я самородку. У нас тут самородок завелся, почти что золотой, а не то чтобы какой-то там... самоварный.

Ольге захотелось сквозь землю провалиться.

— Ольга! Постарайтесь, пожалуйста! Если до приезда Грозовского мы не успеем, он с меня голову снимет!

Дарья смотрела на Ольгу почти просительно, но было совершенно очевидно, что если Грозовский вознамерится снять с нее, Дарьи, голову, то Ольге тоже не поздоровится.

Три дня назад Грозовский улетел в Италию на какую-то очередную выставку. Перед отъездом дал задание переделать рекламу йогуртов и творожных сырков — пресловутых бармалеек. Заниматься бармалейками должна была Ольга. Предполагалось, что самородок из глубинки сейчас покажет всем, как надо работать, а также где раки зимуют и почем фунт лиха. Ольга с энтузиазмом взялась за работу, но на второй день поняла: ничего не получается. Она рисовала, комкала рисунки и рисовала снова. И снова. И снова. Чуть ли головой в стену не билась. Но рисунки выходили какие-то неживые, за душу не брали и самой Ольге категорически не нравились. Да и как, скажите на милость, может брать за душу реклама сырка творожного низкокалорийного, пусть даже обогащенного кальцием и витамином B_{12}?

— Грозовский мне уже вчера по телефону истерику устроил, я обещала, что все будет готово через два дня! — не унималась Дарья. — А у нас бардак полный! Ольга, вы меня слышите? Алло, гараж!

Ольга подняла голову, взглянула на начальницу затравленно:

— Слышу. Я просто пока никак не могу приспособиться рисовать рекламу. Я не понимаю, как сделать творожный сырок интересным.

— Когда поймете, не забудьте про нас, грешных, — хохотнул Вадим, не выпуская телефонную трубку. — Мы зарегистрируем ноу-хау и получим Нобелевскую премию... Нет, это я не тебе...

— Это он о том, что на самом деле никто не знает, как сделать творожный сырок интересным, — на всякий случай объяснила Дарья. — Вообще, надо просто правильно чувствовать, и тогда есть некоторая гарантия попадания.

Но Ольга ничего про сырки и йогурты не чувствовала. Ну не умела она чувствовать про йогурты, хоть тресни! Она снова взяла карандаш и принялась рисовать.

— Ольга!

Опять Дарья...

— Да?

— Ну, хоть что-нибудь есть?

Не было у нее ничего. Куча набросков, и все — совершенно безнадежные. Ольга, вздохнув, поднялась из-за стола, собрала рисунки и потащилась к Дарье за перегородку, как осужденный на эшафот.

Дарья перебирала рисунки, а Ольга тоскливо смотрела в сторону. Не надо было ей соглашаться на эту работу, не надо было брать аванс, вообще надо было сидеть на фабрике и не высовываться, не ездить ни в какую Москву. Ясно же как белый день, что вся эта история — не про нее. В агентстве работают профи, они полжизни занимаются этой своей рекламой и то не знают, как сделать творожный сырок интересным. А ее-то куда понесло?..

Дарья откатилась в кресле от стола, крутанулась, уставилась сердито на Ольгу:

— Ну? И что вы мне голову морочите?

Так и есть. Она действительно всем тут морочит голову. Дарья снова подъехала к столу, выбрала из стопки несколько эскизов.

— Это никуда не годится, конечно. — Она сунула эскизы в урну, и Ольга проводила их тоскливым взглядом. Она и сама знала, что никуда не годится.

— А вот это просто блеск. То есть просто блеск! Сами сочинили или видели где-то?

Дарья стала раскладывать по столу рисунки.

— Сама... Я чужих идей не ворую...

Дарья снова вскинула бровь:

— Серьезно?! Ну, тогда респект вам, как говорится.

Вадим Бойко одним ухом слушал щебетанье очередной подруги в телефонной трубке, а другим изо всех сил прислушивался к тому, о чем Дарья беседует с этим фабричным самородком. Появление самородка из глубинки Вадима не то чтобы как-то всерьез обеспокоило, но все-таки задело... Несправедливость ситуации задела. Вот сидишь ты, сидишь, пашешь-пашешь, а потом шеф приводит какую-то дуру в ботах, и ей тут же отдают половину заказов и кладут такую же зарплату, как у тебя. Почему, спрашивается?! Вадим, между прочим, чтобы такую зарплату получать, шесть лет вкалывал как каторжный. А этой все подают на блюдечке с голубой каемочкой. Обидно, граждане.

Конечно, напрямую к Вадиму вся эта бодяга с самородком отношения не имеет. В конце концов, шеф ей платит из своего кармана. Хозяин — барин. Да и вообще, Грозовский — человек настроения. Ну, глянулись ему рисунки этой, как ее... Ольги. Понравились. А через месяц разонравятся, и отправится Ольга обратно, в родной Урюпинск. А Вадим останется. Потому что способности способностями, а профессионализм и чугунная задница — совсем другая история. Почти наверняка на регулярной, рутинной работе самородок быстро сдуется, завалит пару-тройку проектов — и прости-прощай!

Вадим видел, что Ольга нервничает, видел, что у нее ни хрена не получается. В курилке Дарья ругалась, что дело не двигается с мертвой точки и Грозовский, которого ждали к понедельнику, наваляет всем люлей. Плакалась, что шеф набирает не пойми кого, а спрос с нее, с Дарьи. Все шло так, как Вадим и предполагал. Но, услышав, что Дарья нахваливает Ольгины работы, он забеспокоился. За все шесть лет работы слово «блеск!» он слышал от Дарьи от силы два раза, да и то не в свой адрес. Вообще высшей похвалой в ее лексиконе было задумчивое: «Ну, вот это вроде ничего...» Что там эта Ольга-то наваяла такого, что Дарья слюни пускает? Вадим слегка занервничал.

Подруга все щебетала в трубку:

— И мы, представляешь, приехали, а там — никого народу, ни одного человека...

— Зайка, я тебя потом перенаберу. У меня другой телефон!

Вадим нажал отбой, взял кружку и направился в дальний угол офиса, где у них стоял шкафчик со всякими чаями-кофеями и чайник. Идти к шкафчику надо было аккурат мимо Дарьиного стола. Рядом со столом он на секундочку задержался — ровно настолько, чтобы Дарья его заметила.

— Вадик, посмотри! Идея отличная, для сквозной рекламы — просто зашибись! Вот они строят мост. Это кто? Тролли?

Ольга улыбнулась:

— Гоблины.

— Короче! Эти гоблины, или кто они там, катят камни.

Она выложила на стол рисунок, на котором гоблины действительно катили в гору здоровенные камни.

— Вот им жарко, пот течет.

Дарья положила рядом с первым второй рисунок. Гоблины обливались по́том, утирались волосатыми лапами.

— Вот они уселись под дубом.

Следующий рисунок лег на стол рядом с первыми двумя.

— А вот бочонок сладкого октябрьского эля! Все пьют из больших кружек. Наши пивняки будут просто в восторге, точно говорю, да, Вадик?

Вадим пожал плечами:

— Не знаю... Как-то все это очень в лоб. Слишком просто, на мой взгляд...

Дарья пожала плечами:

— У Грозовского новый заскок — он как раз хочет простоты.

Вадим еще раз глянул на троллей, или кто они там? Гоблины?

— Ну, не знаю. Может, конечно, в этом есть большая сермяжная правда...

— А я тебе о чем?! Прям то, что надо, супер! Ольга! Гоблины — отличные! Для йогуртов не годятся, конечно, но для пивняков... Короче, гоблинов я забираю. А вы, Ольга, думайте про бармалеек! Вадик, если что — я поехала к заказчикам, вернусь к концу дня.

Когда Дарья упорхнула, а Ольга ушла в свой угол думать про бармалеек, Вадим Бойко снова как бы между прочим подошел к столу, где были разложены рисунки про гоблинов. Или троллей, или кто они там? Неважно! Он стоял, смотрел на этих зеленых волосатых ребят — как они катают свои камни, как пьют эль, сидя под дубом, и где-то внутри у него снежным комом росло беспокойство.

* * *

Дарья быстро шла по бульвару, попыхивая на ходу тонкой сигареткой. Ольга едва поспевала за ней. Как ее марсианской начальнице удается с такой скоростью передвигаться на четырнадцатисантиметровых шпильках? Загадка...

После работы Дарья предложила Ольге пройтись по бульвару. Дескать, грех в такую погоду не прогуляться. На самом деле она не столько прогуляться хотела, сколько поговорить с самородком. Дарье очень не нравился Ольгин настрой. Эдак она совсем опустит руки и вообще не сможет работать. Не то чтобы Дарью очень заботила Ольгина судьба. Но, во-первых, Грозовский попросил ее приглядеть за самородком, создать условия, если что — помочь, в общем, взять над Громовой шефство. А во-вторых, Дарья прекрасно понимала: все они в одной лодке. И от того, насколько успешно агентство будет выполнять полученные заказы, в итоге зависит и ее, Дарьино, материальное благополучие. Есть заказы — есть прибыль. Есть прибыль — есть зарплата, бонусы по итогам года, премии особо отличившимся, дополнительная медицинская страховка, корпоративные кредиты... А у Громовой есть потенциал. Она способная, да что там, талантливая тетка. Помочь ей этот потенциал раскрыть — и агентству будет прямая выгода.

Опять же, шефство над Громовой — штука не слишком обременительная. От Дарьи не убудет. Тем более что когда-то она была в похожей, в общем-то, ситуации. Десять лет назад Дарья прибыла в столицу в плацкартном вагоне поезда Санкт-Петербург—Москва с рюкзаком, в котором помещались почти все ее пожитки, и с твердым намерением заработать достаточно, чтобы никогда больше не ездить в плацкарте, не ходить в драных туристских ботинках и не обедать консервированными кильками в томате. За годы жизни с отцом — талантливым, но совершенно не приспособленным к жизни питерским художником, который планомерно спивался в огромной грязной коммуналке на Литейном, — Дарья этих килек в томате наелась по самое не могу.

Затянувшись и выпустив облачко дыма, Дарья продолжала разговор, начатый еще в офисе:

— Талант — прекрасная штука, но это еще далеко не все. Фишка в том, что любой свой талант, любой, понимаешь, надо уметь продавать.

Ольга не очень верила в свой талант и уж точно не знала, как его, даже если он имеется, продать. Хотя... Грозовский ее талант купил. Правда, она к этому не приложила никаких усилий. Даже рисунки на конкурс отправляла Надежда...

— Даш, я не знаю, как это делается. Я все время боюсь попасть впросак. Глупость сказать или сделать...

— Ну и правильно, что боишься!

Дарья затянулась и метким щелчком бросила окурок в урну.

— Кроме глупостей, ты пока ничего и не говорила. Да ладно, ты что? Шучу! Если серьезно — то нельзя зевать, понимаешь? Нужно все время по сторонам смотреть, локтями пихаться, тут успеть, там успеть. Почему ты мне сразу рисунки не показала?

Ольга пожала плечами:

— Я думала, что это не подходит...

— Думала! Думает у нас Грозовский. А мы творим. Слушай, давай зайдем, кофейку хватим. Смотри, какая штука с клубникой!

В витрине маленькой кофейни действительно красовалась умопомрачительная штука с клубникой. Рядом горкой были выложены шоколадные пирожные, крошечные печенюшки, какие-то совершенно воздушные сооружения, увенчанные марципановыми листочками... С первого взгляда Ольге стало понятно, что это великолепие стоит страшных денег и никакой штуки с клубникой, равно как и шоколадных пирожных со взбитыми сливками, она себе позволить не может.

— Нет, я не хочу. Ты иди, а я поеду...

— Да ла-адно! — Дарья бесцеремонно ухватила Ольгу за руку и поволокла в кафешку. — Когда начальство изволит приглашать, надо соглашаться!

Кофейня оказалась совсем крошечная, на шесть столиков, но совершенно сказочная — с розовыми бархатными креслами на гнутых золоченых ногах, официанткой в длинном кружевном переднике и горячим молоком, которое подавали к кофе в серебряных молочниках.

За соседним столиком пили чай молодая длинноногая мама и двое хорошеньких, как с открытки, детей — мальчик лет десяти и девочка, Машкина ровесница... Рядом с ними, в свободном кресле, были свалены многочисленные покупки в бумажных пакетах. Из одного пакета торчали плюшевые заячьи уши. Все трое выглядели совершенно счастливыми, таскали друг у друга из тарелок кусочки пирожных на пробу, хохотали, когда обнаружилось, что у мамы нос вымазан взбитыми сливками...

— Обожаю эту кафешку, — Дарья кивнула официантке. — Мне фруктовую тарталетку, пожалуйста. Оль? Ты что будешь? Оль! Эй! Ты тут вообще?

Ольга отвлеклась от созерцания счастливого семейства и тоже попросила тарталетку.

— Грозовский тебя на работу взял? Взял, — наставляла ее Дарья, прихлебывая кофе. — Сразу на заказ посадил? Посадил. Так ты не жмись в углу, ты работай! На самом деле, помнишь, как в институте говорили? Немедленно забудьте все, чему вас учили в школе. А ты немедленно забудь все, что делала до этого! У тебя такой шанс — супер! Господи, какая ж вкуснота!

Дарья соскребла с блюдца остатки крема и махнула официантке:

— А! Пропадай, фигура! Девушка, а принесите мне, пожалуйста, еще вот эту штуку с персиком!

Ольга поковыряла пирожное, вздохнула. Конечно, Дарья все говорит правильно. Вот только...

— Все равно я чужая, Даш.

— Естественно, — Дарья кивнула. — Чужая. И будешь чужой, если только в правильную шкуру не влезешь.

— В... какую шкуру?

— В такую!

Она вынула из Ольгиной чашки кофейную ложечку, положила на блюдце.

— Перестанешь, например, тыкать себе в глаз ложками. Знаешь про русского разведчика? Его вычислили, потому что он, когда чай пил, глаз все время прижмуривал...

Дарья посмотрела вниз, на Ольгины ноги:

— Вот что у тебя, к примеру, на ногах?

— Туфли. А что?

Дарья покачала головой:

— Ты все перепутала. Это у меня на ногах туфли, а у тебя чуни. В чунях ходят по деревне. Хочешь жить в Москве — купи туфли. Знаешь, когда у женщины в порядке прическа и туфли, на все остальное наплевать. Хоть она в мешок одета. Ну, белье, конечно. У меня приятельница есть, у нее белье дороже шубы, и это правильно... Приведи голову в порядок. Я имею в виду прическу, ноги подкачай и животик, тогда сможешь носить мини...

Семейству за соседним столиком принесли счет, и мама, положив в папочку несколько купюр, принялась собирать детей.

Девочка восседала в бархатном кресле с видом наследной принцессы, с важностью вытягивала ножку в высоком ботинке, пока брат завязывал ей шнурок. Ольга заулыбалась:

— Даш, а у тебя есть дети?

Дарья замахала руками:

— Что я, с ума сошла?!

— А у меня Миша и Маша...

Дарья округлила глаза, вилочка с куском персика замерла над тарелкой.

— Дети?! Да ты что?! А я решила, что ты старая дева! Такая, знаешь, вся в искусстве. Они там остались, да? На исторической родине? А с кем?

— С отцом.

Ольга опустила глаза и принялась снова ковыряться в тарелке.

— М-м-м... И отец имеется?! А так и не скажешь... ты чего не ешь-то? Невкусно?

— Даш! Отпустишь меня на три дня? Я хоть с ними повидаюсь!

Ольга боялась, что Дарья никуда ее не отпустит, а, напротив, навставляет по первое число. И то сказать: заказ не выполнен, работы — воз и маленькая тележка, Грозовский вернется с выставки и потребует отчитаться, а Ольге, видите ли, приспичило повидаться с детьми. Но Дарья среагировала на удивление спокойно, лишь плечами пожала:

— Езжай. Только йогурты с сырками переделай. У нас прямо засада с этими йогуртами! Переделай, отдай Вадиму и езжай. Слушай, а Грозовский знает, что у тебя дети есть?

— А какое отношение к Грозовскому имеют мои дети? — не поняла Ольга.

— Ну как? Он же тебя присмотрел! Мы так поняли, что для себя...

Даша поглядела на онемевшую от удивления Ольгу как на заморское чудо:

— А ты не въехала, что ли? Дима у нас в этом

смысле без комплексов. Я, между прочим, тоже была его большой любовью. Сто десятой по счету. Счет мелких не ведется.

— И... что?

— Да ничего, — Дарья беззаботно пожала плечами. — Сейчас идет активный поиск сто одиннадцатой.

Для Дарьи роман с Грозовским стал, может, и не сто десятой, но уж точно не первой большой любовью. Первая большая любовь у нее случилась в четырнадцать. Она без памяти влюбилась в приятеля своего беспутного .отца — такого же талантливого и такого же беспутного. Любимый был старше на двадцать три года. Он научил Дарью правильно выбирать белье, смешивать водку с кокаином, трезво смотреть на вещи и заботиться только о себе.

Роман с Грозовским был одним из многих. Слава богу, не первым и — Дарья это знала совершенно точно — не последним.

— И ты с ним все-таки работаешь?! После всего... После того...

— А что такого-то? Ну, был роман, ну вышел весь. Я не Катерина из «Грозы». Топиться мне никакого резона нет, да и неохота, если честно. Мужик и есть мужик, на мою долю уж точно еще достанется.

У Ольги такое в голове не укладывалось. Она привыкла считать, что любовь — если она большая и настоящая — бывает раз в жизни, а вовсе не сто десять и не сто одиннадцать, не считая мелочи. Когда ее единственная и неповторимая любовь кончилась, Ольга чуть не сошла с ума. И, уж конечно, никого и никогда она больше не сможет полюбить. А Даша совершенно спокойно, в рамках светской болтовни между двумя чашками кофе, говорит о романе с Грозовским, который был, да весь вышел. И, похоже, ее это ничуть не задевает. С ума сойти можно...

* * *

Дома Ольга выдвинула колченогий стол из угла в центр комнаты, сняла абажур с люстры, а на стол водрузила настольную лампу. Получилось вполне сносное рабочее место с нормальным освещением.

Даша сказала, можно съездить домой, только сперва нужно переделать йогурты и творожные сырки. Значит, она должна быстро переделать. Значит — переделает. На кровати, как обычно, сидел Машкин слоненок... Машка... Если все получится, Ольга их увидит, совсем скоро... Стоп! Нельзя отвлекаться! Сейчас она должна выбросить из головы все, то есть абсолютно все, и сосредоточиться на работе.

Легко сказать! Сколько бы Ольга ни твердила себе, что нужно сконцентрироваться и не отвлекаться, она все равно постоянно возвращалась к мыслям о детях. О том, как они могли бы зажить вместе, о том, как Ольга снова заботилась бы о них, укладывала спать, водила в театр... Все вместе они ходили бы в крошечное кафе с бархатными креслами, ели бы воздушные пирожные с клубникой... Стоп! А почему бы?.. Ну конечно, ведь это просто, как она раньше не догадалась! Ольга схватила Машкиного слона и водрузила на рабочий стол. Кажется, она знает, как сделать, чтобы йогурты и творожные сырки брали за душу!

За дверью послышались возня, пьяные крики, потом что-то упало...

— Эй, лимита казанская, открывай! Я ж знаю, что ты там! Открывай, говорю!

Ну, понятно. «Тихий интеллигентный» сосед где-то денег раздобыл. Праздник души у него.

Сосед снова заорал фальцетом, потом вступил чей-то пропитой бас, забубнил нечто успокаивающее. Снова грохнуло — видать, кто-то из приятелей «интеллигентного» Толика не справился с управлением и налетел на косяк. Толик все не унимался:

— Да она меня, коренного москвича-пролетария, не уважает! Она мне в морду плюет! Она меня в упор не видит, лимита колхозная! Плесень! Я те покажу, как хорошего мужика забижать! Я ваше нутро бабское изучи-ил!..

Толик заколотил в дверь со всей дури. Господи, как же он надоел! Один раз, когда Толик особенно развоевался, Ольга пригрозила ему вызвать милицию. Толик на это выразился в том духе, что, мол, давай зови, они тебя, лимиту беспаспортную, быстро на сто первый километр спровадят. На самом деле у Ольги и договор аренды имелся, и регистрация, так что в милицию она все-таки позвонила. И милиция даже приехала. Только оказалось, что забирать Толика не за что. Он никого не избил, ничего не сломал, то есть никакого правонарушения не совершил. На том и распрощались. После этого Толик ходил гоголем и включил в свой постоянный репертуар новый пассаж про то, что милиция коренному москвичу завсегда подруга и мать родная и ничего соседка (лимита казанская) с ним, пролетарием умственного труда, не сделает.

...Ольга включила радио, повертела настройку. На коротких волнах передавали Первый концерт Чайковского. Ну что ж, пусть будет Чайковский. Это значительно лучше, чем слушать вопли Толика. Что-то он сегодня не на шутку разошелся, дверь бы не высадил... Что делать, если «интеллигентный» сосед таки вышибет дверь, Ольга решительно не знала. Чтобы было не так страшно, она включила Петра Ильича на полную мощность и с головой погрузилась в работу.

Ольга работала всю ночь. В офисе она первым делом нацедила себе большую кружку крепкого кофе. Голова была необыкновенно ясная, но в глаза будто песку насыпали.

Ольга заглянула к Вадиму за перегородку. Тот сидел за компьютером, как всегда, прижав мобильник плечом к уху, и рассказывал своей очередной подружке про вчерашнюю презентацию:

— Нет, не стал дожидаться... Уехал. Слишком пафосно. На одного Панина и можно смотреть...

Ольга постучала по перегородке:

— Вадик. Я хочу показать тебе эскизы.

— Какие? Нет, это я не тебе...

— Йогуртовые и сырочные.

Вадим быстренько распрощался с подружкой, крутанулся в кресле:

— Давай показывай!

Ольга принялась раскладывать на столе рисунки.

— Я решила, что пусть это будет семейная реклама, — объясняла она. — Смотри. Вот мама, папа и слоненок. Идея заботы и силы. Слоненок ест йогурт, растет и скоро станет таким большим, как папа. А йогурт нежный, как мамина забота.

Вадим взял рисунок со слоненком, повертел в руках:

— Слоненок забавный.

— У моей дочки такой! — Ольга явно воодушевилась. — Можно провести конкурс на лучшее имя для слоненка. И еще можно разыгрывать путешествие в слоновый питомник. Ты не знаешь, где водятся слоны?

— Чего тут знать-то? В Индии, в Африке, на Шри-Ланке...

— Ну, значит, туда, — согласилась Ольга. — Можно предложить заказчику, чтобы они объявили о розыгрыше. А вот карта для упаковки «Путешествие на родину слонов».

Вадим скривился:

— Слушай, как-то это все... Больно сахарно.

— Как? — не поняла Ольга.

— Сахарно. Сплошной сироп. И семья, и путешествие, и мама с папой... Прошлый век. Все это было хорошо пятьдесят лет назад. Тогда семейные ценности были в фаворе. Сейчас рулят вампиры, скелетоны и кровавые жабы-людоеды с Марса. А добропорядочное семейство слонов... Ты уверена, что современным детям оно надо?

— Я уверена, что это всем надо, не только детям. Когда у тебя нормальная семья, ты знаешь, зачем живешь.

Вадим покачал головой, изображая крайнюю степень разочарования тем, что в их чудесную, прогрессивную контору затесалась такая поклонница заплесневевших семейных ценностей.

— Ладно... Оставь мне, я Грозовскому покажу. Не знаю, поймет ли нас заказчик...

— Я на три дня уеду. Меня Дарья отпустила.

— Да уж знаю, — Вадим снова сокрушенно покачал головой. — Ты же у нас, оказывается, многодетная мать. Носитель этих самых семейных ценностей... Ты езжай, езжай, я Грозовскому все передам...

Когда Ольга ушла, Вадим снова придвинул к себе стопку рисунков про слоненка. Черт бы побрал эту курицу в ботах! Слоненок был отличный. Десять баллов. И слоненок, и мамаша-слониха, и папа-слон... Во всех рисунках этой урюпинской тетки — очень простых, очень наивных — присутствовал тот загадочный алхимический элемент, который превращает даже очень простую работу в золото. Это как с картинами Кандинского, Пиросмани, Матисса... Вроде ведь все просто, элементарно. Но почему-то за душу цепляет так, что глаз оторвать невозможно... Мало того! Дура в ботах сама выдала на-горá вполне кондиционную, продуманную от и до концепцию рекламной кампании. За ночь! Конечно, это сироп, пошлость и прошлый век, все так. Но она научилась не просто рисовать, а производить рекламный продукт, вот в чем дело!

Надо с этим разобраться, и срочно. А то как бы самородок Вадима не подсидел. Впрочем, у Вадима имелась одна идея на сей счет. Так что пускай едет к себе в Урюпинск, на родину слонов. У Вадима как раз будет время свою идею реализовать.

* * *

После московского безумия родной город казался крошечным, сонным и каким-то неумытым... Ольга сошла с перрона. Куда сперва? К Григорию Матвеевичу? Кинуть сумки, выпить кофе, умыться, рассказать новости, а потом уж попытаться увидеться с детьми? Ольга посмотрела на часы. Половина второго. В детском саду — тихий час. Но у Мишки примерно в это время заканчиваются уроки. Значит, можно попробовать перехватить его на выходе из школы. К Григорию Матвеевичу она всегда успеет. Лучше они вечером спокойно сядут, выпьют чаю, поговорят обо всем.

Ольга поудобнее перехватила сумку и зашагала по направлению к школе.

...Мишка сильно вытянулся, похудел, волосы потемнели... Или это свет так падает?.. Ольга дождалась, когда он выйдет за ворота, окликнула:

— Мишка!

Он обернулся, сощурился на солнце, кажется, не сразу узнал:

— Мама?

Ольга подбежала, схватила его, прижала к себе. Мишка стоял, опустив руки плетьми, глаза в сторону. Неловко? Стесняется? Отвык?

Потом они молча сидели на заднем дворе, среди кустов сирени. Разговор не клеился. Ольга так к этой встрече готовилась, так ждала, так мечтала, а встретились — и она растерялась. Сидит, молчит. И он молчит тоже.

Ольга обняла сына за плечи — худющий, кожа да кости, зарылась лицом в волосы:

— Мишка, милый, как я по тебе соскучилась!

По-прежнему молчит, смотрит в сторону.

— А ты? Скучал?

Кивает.

— Мишка. Мишка мой хороший! Как ты живешь? Поговори со мной, пожалуйста. Я тебя так давно не видела, так тосковала...

— Мам, зачем ты нас бросила?

Только не реветь! Нельзя. Не сейчас. Потом. Проглотила ком в горле:

— Я вас не бросила, Мишка. Просто так получилось.

— Папа сказал, что бросила. Он сначала говорил, что тебя в тюрьму посадили, потому что ты у него что-то украла. А теперь говорит, что ты от нас в Москву укатила.

Как ему объяснить? Рассказать правду? Вывалить это все на восьмилетнего мальчишку, пусть разбирается, как знает? Нет, правду она не может рассказать. Когда-нибудь потом.

— Мишка, я сейчас не могу всего объяснить. Просто... Я... не могла с вами остаться. Ну, никак не могла. Я вас люблю, очень, больше всего на свете люблю. Но обстоятельства так сложились... С вами папа остался. Я скоро вас заберу, и тебя, и Машу. Обещаю. Только немного нужно подождать. Скажи мне, как Машка?

— Хорошо. Только все время в нос говорит. И простужается.

— В сад ходит?

Мишка помотал головой:

— Сейчас нет. Дома сидит, болеет.

Значит, Машку повидать не удастся.

— Мам? Это от аденоидов, да?

— Что?

— Машка болеет? От аденоидов?

— Думаю, да.

Мишка начал понемногу оттаивать. Прислонился щекой к ее плечу:

— А помнишь, как мне их вырезали и ты со мной в больнице лежала? И читала про крота. Помнишь?

Конечно, она помнила. Крота звали Слепыш. А на самом деле он все видел и все слышал.

— И был очень запасливый! — Мишка счастливо улыбнулся. — А потом ты мне мороженое купила, помнишь? И сказала, что теперь все можно!

Они еще немного повспоминали — слепыша, мороженое, хорошие времена, когда Ольга еще не укатила в Москву и каждый вечер рассказывала им какую-нибудь историю — всегда разную. Зина — та не рассказывает. Говорит, что не знает историй.

— Мишка, она вас... не обижает?

— Не-ет. Только ей на нас наплевать. Она на нас даже не смотрит. Когда гости приходят, тогда смотрит. И не поет, и про крота не читает, и не целует. Мам, зачем ты в Москву укатила? Помнишь, как раньше хорошо было?

Ольга прижала его крепче, отвернулась — не надо, чтобы он видел, как она плачет, нельзя, ему и так не сладко.

— Скоро опять будет хорошо, Мишка. Это я тебе обещаю. Я, знаешь... Я все время про вас думаю, и на работе, и дома, и везде. Про вас с Машей. Ты... скажи ей, что я ее очень люблю. Скажешь?

— А сама почему не говоришь?

— Я не могу. Мне... В общем, я не могу сейчас домой явиться...

— Почему?

— Миш, я обещаю: когда-нибудь все объясню. А сейчас просто скажи ей, ладно?

— Ладно... Мам, а ты с Машкой тоже будешь лежать? Когда ей аденоиды вырежут?

Ольга кивнула:

— Конечно, буду.

Мишка задумался, потом спросил:

— А как ты нас заберешь, если ты в Москву укатила?

— Я вас в Москву заберу.

Снова задумался.

— А папу тоже заберешь?

Ольга помолчала немного. Господи, как же ему все объяснить-то?..

— Наверное, папу придется оставить. Наверное, он с нами не поедет.

Мишка вдруг заерзал, засуетился, вывернулся из-под ее руки:

— Ой, я пошел. Мне с тобой нельзя, а я забыл. Забыл я!

Ольга задержала его руку — еще немного, хоть пару секунд...

— Мишка, я тебя люблю очень.

Он подумал немного, потом прижался к ней лицом, обнял:

— Я тебя, мама, тоже люблю.

Схватил рюкзак и опрометью кинулся к воротам.

У ворот уже ждала Зина. Недовольно притопывала ногой:

— Ну? Почему так долго?

Мишка соврал, что классная всех задержала после звонка.

Всю дорогу домой Зина молчала. А сама думала, как бы так Стасу половчее ввернуть, что мальчишка-то уже, между прочим, не грудной. Вон лоб здоровый вымахал! Пусть бы сам в школу ходил! Ей до смерти надоели эти вечные встречи, проводы, прогулки, уроки... Она молодая, ей жить хочется, а не с чужими детьми нянькаться...

* * *

После того как Мишка убежал, Ольга долго еще сидела на заднем дворе, курила и ревела. Выкурив почти пачку, она кое-как успокоилась и пошла к Григорию Матвеевичу.

Дверь была заперта. Странно. Она ведь сообщила, что приезжает. Дозвониться не смогла, но отправила телеграмму.

Послышались шаги на лестнице, на площадку, тяжело дыша, вскарабкалась соседка. Увидела Ольгу, которая топталась у двери.

— Вы к Григорию Матвеевичу?

Ольга кивнула:

— К нему.

Соседка поставила на пол сумку, стала шарить в поисках ключей.

— Нету его. В больнице. Доктор сказал — помирает.

— Как помирает?

— Как, как!.. Господи, да где ж ключи-то?.. Как все люди помирают, так и он. Срок пришел, видать, вот и помирает.

...В больницу Ольгу долго не хотели ее пускать.

— Посещение — с трех до четырех, — бубнила регистраторша. — Завтра приходите.

В конце концов Ольга сунула регистраторше коробку московских конфет, купленных для учителя, и та сменила гнев на милость.

В палате было душно, пахло лекарствами, немытым телом, больничной кухней. В углу пациенты резались в домино, на койке у окна усталая женщина с запавшими глазами уговаривала страшного, желтого мосластого мужика покушать домашнего.

Григорий Матвеевич лежал, до подбородка накрытый ветхой больничной простынкой, — такой маленький, такой старый, что у Ольги сжалось сердце. Она села рядом, взяла его за высохшую, почти бестелесную руку. Григорий Матвеевич был очень плох. По привычке бодрился, но было видно, с каким трудом дается ему каждое слово.

— Что это вы так... взбаламутились, Оленька? Вот полежу, отдохну, да и стану опять...

Ольга сжала его руку, погладила по заросшей седой щетиной щеке:

— Григорий Матвеевич, вы лучше молчите... Вам нельзя утомляться.

Стариковская лапка в Ольгиной ладони дрогнула:

— Как... хорошо. Хорошо, голубушка...

— Что?

— Что мы повидались. Скучаю я без вас, Оленька, так скучаю. Письма по три раза перечитываю, в шкатулке храню, где покойной Марьи Никитичны письма, там и ваши. Рад, что... что... рисуете... что... в Москве...

Исчерпав запас сил, Григорий Матвеевич прикрыл глаза. Ольга молча гладила его по руке. Григорий Матвеевич, кажется, на пару минут задремал, потом открыл глаза, заволновался:

— Оленька! Ключи-то! Ключи! Ах, пень старый!..

— Какие ключи, Григорий Матвеевич?

— Да вот эти самые... от квартиры... только беспорядок... уж давно... не ждал... Вы... не обессудьте.

Он попытался сесть на кровати, но тут же опять откинулся на подушку. На лбу выступила испарина, дыхание сделалось частым, тяжелым.

Ольга склонилась над стариком, поправила простыню:

— Все хорошо, Григорий Матвеевич, все хорошо... Мне ключи не нужны, я тут, с вами посижу... Отдыхайте, все в порядке...

— Нет-с, ночевать тут я вам не позволю... Не позволю, и как хотите... Вот отдохну, и мы с вами... Как раньше... По улицам гулять...

Старик улыбнулся и снова закрыл глаза. Больше он в сознание не приходил.

Московские гостинцы — конфеты, сервелат, лимонную карамель Бабаевской фабрики, которую Григорий Матвеевич так любил, — Ольга раздала больничному персоналу. Получив в загсе свидетельство о смерти, она поехала на квартиру учителя. Нужно было привезти костюм для похорон.

В квартире было действительно не прибрано. Вещи кучей свалены в углу, на кровати — ворох несвежего белья, на тумбочке — какие-то грязные кружки с остатками чая, скрюченная, засохшая сырная корка... Везде следы запустения. Значит, вот так он жил эти последние месяцы. Значит, вот так... Лежал тут совсем один — старый, больной... А Ольга ничего не знала. Верила его бодрым письмам, думала, как встанет на ноги и уговорит Григория Матвеевича приехать к ней в Москву погостить, как они будут ходить по музеям, разговаривать обо всем на свете, чаевничать допоздна...

...На кладбище до одури пахло черемухой, пели птицы. Ночью прошел дождь, и все было чистое, умытое, свежее. Ольга стояла над открытой могилой. За спиной у нее топтался кладбищенский рабочий с цигаркой в зубах.

— Ну что, зарывать, что ли?

Ольга бросила на крышку гроба горсть земли и отошла в сторону, давая рабочему место. Ну вот и все. Бумаги Григория Матвеевича, несколько картин и пачка фотографий упакованы и сданы в камеру хранения на вокзале. Вечером Ольга увезет их в Москву. Больше ее здесь ничего не держит, не связывает с прошлым. Счет закрыт. Она заберет детей, начнет с ними новую жизнь в новом месте и никогда не станет оглядываться назад.

* * *

На летучке шеф устроил ей жуткий разнос.

— Громова, ты работаешь плохо. Плохо! — Грозовский вышагивал взад-вперед по кабинету, видно было, что всерьез злится. — Ты вообще не работаешь! Уезжала на три дня, вернулась через неделю, ни хрена не сделала. Ты думаешь, я тебе деньги просто так буду платить?

— Дим, да почему плохо-то? Нормально Громова работает, — попыталась вступиться за Ольгу Дарья. — Пивняки, слава богу, довольны этими, как они... Гоблинами.

Но Грозовский был другого мнения.

— Хрен бы с ними, с гоблинами!.. Пивняки — это один — один заказ! И не самый большой! Слава тебе господи, хоть бармалеек с бармалейчиками Бойко разрулил. А поручали, между прочим, тебе, Громова! Ну? Что ты молчишь?

Ольга сосредоточенно разглядывала носок туфли. Как Дарья ее туфли называет? Ах да, чуни...

— Я предложила свой вариант... Но он, наверное...

— Наверное!..

— Хотя мне показалось...

— Когда кажется, креститься нужно! — сообщил Грозовский. — Народная мудрость.

— Хорошо, я постараюсь...

— Вот иди и старайся. Остальные тоже свободны.

Остаток дня Ольга честно пыталась сосредоточиться на рекламе стирального порошка, которой ее озадачила Дарья, но ничего не получалось. Полный ступор. То, что слоны Грозовскому не понравились, окончательно ее подкосило. Ольге казалось, она все очень здорово придумала, поняла, как делать эту треклятую рекламу. Думала, разгадала секрет философского камня. А оказалось — нет. Посмотреть бы, что там Вадим наваял. Может, будет понятно, что от нее требуется.

— Даш! А можно мне посмотреть, что Вадим придумал? Ну, хоть направление какое! А то я билась, билась и... ничего. Можно?

— Легко! Сейчас распечатаю! — Дарья пощелкала мышью, и принтер немедленно начал выплевывать листы. — Бери, смотри, учись.

Ольга вытащила из принтера стопку бумаги, посмотрела... Лицо у нее вытянулось.

— Торкнуло, да? — Дарья пристроилась рядом. — Заказчик на обсуждении крокодиловыми слезами плакал. От умиления. Идея заботы и силы. Слон, слониха и слоненок, счастливая семья.

Ольга с ужасом смотрела на Дарью. Что происходит? Она сошла с ума?

— Вадик три дня был национальным героем — такому монстру угодил! — продолжала Дарья. — Грозовский с ним только что взасос не целовался. По всей конторе носился, всем в нос его шедевры совал и поучал, что именно так надо работать! Между прочим, твои первые рисунки он тоже всем в нос пихал. А теперь вот Вадиковых слонов.

Ольга наконец обрела дар речи.

— Даша... Это мои слоны.

Дарья вскинула бровь, посмотрела на Ольгу поверх очков.

— Не поняла?

Ольга метнулась к столу и принялась рыться в ящиках. Должны были остаться эскизы, черновые варианты, она же Вадиму только чистовые отдала... А была еще куча неоконченных слонов, карандашных набросков, сто пятьдесят вариантов счастливого семейства... Да где же они, господи!

Ольга один за другим выдвигала ящики, вытряхивала содержимое прямо на пол. Ничего! Черт! Черт побери! Они же были! Они совершенно точно были здесь!

Дарья подошла, уселась в кресло и принялась постукивать карандашом по колену.

— Можешь объяснить, что это все означает? Что ты ищешь?

— Слонов! — Ольга раскраснелась, глаза блестели — она была вне себя. — Я ищу своих слонов! Потому что это *мои* слоны! Мои, а не Вадима Бойко!

Ольга отодвинула Дарью вместе с креслом и стала шарить на стеллаже. Может, там? Нет. Слонов и след простыл.

До Дарьи начало доходить.

— Хочешь сказать, что Бойко...

— Да! Да! Я показала ему слонов. Еще перед отъездом. Он сказал — слишком сахарно! Сказал, что сам покажет Грозовскому и чтобы я не обольщалась! Он их украл, понимаешь?! Украл и сказал, что это *его* слоны?! И эскизов нет! Ничего нет!

Ольга без сил опустилась в кресло. Ее трясло мелкой дрожью.

— Даша! Что теперь делать?!

Дарья задумалась на секундочку, глотнула кофе и резюмировала:

— Ничего. Все уже сделано.

Потом они сидели на бульваре, курили, и Дарья в сотый раз объясняла Ольге, какая она дура.

— Я не дура. Это мои слоны и моя идея! — твердила Ольга.

— Ничего похожего. — Дарья откинулась на спинку скамейки и щурилась на солнце. — Это *была* твоя идея. Ясно? *Была*. А теперь это идея Вадима Бойко. Заказчику, могу тебя обрадовать, совершенно наплевать, какая фамилия у художника — Бойко или Громова! Наши корпоративные дрязги — кто у кого украл, кто с кем переспал, кто кого под монастырь подвел, — они ведь никого, кроме нас, не касаются. И ни хрена ты не докажешь, и, главное, доказывать некому.

— Грозовскому...

Дарья присвистнула:

— Грозо-овскому... Оно ему надо? Ты думаешь, ему очень интересно слушать, что Бойко у тебя попер идею? Что ты скажешь Грозовскому? Бойко — негодяй, и все такое? Подумаешь, бином Ньютона, это и так всем известно! Грозовскому плевать на это.

Ольга не понимала, как можно плевать, когда

один сотрудник у другого украл идею, выдал за свою... Хотя... Наверное, Дарья права. Грозовскому надо одно: чтобы работа делалась и чтобы заказчики были довольны. История про слонов некрасивая, конечно, но в сухом остатке — как раз то, чего добивался от них Грозовский. Работа сделана, заказчики довольны. Больше Диму ничто не волнует.

— Все равно. Это подло и нечестно! — Ольга снова закурила.

— Прости, пожалуйста, а тебе кто-то сказал, что бизнес должен быть честным?! — любезно осведомилась Дарья. — Так это тебя, Оль, обманули. В наших делах каждый сам за себя. Ты Вадиму, считай, собственными ручками подарила свою работу. Вместо того чтобы биться теперь в истерике и кусать локти — делай выводы. И учись защищать свои интересы. Потому что никто этим заниматься не станет. Ты кто?! Ты никто. Ноль без палочки. Самородок хренов! Никто тебя не будет прикрывать, и никто твои интересы защищать не станет! Вадим тут сто лет работает, его все знают, его заказчики любят! А тебя-то кто знает?! Иди-иди, в народный суд иди, в прокуратуру! Доказывай! А здесь за тебя никто не вступится, так и знай!

— И ты?

— И я.

Ольга опустила голосу, затоптала окурок:

— Ясно...

— Нет, дорогая! Ничего тебе не ясно. Если ты позволяешь вытирать о себя ноги, все будут вытирать!..

И в этот момент Ольга очень ясно поняла: больше никто и никогда не будет вытирать об нее ноги. Просто потому, что она никому этого не позволит. Она знала это совершенно точно. Вот просто знала — и все.

Ольга молча докурила, аккуратно затушила сигарету, улыбнулась — холодно, хищно:

— Спасибо, Даш. На самом деле ты мне очень помогла. Скажи, пожалуйста, ты не знаешь, здесь где-нибудь поблизости есть хозяйственный?

Дарья удивилась:

— Понятия не имею. Я по хозяйственным не хожу. А тебе зачем?

Ольга улыбнулась еще шире:

— Кое-что купить нужно.

В тот же день она отыскала хозяйственный неподалеку от метро и купила туристский топорик — тяжелый, острый, с удобной ухватистой ручкой, обтянутой красным ребристым пластиком. Пришло время расчехлить томагавки, дорогие бледнолицые друзья.

* * *

«Интеллигентный» сосед Толик, коренной москвич, алкоголик с двадцатипятилетним стажем, ничего не знал об Ольгином решении откопать топор войны. Он культурно отдыхал в компании нескольких товарищей по интересам. К тому моменту, когда Ольга вернулась с работы, наотдыхались они практически до зеленых чертей.

Ольга едва успела отпереть дверь, как сосед, покачиваясь, нарисовался в прихожей:

— А-а, явилась!.. Ну, здорово, лимитчица! Как жизнь молодая?

— Спасибо, хорошо.

Ольга быстро пошла к своей комнате.

— Эй! Ребята! Соседка моя явилась — не запылилась! Ну че ты как неродная? Идем накатим!

— Спасибо, нет.

— Бре-езгуешь! Слышь, мужики! Брезгует она!

Ольга вошла к себе, но захлопнуть дверь не успела. Толик продемонстрировал небывалую прыть, догнал ее, затолкал в комнату, дернул за ворот так, что ткань затрещала, блузка поползла с плеча.

Швырнул на диван, облапал, задышал сивухой в лицо:

— Вот щас я твое нутро и пощупаю! Лимита проклятая! В печенках у меня она, лимита-то! Щас я тебе жизнь-то подслащу, стерва урюпинская! Брезгует, чистая больно!

Ольга рвалась из рук соседа, но тот держал крепко, смотрел дикими глазами, пыхтел:

— Ты у меня в ногах валяться станешь! Брезгует она! Я те нутро-то попорчу, тля! Давай сюда, ребята, кто следующий! Щас мы тобой попользуемся, лимита гребаная!..

Ухватил ее за горло, пристукнул головой о полированную ручку допотопного дивана. У Ольги поплыло в глазах. Не хватало воздуха. Она забила ногами, пытаясь освободиться, но сосед только крепче сжимал ей горло.

Дружки Толика, привлеченные шумом, столпились в дверях, таращили мутные бельма, ржали.

Ольга исхитрилась вывернуться, укусила Толика за руку. Во рту стало солоно от крови. Толик взвыл, отдернул руку. Секунда — но этого оказалось достаточно. Ольга потянулась куда-то, и через мгновение в руке у нее блеснул топор.

— А ну! Тихо!

Левой рукой она ухватила соседа за ширинку. Толик охнул, скорчился и, кажется, даже протрезвел малость.

Все еще держа соседа за ширинку, Ольга подтащила его к столу. Он выл и дергался, но ногами перебирал бойко.

— Значит, желаешь нутро щупать? — Ольга говорила тихо, но глаза были бешеные, и она видела, что Толик не просто напуган — он практически в обмороке, Толик-то.

— Сейчас я тебе все твои желания вдвое укорочу.

Ребята в дверях, завидев такое, загомонили:

— Женщина... Не надо... Пошутил он... Он шутник у нас...

Но Ольге до ребят не было ровно никакого дела. Она поудобнее перехватила топор и сообщила Толику все тем же до жути тихим голосом:

— Я тебе, мудаку, моргаю — еще раз подвалишь к моей батухе, схлопочешь такого леща, что с трахом завяжешь, а потом похиляешь унтарить крытку на колымагу! А вернешься, настанут тебе полные вилы. Я тебе, уроду, не трафлю карачуном, а конкретно гарантирую, что чердак твой точно закрою. Ну как? Фурычишь?

В переводе с блатного жаргона, который Ольга освоила в тюрьме, это означало буквально следующее: «Я тебя предупреждаю — еще раз подойдешь к моей двери, я тебе так наподдам, что сделаешься импотентом, а потом пойдешь себе другое жилье искать. Или я тебя прикончу. Я тебя, урода, не запугиваю, а просто обещаю, что проломлю башку. Понимаешь?»

— Фу... фу... фурычу, — залепетал Толик.

— Ну, вот и молодец.

Ольга оттянула ткань соседовых тренировочных, прицелилась... Топор поднялся, а потом с грохотом опустился.

Толик с воем пронесся мимо ребят, которые стояли в прихожей, будто их столбняк разбил. Спереди на штанах зияла огромная дыра.

Ольга захлопнула дверь, кинула топор под диван, разжала ладонь. На ладони лежал клок синей тряпки, отхваченный топором от штанов ее «тихого» соседа. Ольга посмотрела на тряпку, будто не вполне понимая, что это вообще такое, а потом плюхнулась в кресло и начала дико хохотать — до слез, до икоты.

* * *

История со слонами таки сделала свое дело. И тут было действительно неважно, кто этих слонов презентовал заказчику — Бойко, Громова или вовсе Александр Сергеевич Пушкин. Главное, что заказчик пришел в восторг, и теперь Ольгины слоны, которых украл Бойко, красовались повсюду — на рекламных щитах, в витринах магазинов, на упаковках йогуртов и творожков... Розыгрыш путевок на Шри-Ланку рекламировали по телевизору. И это означало, что Ольга все сделала правильно. Она все очень здорово придумала, попала в точку и может делать это снова, и снова, и сколько угодно, потому что поняла — как.

Она научилась самостоятельно вести переговоры с клиентами, объяснять, почему концепция рекламы — именно такая и другой быть не может, вела параллельно три проекта. Она скинула свою лягушачью шкурку. Дарья была права. Чтобы разговаривать с этим городом на «ты», надо принять его образ мыслей, образ жизни, стать своей. Ольга записалась в маленький тренажерный зал рядом с домом и вечерами накручивала педали на тренажере, чтобы подкачать ноги и живот. Научилась выискивать распродажи, где за смешные деньги можно было купить такие вещички, чтобы выглядеть на миллион. Купила самоучитель английского, записалась на курсы вождения. Когда-то Стас ее учил рулить, и пару раз она даже самостоятельно доехала от дачи свекрови до поселкового магазина. Стас при этом, конечно, сидел рядом...

Грозовский заметил все эти перемены и однажды, после какой-то дико пафосной презентации, шепнул ей:

— Чувствую себя Пигмалионом. Не забывай: это я тебя нашел!

Но он и не знал, что выросло из этой Галатеи! Его Галатея научилась ходить по головам, вот как! Потихоньку-полегоньку, шаг за шагом, Ольга отжимала Вадима Бойко ото всех мало-мальски значимых проектов.

Несколько раз Грозовский ездил на переговоры с заказчиками вместе с Ольгой. После этого заказчики незамедлительно отказывались от уже утвержденной концепции, потому что Громова предложила им нечто более оригинальное, свежее и перспективное.

Когда Грозовский интересовался, чья была та, первая идея, которую в итоге забраковали, Ольга неизменно пожимала плечами и с невинным видом говорила:

— Кажется, Вадима Бойко...

Как-то Вадим опоздал на совещание, на котором Грозовский делил свежие заказы. И Ольга немедленно заграбастала самый сладкий, самый шоколадный кусок пирога — рекламу очень серьезного производителя спортивной одежды. Грозовский боялся, что с таким крупным проектом Ольга в одиночку не справится, предложил взять кого-нибудь в помощь. Вон хоть Вадика Бойко. Но Ольга — ласково, с улыбочкой — сообщила, что ей не нравится стиль работы Бойко. И генеральный разрешил ей работать в одиночку.

Когда запыхавшийся Вадим вбежал в приемную, совещание уже закончилось. Увидев выходящих из кабинета генерального Дарью и Ольгу, Вадим кинулся к ним:

— Уже, да? Опоздал?

— Ты просто капитально опоздал, Вадик, — хохотнула Дарья.

— А что? Что?! — Вадим выглядел сбитым с толку и напуганным.

Ольга почти прижалась губами к его уху и шепнула:

— Все, Вадик. Совсем все. Полный аллес капут!

И ушла с Дарьей в курилку. А Вадим остался посреди приемной. Стоял как оплеванный и никак не мог понять, что — все? Что она вообще имела в виду, эта стерва?!

С «тихим» соседом после того памятного случая с топором, который Ольга во всех подробностях описала в письме своей подруге жизни Наде Кудряшовой, больше никаких трений не возникало. Пить Толик, разумеется, не перестал, но стоило Ольге выйти на кухню, он спешно ретировался. А завидев ее во дворе, приподнимал кепчонку, лебезил:

— Я, Ольга Михална, как велено... Того... Бачок в уборной починил, значит...

А потом восхищенно рассказывал дружкам, что соседка у него не женщина, а Джеймс Бонд в юбке.

* * *

Было первое сентября. Ольга с Грозовским возвращались с очередных переговоров. Он остановил машину на светофоре и, постукивая пальцами по рулю, ждал, когда наконец загорится зеленый. Ольга смотрела в окно. На бульваре, у памятника, толпились первоклашки — нарядные, с букетами... Как-то там ее дети?

— Дим! — Ольга покосилась на Грозовского. — У тебя есть знакомый адвокат, который разбирался бы в семейном праве?

Грозовский наморщил лоб, задумался:

— Насчет семейного права я как-то не в курсе. Есть просто хороший адвокат. Что? Решила тяжбу начинать?

Ольга кивнула:

— Да. Твой адвокат — он точно хороший?

— Когда у адвоката такое имя, значит, он точно хороший!

Светофор наконец переключился, машина тронулась с места.

— А... какое у него имя?

— Илларион Израилевич.

— Ого!

— А то! Ну, раз решила тяжбу затевать, значит, пошли в ресторан.

— Прямо сейчас?!

— Почему нет? Считаешь, мы не заслужили?

...Они долго и с удовольствием обедали, а потом долго и с удовольствием пили кофе. Но после кофе Грозовский, видимо, решил, что хорошего помаленьку.

— Хочешь, испорчу тебе настроение? Знаешь такую фирму «Строймастер»?

Ольга закурила, пожала плечами:

— Кто ж ее не знает?! В метро щиты, на Садовом кольце щиты... Возле нашей конторы тоже щиты. Между прочим, все довольно бестолковые.

— Вот именно, — согласился Грозовский. — Щиты бестолковые. Рекламной политики никакой. Генеральный — медведь, бурбон, монстр; замы — старые пердуны. Денег, само собой, куры не клюют. И теперь все это — твоя докука.

Ольга поперхнулась дымом:

— Как... моя? Что значит... моя?

— То и значит. Твоя и твоего отдела.

— Какого моего отдела?!

— Я тебя повышаю. — Грозовский довольно оскалился, продемонстрировав два ряда великолепных зубов. — Как хорошего работника. Ты теперь будешь начальником отдела. И твой отдел вот прямо с понедельника начинает заниматься «Строймастером», и его корпоративной рекламой, и его бурбоном и монстром, и всеми остальными прелестями. Готова?

Ольга была совершенно не готова к такому повороту. Что значит с понедельника? Какой, к чертям, отдел? Каким еще начальником? У нее уже есть начальница — Дарья. Но Грозовский объяснил, что Дарья это место занимала временно, была, так сказать, ИО, исполняла обязанности. Грозовский ей сразу сказал: на начальника ты не тянешь. Да она и сама не дура. Все понимает.

— Кроме того, «Строймастер» может вытянуть только гений. А гений у нас в конторе один — это ты. Ты справишься, я знаю.

Ольга принялась отнекиваться. Она никогда не имела дела с бурбонами и монстрами, да еще с такими, у которых денег куры не клюют. И ужасно трусила.

— Да ладно тебе! — Грозовский ее пессимизма не разделял. — У меня вон тоже денег куры не клюют. Но я же душка? В общем и целом? И вообще: ты у нас девушка закаленная, и детей тебе с этим строймастером не крестить. Так что давай. Вперед. Чего ты в панику ударилась?

Ольга замялась:

— Н-не знаю. Пожалуй, неожиданно очень все...

Но Грозовский считал, что вся прелесть как раз в том, когда неожиданно. Он заказал какое-то особенное вино — урожая то ли 78-го, то ли 87-го года — и долго объяснял Ольге, чем хорош именно этот год и как правильно такое вино пить, чтобы распробовать букет. Ольга, правда, все равно никакого особенного букета не почувствовала. Вино было терпкое, чуть кисловатое, легкое. Но, видимо, все-таки что-то такое в урожае 78-го года было, потому что после второго бокала Ольга совершенно перестала бояться монстра и бурбона из «Строймастера».

Потом Грозовский вел ее к машине, придерживая за талию, и она сквозь одежду чувствовала его руку — очень мужскую руку.

— Я так понимаю, что должен целомудренно отвезти тебя домой. И интим не предлагать, правильно?

Рука чуть продвинулась вверх. Ольга улыбнулась:

— Мы же сразу решили.

— Ну да, ну да... — Грозовский говорил тихо, в самое ухо. — Когда ты в первый раз пришла и ни за что не соглашалась уволиться со своего консервного завода...

— Швейной фабрики...

— И у тебя такая кофточка была романтическая. Романтическая, романтическая... самопального пошива...

Его губы почти касались Ольгиных волос.

— Димка, прекрати...

Он прекратил. Отвез ее домой, довел до подъезда. В высшей степени целомудренно. Никакого интима. Но в этих целомудренных проводах до подъезда было столько электричества, что, казалось, еще чуть-чуть — и искры полетят.

На следующий день электричество это никуда не делось. И через два дня, и через неделю. Это было совершенно ново, необыкновенно, захватывающе — и очень страшно. Очень.

По вечерам, оставшись в офисе одна, Ольга звонила подруге жизни Наде Кудряшовой и жалобным голосом спрашивала, что же ей теперь делать.

— Нет, ты послушай меня, послушай... Он богатый, красивый, холостой, и я до смерти его боюсь. Надя, у меня никогда никого не было, кроме Стаса! А он совсем другой человек! Он на мне не женится, даже если я останусь последней женщиной на Земле! Просто сейчас я ему полезна, и он... нет, ему кажется, что он мной интересуется!

— Оль, а ты что, замуж за него очень хочешь?

Надежда, как всегда, смотрела в самый корень.

— Нет, наверное... Я вообще замуж не хочу... Я детей хочу отсудить...

— Но он тебе нравится, ну скажи, нравится же?

— Очень...

— Ну так и прыгай на него скорее, чего ждать-то?

Прыгнуть? Господи! Это соблазнить, значит, что ли? Ольга в жизни никого не соблазняла и даже не представляла, как это делается.

— Надь! Я не умею никого соблазнять!

Надежда пообещала Ольгу самым подробным образом инструктировать. Пошагово.

— Ты не теряйся, ты побольше с ним наедине оставайся, знаешь, вроде по делу, а сама тут улыбнулась, там поближе села, здесь чулок показала...

— Да нет у меня никаких чулок, Надь!

— Ну, значит, купи. Если такого мужика хочешь соблазнить — без чулок не обойдешься. Знаешь, такие бывают, с кружевами, я в журнале видела...

Надежда так убеждала Ольгу в необходимости приобретения чулок с кружевами, как в журнале, что та даже зашла как-то в дорогущий бельевой магазин. Но, услышав предложение продавщицы примерить комбидрес из новой коллекции, сбежала самым позорным образом.

Она боялась смотреть Грозовскому в глаза, смущалась, когда он вызывал ее в кабинет, а уж если надо было вдвоем ехать к заказчикам... В машине Ольга сидела рядом с ним в полуобморочном состоянии и так старательно глядела в окно, что шею начинало ломить.

...Было поздно, часов, наверное, десять вечера. Все давно разошлись, а Ольга все сидела над очередным предложением для «Строймастера». Ясно как белый день: ничего путного она не придумает, во всяком случае — сегодня. И чего, спрашивается, сидеть?

На самом деле «Строймастер» ни при чем. Она сидит в конторе, в то время как все нормальные люди давно ужинают по домам, потому что Дима собирался вечером заскочить в офис. Он уехал к заказчикам сразу после обеда и сказал, что вечером, скорее всего, заглянет. Вот Ольга и ждет.

В конце концов она поняла, что ждать дальше бесполезно, — ни один идиот не потащится в офис в половине одиннадцатого вечера. Ольга сгребла бумаги в ящик стола, заперла кабинет. В офисе было пусто, ни одной живой души. Даже уборщица уже ушла. Ольга направилась к лифтам, свернула за угол и нос к носу столкнулась с Грозовским.

— Дим! Я думала, ты уже ушел.

— Я только пришел.

Они были совсем одни в пустом офисном коридоре. Все случилось очень неожиданно. Ольга даже не успела испугаться. Просто подошла к нему, встала на цыпочки, потянулась и поцеловала.

Грозовский молча ухватил ее за руку и потащил по коридору на выход. Они целовались около машины, а потом — в машине, потом — в лифте, по дороге на сорок первый этаж. Жил Грозовский под самой крышей свежеотстроенной высотки.

Ольга считала, что за десять лет замужней жизни успела узнать о сексе все. Оказалось — не знала и десятой части. Она и представить не могла, что шестичасовой марафон на ковре в гостиной — это только начало. Все ее представления о занятиях любовью оказались лишь вершиной айсберга, и Грозовский раз за разом утаскивал ее на глубину, туда, где были скрыты истинные наслаждения. Она выныривала на поверхность, задыхающаяся, обессиленная, но едва отдышавшись, кидалась в омут с головой — снова, и снова, и снова... И она считала сексом то, чем они занимались со Стасом?! Господи, какая же она была дура!

Ольга перевернулась на бок, приподнялась на локте, потянулась за бутылкой «Перье», чудом уцелевшей в этом погроме. По спальне разбросаны были подушки, скомканная простыня валялась на полу рядом с перевернутым креслом. И когда они умудрились кресло перевернуть?..

Грозовский со стоном сел на разгромленной постели, потянулся за водой:

— Ну, ты даешь... А я-то думал, в провинции скромные нравы...

Ольга потерлась головой о его голый живот:

— Я даже представить себе не могла, когда впервые к тебе на работу пришла...

— Сомневалась в моих способностях?

— Ничуть я не сомневалась в твоих способностях! Я в своих сомневалась. И вообще... Во всем...

— Перестала?

Она улыбнулась, как сытая кошка, забрала воду, поставила по кровать:

— Пока не знаю...

— Не знаешь?!

— Нет...

— Ну давай попробуем разобраться...

Потом они лежали на кровати, будто выброшенные на берег жертвы кораблекрушения. Сил не было ни говорить, ни шевелиться. Зато Ольга совершенно перестала сомневаться в своих способностях. И во всем остальном — тоже.

В офис они приехали к обеду. Ольга бы и вовсе никуда не поехала, но позвонил адвокат, Илларион Израилевич. Он собрал миллион необходимых бумаг, но для того, чтобы начать дело, требовалось собрать еще десять миллионов справок, характеристик, квитанций, и прочего, и прочего... Пришлось Ольге выбираться из койки и ехать сначала в банк, потому что Иллариону Израилевичу требовалась выписка с ее лицевого счета, а потом в контору...

В тот же вечер Грозовский предложил Ольге переехать к нему, на сорок первый этаж.

...Она работала в два раза больше обычного, занималась любовью до полного изнеможения, помолодела на десять лет и думала, что навсегда избавилась от прошлого. А потом появился Стас. И оказалось, что никуда ее прошлое не делось.

Было начало ноября. С утра пошел мокрый снег, и дороги тут же развезло в кашу. Машина — новенькая, всего месяц назад купленная — была вся в грязи, и Ольга, подъезжая к дому, думала, что с утра надо будет заскочить на мойку.

Она загнала машину на подземную стоянку и пошла к подъезду. Рядом с будкой охраны топтался какой-то мужик, дымил сигаретой. Завидев Ольгу, мужик отшвырнул в сторону окурок, шагнул навстречу:

— Привет! Ты че? Не узнала?

Она узнала, конечно. Она бы его где угодно узнала.

* * *

Ольга проявила пленки и теперь собиралась печатать фотографии. В свете красного фонаря реактивы в ванночках похожи были на кровь. Ольга покрутила увеличитель, навела резкость... На негативах угадывались лица детей... Вот Мишка, а это — Машка, кажется, на утреннике... Одну за другой Ольга опускала фотографии в ванночку с закрепителем. На бумаге медленно проступало изображение... Стас. Стас. Снова Стас... Ни Мишки, ни Машки, ни утренника — один только Стас, на всех фотографиях. Откуда он тут? Почему?

Ольга рывком села на кровати, закрыв лицо руками. Рядом заворочался Грозовский, приподнялся на локте:

— Ты что? Опять? Хочешь, чаю принесу?

— Нет.

— Тогда валерьянки?

Ольга помотала головой. Не хотела она никакой валерьянки.

— Тогда водки? — не унимался Дмитрий.

— Нет.

— А пистолет?

Ольга покосилась на него. С ума сошел, что ли?

— Зачем?

— Ну как? Застрелиться и не жить.

Ольга прижалась к нему, поцеловала в висок:

— Дим, ты бы спал, а?

— Ну разумеется. Я буду спать, а ты страдать. Прелестно.

Грозовский еще немного полежал, потом натянул халат и потащился на кухню. Потянуло сигаретным дымом, зашумела вода. Пришла Ольга, уселась за стол, скрестив под креслом босые ноги. Смотрела, как Грозовский докуривает, как наливает сок в высокий стакан.

— Тебе налить?

Кивнула, взяла стакан, а у самой руки дрожат.

Грозовский широко, во всю пасть, зевнул. Он ненавидел рано вставать. А еще ненавидел проблемы. И всегда старался их по возможности быстро и безболезненно решать.

— Твой упырь приедет к двум часам, а сейчас полседьмого. — Грозовский налил еще соку, залпом выпил. — Тебе, матушка, надо себя в руках держать. Нельзя так распускаться.

Ольга смотрела снизу вверх, виновато, как нашкодившая собака:

— Я стараюсь, Димка.

Но он все не унимался.

— Оно и видно, как ты стараешься. Легли в четыре, между прочим. И в полседьмого — подъем. А я потом на совещании засну.

Ольга сидела совершенно пришибленная, плечи вздрагивали. Грозовскому стало стыдно — чего он, в самом деле? Тоже, новость небывалая — три часа спать. По молодости лет он, бывало, сутками не ложился, и ничего... Он потрепал Ольгу по спине, поцеловал в макушку, вышел из кухни.

Хлопнула дверь гардеробной, нарисовался на пороге Грозовский в спортивном костюме:

— Я бегать пошел.

Ольга кивнула. Она сосредоточенно смотрела перед собой. Интересно, она вообще его слышит?

— Вернусь послезавтра.

Снова кивает. То есть не слышит.

— Еще я женюсь и переезжаю в Алма-Ату.

Ольга опять покивала. Где она сейчас?

Грозовский подошел, обнял.

— Да ничего же не случилось, мартышка!

Она подняла глаза:

— Дим, я не понимаю. Зачем его принесло?! Я не могу!.. Лучше б мы вчера поговорили!..

Грозовский очень старался говорить спокойно, не выходить из себя и не показывать, насколько ему поперек горла все эти бывшие мужья, дети и прочее.

— Он же тебе сказал, что все в порядке с твоими детьми! Все живы-здоровы!

Ольга дернулась, голос стал резким:

— Ты не понимаешь! Он может лишить меня родительских прав! Запретить видеться! Он...

— Стоп! — Грозовский заговорил медленно, очень спокойно и очень серьезно, глядя ей в глаза: — Ты сильная, храбрая, ты умница. Ты победительница. Он ничего и никогда не сможет тебе сделать. Ничего плохого.

Ольга снова дернулась, попыталась отвернуться, но он не пустил.

— Ты не понимаешь! Не понимаешь! Я должна узнать, что ему от меня нужно! Я с ума сойду!

— Он придет, и мы все узнаем.

— Как он меня нашел?!

Она была почти в истерике.

— А ты что?.. Засекреченный спутник-шпион? И у тебя адвоката нету? И он каждый месяц на историческую родину не катается и супруга бывшего в народный суд не вызывает?

Ольга чуть обмякла у него в руках:

— Ну да... Конечно...

Дмитрий заглянул ей в лицо. Вроде отпустило. Ну вот и хорошо. Он чмокнул ее в нос:

— Вернусь через полчаса. Ехать в Алма-Ату раздумал.

И пошел бегать. Ольга только головой покачала: о чем он? В какую Алма-Ату? С ума сойдешь с Димкой...

Она сварила кофе, выпила подряд две чашки, приняла душ и пошла одеваться. Нельзя биться в истерике, надо держать себя в руках. В конце концов, Стас действительно не может ей сделать ничего плохого. Все, что мог, он уже сделал.

Вчера, увидев Стаса возле дома, она так перетрусила и растерялась, что потеряла дар речи. Слава богу, он сам начал разговор — что, мол, есть дело, надо кое-что обсудить, специально, мол, приехал, и все в таком роде. Это дало ей время прийти в себя. На предложение Стаса подняться к ней, выпить кофейку и побеседовать спокойно Ольга назначила бывшему мужу встречу в конторе, в два часа дня, и предупредила, чтобы не опаздывал. Кое-как ее хватило на то, чтобы войти в подъезд с прямой спиной, а потом уж, в лифте, тихонечко сползти по стенке.

Теперь она была в полной кромешной панике. Не понимала, чего Стас приперся, боялась, что он закатит скандал прямо в офисе...

Когда Грозовский вернулся с пробежки — раскрасневшийся, довольный, пахнущий свежим осенним воздухом, — Ольга сидела посреди спальни с туфлей в руке, тупо на эту самую туфлю уставившись. Дверь гардеробной была распахнута, на кровати и в кресле громоздились ворохи тряпья — какие-то платьица, костюмчики, кофточки, черт еще знает что.

Грозовский принял душ, вернулся в спальню.

Ольга так и сидела с туфлей в руке. Нет, это просто невозможно! Он решительно вытащил из первой попавшейся кучи какие-то брючки, водолазку, сунул Ольге в руки:

— Одевайся.

Она выпустила наконец свою туфлю, посмотрела на него:

— Спасибо, Дим. Что-то я расклеилась. Извини. Уже все. Порядок.

...Грозовский выгнал из гаража машину:

— Давай. Залезай.

Ольга покачала головой:

— Я на своей. Мне еще в «Строймастер» надо. Мы же все никак рекламную концепцию не утрясем.

— Уверена, что сама поедешь? По-моему, ты все еще в обмороке. Может, тебя отвезти? Или такси вызовем?

— Нормально все, Дим. Не волнуйся. Правда.

Ольга пошла к машине, села за руль, медленно выехала со двора.

...«Строймастер» сидел где-то у черта на рогах, на Каширке. Там у них были производственные корпуса и главный офис. Огромная территория напоминала стройплощадку.

Перед офисом имелась небольшая стоянка — практически пустая. Ольга свернула на первое попавшееся свободное место и чуть не поцеловалась со здоровенным джипом, который, выскочив незнамо откуда, на полной скорости подрезал ее и влез на то самое место, которое присмотрела Ольга. Взвизгнули тормоза, машину тряхнуло. Слава богу, кажется, все целы.

Ольга, злая, как гарпия, выскочила из машины.

Идиот! Что они себе думают, эти упыри на джипах! Слепой? Просто даун?

Из джипа неторопливо выбрался долговязый, коротко стриженный мужик в дорогом костюме.

— Вы с ума сошли?! — Ольга накинулась на мужика. — Вы что? Не видите?!

Мужик посмотрел на нее холодными серыми глазами:

— Что-то случилось?

Обалдеть! Он что, действительно идиот?!

— Да! Случилось! Вы мне чуть машину не разбили! Вы не видели, что я уже паркуюсь?! Вам обязательно в эту дырку надо было влезть?!

Мужик невозмутимо пожал плечами:

— Мне, в общем-то, совершенно все равно, в какую. Это место было ближе всего.

Ольга аж задохнулась от возмущения:

— Ближе?! Ближе?! Да вы...

Мужик захлопнул дверцу машины.

— Послушайте, что вам от меня нужно? Или вам места не хватает? Вон его сколько!

— Вот именно! А вы чуть в меня не въехали!

— Ну, не въехал же!

Он что, улыбается? Ему весело, что ли?

— Не въехал по чистой случайности! Вы что, только вчера права купили?!

— Права я купил десять лет назад, уважаемая, — сообщил мужик все тем же ровным голосом. — Но сегодня я без водителя, а сам ездить давно отвык.

— Ну так ходили бы пешком!

Ольгу уже тошнило от этого чванливого тормоза. Человек вообще ничего не соображает, то есть вообще ничего! Невероятно!

— Я учту ваши замечания, — пообещал мужик. Кивнул ей на прощание с вежливой улыбочкой и удалился, оставив Ольгу лютовать на стоянке.

...Встреча с Николаем Ивановичем, директором по рекламе «Строймастера», в который раз оказалась пустой тратой времени. Директор был человеком старой, еще советской закалки, новых веяний не понимал и не принимал, упирался рогом и все Ольгины предложения считал легковесными, не соответствующими уровню компании. Прощаясь после двухчасовой беседы, Ольга улыбалась, конечно, и обещала учесть все его пожелания, но про себя искренне желала этому старому тугодуму немедленно провалиться сквозь землю.

Призвав на голову директора все мыслимые и немыслимые несчастья, включая такие распространенные кары небесные, как глад, мор и нашествие саранчи, Ольга направилась к машине.

Долговязый мужик в костюме, на которого она наорала с утра, видел в окно, как эта сердитая девица садится в машину, как выруливает со стоянки. Он поморщился, нажал кнопку селектора, дал секретарше распоряжение немедленно найти замену заболевшему водителю и попросил кофе.

Секретарша бесшумно появилась в кабинете, поставила на стол поднос со свежесваренным кофе:

— Сергей Леонидович, к вам Николай Иванович по поводу рекламных буклетов. Примете?

Но Барышев своего зама по рекламе принимать не стал. Пусть сам разбирается. Еще не хватало гендиректору лично заниматься какими-то буклетами.

* * *

По дороге в кабинет Ольгу перехватила Дарья:

— Оль! Поговорить надо. У меня проект по детскому питанию завис, Бойко не справляется.

Ольга кивнула:

— Заходи, говори. Только по-быстрому. У меня в два встреча.

— Да я, собственно, все сказала. Вот эскизы Вадима. Сама посмотри.

Ольга отпустила Дарью, посмотрела эскизы. Эскизы никуда не годились. Ну что ж, Вадим. Видит бог, ничего личного. Просто пора платить по счетам.

Ольга нажала кнопку селектора и попросила вызвать к ней Бойко.

Через минуту в дверь постучали, вошел Вадим, плюхнулся в кресло:

— Привет!

— Привет, Вадик.

— Чего вызывала?

— У меня есть для тебя сообщение, Вадим. Ты уволен.

Бойко похлопал глазами, открыл рот. Потом снова закрыл и опять открыл, привстал в кресле...

— Я... не понял.

Ольга откинулась в кресле, посмотрела на него:

— Ты все понял, и я все поняла. Давно. Денежки получишь в бухгалтерии.

Вадим снова плюхнулся в кресло:

— Я... Я никуда не уйду. Ты права не имеешь.

Губы у него дрожали. Ольге даже на секунду стало его жалко. Впрочем, на войне как на войне. Ее что-то не больно много жалели.

— О'кей, — Ольга повернулась к монитору. — Тогда дуй в народный суд. С жалобой.

— Ты... Я... Я тут шесть лет работаю!

Ольга кивнула:

— Я в курсе. Следующие шесть лет будешь работать в другом месте. Только вряд ли ты там столько протянешь. Ты плохой работник, Вадик.

— А ты... ты... ты сука!

Ба! Да он сейчас заплачет!

— Это всем известно. Давай, Вадик. Вперед. На родину слонов. — Запищал селектор, голос секретарши из динамика сообщил, что на второй линии — Дмитрий Эдуардович. Ольга сняла трубку, повернулась к Вадиму спиной.

Он понял, что аудиенция закончена, что сука из Урюпинска его проглотила и не подавилась. Сука! Мразь! Самородок хренов! Вадим вскочил, выбежал из кабинета, шваркнув дверью так, что со стеллажа посыпались коробки с дисками.

— Что у тебя там за тарарам? — раздался голос Грозовского в телефонной трубке.

— Я Вадика Бойко только что уволила. Судя по всему, он расстроился. Он до тебя еще не дошел?

— Да я не в офисе. К заказчикам мотался, вот только подъезжаю.

— Ну, ты имей в виду, что Бойко притащится на меня жаловаться.

— Ладно. Буду иметь.

— Дим, я хотела тебе спасибо сказать. Ты извини, я с утра...

— На здоровье. Ты там со своим этим... в рамочках держись. Не истери. Может, мне поприсутствовать?

Но Ольга не хотела, чтобы кто-нибудь присутствовал при ее разговоре со Стасом. Особенно — Грозовский. Она хотела поговорить сама, с глазу на глаз. Пообещав, что будет держать себя в руках, Ольга отчиталась о поездке в «Строймастер» — тухляк, клиент, как обычно, сам не знает, чего хочет, и так далее, и так далее...

Слушая отчет про «Строймастер», Дмитрий вышел из машины, направился к офису. У входа курил Бойко. Заметив Грозовского, выкинул сигарету, сунул руки в карманы.

— О! Бойко, собственной персоной, похоже, меня караулит, — сообщил Грозовский в трубку. — Что мне с ним делать?

Ольга на том конце провода хохотнула:

— Поцелуй его, если хочешь. Но обратно не бери.

— Поцелую, — согласился Грозовский.

Нажал отбой, поднялся на крыльцо конторы и, бросив на ходу двинувшемуся было навстречу Бойко: «Вадим, ты уволен!», скрылся в вестибюле.

* * *

Без пяти два в кабинет заглянула секретарша:

— Ольга Михайловна, к вам господин Громов. Впустить или пусть подождет?

— Пусть заходит.

Секретарша открыла дверь пошире, впустила Стаса. Он потоптался на пороге — чужой, неуместный, в идиотских остроносых штиблетах. Как это у Булгакова было в «Собачьем сердце»? «Что это у вас, Шариков, за сверкающая чепуха на ногах? — Да вы что, папаша, шикарные ботинки, на Кузнецком вон все в лаковых...» М-да... Шариков и есть... Полиграф Полиграфович.

Стас потоптался-потоптался, потом все же зашел в кабинет. За ним, цокая каблуками, как кавалерийская лошадь, вошла Зина. О как! Значит, вдвоем пожаловали. По-семейному, так сказать. Ну да ладно, какая разница, в конце концов!

Ольга кивнула Стасу на диван для посетителей: садись. Зину она старательно не замечала.

Стас сел на краешек дивана — прямо, будто аршин проглотил. Нервничает. Правильно нервничаешь, молодец. Зина тоже, по всей видимости, волновалась, но виду старалась не показывать — закинула ногу на ногу, выставила вперед обтянутый леопардовой кофтой бюст пятого размера, положила руку Стасу на колено. Боится, что Ольга его начнет обратно требовать, что ли?

Ольга смотрела на Стаса, и внутри росло удивление: неужели вот этого, в лаковых штиблетах, она считала великой любовью своей жизни? За него пошла в тюрьму? У него в ногах валялась, ползала в грязи, умоляла ее не бросать? Невероятно!

— Богато живешь! — Стас повертел головой, улыбнулся натянутой, жалкой улыбочкой.

Ольга отошла от окна, села за стол:

— Зачем ты приехал?

Стас помотал головой:

— Ну вот чего так сразу-то — зачем приехал? Повидаться приехал. Я че, не могу с бывшей женой повидаться?

Зина ткнула его локтем в бок. Стас покосился на нее недовольно, отвернулся.

Ольга повторила вопрос:

— Зачем ты приехал, Стас?

— Я ж говорю! Повидаться!.. — Стас изобразил на лице недоумение и немного — оскорбленной невинности.

Ольга шагнула к двери, распахнула:

— Стас, у меня очень мало времени и очень много работы. Если ты со мной повидался, то пока.

Бывший муж слегка обалдел, но Зина не терялась.

— У нас к вам дело! — сообщила она.

Ольга на нее даже не глянула.

— Стас, ты отнимаешь у меня время.

Тот снова замотал головой — вот так же мотал когда-то, перед тем как сказать ей, что полюбил другую, что разводится. Все та же манера. Он у нас парень добрый, не любит о неприятном...

— Мне с тобой... поговорить бы. Я... по делу приехал. Правда. Мне поговорить надо.

— О чем?

— О детях... о детях наших, вот о чем.

Ольга закрыла наконец дверь, вернулась на место:

— Я тебя слушаю.

Стас начал что-то лепетать насчет того, что у детей все в порядке, что Мишка на хоккей ходит, а Машка — на танцы, что они, как говорится, растут, и Миша совсем большой, а Маша... того, поменьше... Но тут снова встряла Зина, которой эта канитель, похоже, порядком надоела:

— Забирайте их себе. Я замучилась уже! Я не лошадь ломовая, а все на мне — еще и детей чужих поднимать! Зачем они мне сдались, если у них живая мать есть, да еще богатая? У меня свой ребенок будет. Мне чужих не надо! То, се, пятое, десятое. В школу, из школы, детский сад, щи, борщи, котлеты! Хватит, я за вас напахалась!

Ольга повертела в руках карандаш. Она по-прежнему смотрела только на Стаса. Да, Стася, да. Тебе придется делать то, что ты так не любишь. Тебе придется самому говорить.

Стас понял наконец. Сглотнул, набрал побольше воздуху:

— Я правда хотел, чтобы они теперь... к тебе... с тобой... Дети то есть... Миша... это самое... и Маша...

Ольга кивнула:

— Ясно. Что тебе нужно взамен?

Набычился. Молчит. Смотрит в сторону.

— Послушай. Я все про тебя знаю. Я ничего не забыла. Это только в сказках говорят — перемелется, мука будет. Не будет, Стас, никакой муки. Я только каждый день думаю, как же это я — я! — прожила с тобой столько лет! Я бы и умерла с тобой, если бы бог не спас! В тот раз тебе было нужно, чтобы я села за тебя в тюрьму. Что тебе нужно в этот?

Зина снова пихнула Стаса в бок, и тот выпалил:

— Денег.

Ну разумеется. Как она сразу не догадалась!

— Не, ну правда!.. Ну, сама-то посуди, мне детей так отдавать, задаром, никакого резону нет. Я их растил... тратился... экскурсия и еще в поход... все дела. Зина тоже. А теперь задаром отдать? Я не могу задаром-то! Я бы, может, еще и... Но мастерская сгорела. Ремонт, понимаешь, то да се!.. Считай, все сначала, а это какие бабки!

— Какие?

Стас не понял.

— Че?

— Сколько денег нужно? — Ольга смотрела на него очень внимательно, ждала.

Стас переглянулся со своей Зиной. Они что, совсем идиоты? Ехали про деньги разговаривать и даже не договорились, сколько просить?

Стас помотал башкой, отвел глаза:

— Ну... тыщ десять. Я... того... долларов, в смысле.

Ольга снова кивнула, записала что-то в ежедневник:

— Десять тысяч долларов. Хорошо. Я привезу деньги. В обмен на детей. Все? Больше нет вопросов?

Ольга приподнялась из-за стола, показывая, что разговор окончен. Зина потянула Стаса за рукав, но тот, кажется, не понял, что вот так вот быстро все решилось и Ольга не станет беседовать с ним по душам, вспоминать прошлое, торговаться...

— Что-то еще, Стас?

— А ты... того... нет?

— Чего — нет?

— Ты... не передумаешь?

Ольга скрестила руки на груди, посмотрела на него сверху вниз. Кто бы знал, каких усилий ей стоило сдерживаться, не ухватить вазу со стола и не раскроить ему башку.

— Я не передумаю. Но ты подпишешь бумагу, что продал мне детей и больше у тебя нет на них никаких прав.

— Я ж их отец! — Стас вскинулся, грудь колесом выпятил, запетушился.

— Ты их продаешь. За десять тысяч долларов. Потому что у тебя сгорела мастерская. Или я понимаю что-то неправильно?

Стас покачал головой:

— Какая ты стала... жестокая.

Жестокая? Она — жестокая? Это Стас ей говорит? Человек, который обещал: «Или вместе выплывем, или вместе утонем!», а сам знал, что ко дну пойдет она одна? Знал и специально топил?! Он ведь не мог тогда предположить, что Ольга выплывет. Сама. Одна.

Она заплатит ему. Заплатит, заберет детей и больше никогда не вспомнит о том, что он был в ее жизни. Нет. Она не жестокая. Но она должна покончить — со Стасом, со своим изуродованным прошлым — раз и навсегда.

Она снова посмотрела на бывшего мужа. Тот сидел обалдевший, перепуганный, вся наглость с него слетела, и видно было, что ему очень хочется поскорее уйти отсюда, от этой злой, жестокой, чужой женщины. Стас любил чувствовать себя важным, королем ходить, а тут королем никак не получалось, тут он был лимита казанская, которая приехала денежек клянчить. Почти жалко его. Надо же! Ольга так лелеяла мысли о мести, такие планы строила — чтобы не просто отомстить, а как-нибудь особенно красиво, особенно изощренно. Но теперь, когда увидела его у себя в кабинете, такого жалкого, такого тупого, в лаковых штиблетах, с этой леопардовой грудастой Зинкой, которая толкает его в бок и шипит в ухо, Ольга поняла: такому вот мстить... Неинтересно, что ли. Все равно что палить по воробьям из пушек. Пусть живет, чего уж там. Тем более что бог Стаса уже и так наказал. Чтобы это понять, достаточно взглянуть на леопардовую Зину.

Ольге вдруг стало неожиданно легко. Она открыла дверь, выпустила Стаса и поняла, что вместе с ним уходит все то, что мешало спать по ночам, мучило, жгло душу. Ее прошлое ушло. Остались только воспоминания, уроки, но больше не было ни ненависти, ни отчаяния, ни злости. Все это Ольга пережила, переросла и сегодня проводила — как она думала, навсегда.

* * *

Ольга лежала на ковре в гостиной, закинув голые ноги на диван, и пила шато (кажется — 85-го года), которое откупорила в честь славной победы над бывшим мужем. Грозовский валялся на диване, листал какой-то итальянский журнал о новинках полиграфии. Ольга пощекотала его босой ногой.

— Дим? Я молодец?

— А то! — отозвался Грозовский, не отрываясь от журнала.

— Я молодец! — Ольга перевернулась на живот, вытянулась на ковре.

— Если бы ты меня видел, ты бы гордился!

— Я и так горжусь, перманентно, — Грозовский сделал какие-то пометки на полях. — Тебе налить еще?

Ольга помотала головой.

— Знаешь, как мне ему в башку хотелось чем-нибудь запустить? Ты просто не представляешь! А я такая вся сдержанная-сдержанная...

— Это правильно. — Грозовский отложил журнал, сел рядом с ней на ковер, провел пальцами по спине, и Ольга чуть не замурлыкала, как кошка, которую почесали за ухом.

— М-м-м... Еще...

— Значит, суд отменяется? Он тебе просто продает детей?

— Угу. Я... ты знаешь, я чего угодно ожидала, но чтобы он предложил мне их купить?! И эта дура с сиськами в вырезе все время его в бок толкала!

Ольга захохотала, вспомнив дуру с сиськами.

Дима сделал заинтересованное лицо:

— Да? Как же я сиськи-то пропустил?

— Да ты все пропустил! Я им целое шоу устроила!

Грозовский не понимал, на кой черт вообще было метать бисер перед свиньями. Но раз ей это доставило удовольствие — так и слава богу. Ольга прикрыла глаза, мечтательно улыбаясь:

— Ди-и-имка... Я даже не верю... Господи, неужели я заберу детей?! Неужели они снова будут со мной?!

Грозовский плеснул себе вина. Хорошее вино, надо иметь в виду, что урожай 85-го года — очень даже ничего. А он-то всегда думал, что 85-й — плохой год...

— Ты смотри там поаккуратнее. А то как бы твои родственники из глубинки не пронюхали, что ты готова сколько угодно заплатить, лишь бы забрать детей.

Ольга перевернулась на бок, приподнялась на локте:

— Дим. Дай мне денег. Взаймы.

— Сколько?

— А сколько у тебя есть?

Грозовский хмыкнул. Хороший вопрос.

— У меня много есть, а сколько надо-то?

— Я хочу купить квартиру. Прямо сейчас. Но у меня нет таких денег.

Квартиру?

— На черта тебе квартира?

Ольга взяла его ладонями за лицо, повернула к себе:

— Дим, я не могу привести их сюда и посадить тебе на шею. Ты когда-нибудь жил с чужими детьми?

Господи, о чем она? Он и со своими-то никогда не жил... Да и нет у него никаких детей. Во всяком случае, ему ни о каких таких детях не известно.

— Ты не сможешь с ними. А они не смогут с тобой. Мы должны побыть одни... ну, хоть какое-то время. Нам придется заново... привыкать друг к другу. Мне няню придется искать. У Машки аденоиды, ее надо какому-нибудь врачу показать. А Мишку в школу пристраивать...

Дима скривился, как от зубной боли, встал с ковра и пошел на кухню за новой бутылкой. Разумеется, он даст ей денег, купит она себе квартиру, нет проблем. Но настроение было испорчено, и капитально. Ему нравилось жить с Ольгой. Во всяком случае — пока нравилось. И совершенно не хотелось, чтобы она съезжала на какую-то непонятную квартиру со своими непонятными детьми. Ну почему людям вечно надо все усложнять?! Так все хорошо шло... А переезд этот... Мотайся через весь город, выбирай время, решай, кто у кого ночует... Хотя, разумеется, она права. Ни с какими детьми он жить не может и не хочет. Особенно если у них аденоиды.

Ольга подошла сзади, потерлась щекой.

— Прости... Я думаю, так действительно будет лучше.

Дима пожал плечами:

— Наверняка. Я никогда не жил с детьми. Я ничего не понимаю в нянях и аденоидах.

Ольга прижалась теснее, зашептала горячо:

— Тебе и не нужно, Димочка, миленький. Ты... совсем другой. Ты у нас свободный мальчик, плейбой, умница, все девчонки в офисе от тебя без ума...

Все так, снова права. Он умница, плейбой, девчонки от него без ума. И он совершенно свободный мальчик.

* * *

Потом была свистопляска с квартирой. Дарья сосватала Ольге толкового риелтора, через которого в свое время ей удалось прикупить отличную студию на Садовом за вменяемые деньги. Риелтор оказался действительно золотой, тут же понял, что квартира нужна быстро, и через две недели бесконечных созвонов, просмотров и переписки по электронной почте нашел Ольге «сталинку» в двух шагах от Баррикадной — не очень большую, но с хорошей планировкой, а главное — чистенькую, со свежей сантехникой, пластиковыми окнами и вполне приличной ванной. Сделать косметический ремонт — и можно жить.

Ремонт, правда, затянулся. После работы Ольга день через день моталась на квартиру, ругалась с прорабом, но дело двигалось с черепашьей скоростью. Прораб клялся, что рабочие торопятся изо всех сил, говорил, что надо бы добавить денежек за срочность... Ольга обещала добавить, но через три недели квартира все еще была не готова.

По вечерам Ольга звонила подруге жизни Наде

Кудряшовой, кляла на чем свет прораба и рабочих. В конце концов, решив, что здесь требуется личное ее, Надежды, вмешательство, подруга жизни взяла отпуск и приехала в столицу. Через четыре дня ремонт был окончен и обошелся Ольге значительно дешевле, чем предполагалось.

* * *

Ольга привезла детей в Москву. Надежда встречала их на вокзале.

По дороге с вокзала до дома они попали в жуткую пробку на Садовом. Дети устали, капризничали, Машку укачало. Ольга успокаивала ее, как могла, Надежда совала лимонные леденцы, чтобы Маню не так тошнило. Домой они приехали совершенно вареные.

Надежда суетилась в дверях, сетовала, что нету у них кошки, чтобы пустить вперед.

— Маша, проходи первая, ты у нас будешь заместо Барсика! — скомандовала Надежда.

Машка зашла в гостиную, осмотрелась... Губы у нее задрожали, рот пополз на сторону:

— Я не хочу тут жить... Тут нет ничего...

Ольга засуетилась:

— Все, все будет! Сейчас поедем и купим...

Но Машка ее не слушала:

— А как мы спать станем? На полу-у?..

— У вас есть кроватки, кто же на полу спит!

Ольга была в тихой панике. Они действительно отвыкли друг от друга, и она чувствовала себя совершенно беспомощной. Машка разревелась:

— Я хочу домой.. Хочу к бабушке... Я есть хочу-у-у!

Надежда подхватила Машку на руки, утерла слезы:

— Ты мой золотой! Сейчас будем есть!

Мишка теребил Ольгу за руку:

— Мы теперь опять тебя мамой будем называть?

Ольга проглотила ком в горле, села на корточки, посмотрела ему в лицо:

— Да.

Мишка на минуту задумался, потом спросил:

— А ту... маму как?

Ольга окончательно растерялась. Выручила Надежда. Она сунула Мишке в руки рюкзак, распорядилась:

— Тащи его в свою комнату и иди есть, я чайник поставлю!

У Ольги заверещал мобильный. Притихшая было Машка снова заголосила:

— Я к бабушке хочу-у! Я домой хочу! Я писать хочу!

...Весь следующий месяц превратился в сплошной сумасшедший дом. Ольга категорически ничего не успевала, опаздывала на встречи, выскакивала с совещаний, прижимая к уху телефон, когда звонили из дому. По ночам сидела над эскизами, с утра подрывалась кормить и собирать детей, мчалась на работу, а в офисе лазала по сайтам агентств по найму, пытаясь найти детям нормальную няню, потому что Надежде пора было выходить на работу. Ольга давно уже говорила Грозовскому, что им позарез нужен офис-менеджер, проще говоря — завхоз. В конце концов Грозовский на офис-менеджера согласился при условии, что подходящую кандидатуру Ольга подыщет сама.

Ясное дело, кандидатуры лучше, чем Надя Кудряшова, на должность офис-менеджера просто не существовало. Услышав, что подруга нашла ей работу,

Надежда тут же выразила готовность приступать к своим обязанностям.

— Ты, Оль, главное, скажи, что делать, а я хоть сегодня начну!

— На тебе — все дела конторы, — объяснила Ольга. — Машины, водители, компьютеры, кофеварки, уборщицы, цветы, ковры, лампочки, бумаги, ручки...

— А что с ними делать-то?

— Как что? — Ольга пожала плечами. — Руководить.

— А! Руководить! — Надежда махнула рукой. — Ну, это я умею!

Едва выйдя на работу, Надежда произвела в агентстве настоящий фурор. Она явилась в офис в шубе до пят, в своей дикой мохеровой шапке, съезжающей на глаза, встала посреди большого помещения и оглянулась, как полководец перед битвой:

— Ребята! Доброго вам утра!

Слегка подобалдевшие ребята воззрились на тетку, растопырившуюся посреди офиса. Кто это, прости господи? Курьер, что ли? Или санэпидстанция? Или городская сумасшедшая забрела ненароком?

— Вам кого? — холодно осведомилась Дарья.

— Нам никого, — широко улыбнувшись, сообщила Надежда. — Мы сами по себе.

Гриша, занявший место уволенного Вадима Бойко, оторвался от эскиза рекламы пельменей, переглянулся с Дарьей.

— Вы... бумаги привезли?

Тетка между тем уже протопала к подоконнику, заглянула в горшок с чахлым фикусом, потыкала в землю пальцем, недовольно покачала головой и направилась к посудному шкафчику.

— Бумаг я не привезла, — поясняла она зычным голосом. — У вас чего, своих бумаг мало? А чашки-то чего — никто не моет? Так из грязных и дуете?

— Да вы кто вообще?!

Тетка уселась на свободный стул, размотала шарф и весело сообщила:

— А никто. Офис-менеджер я. По-русски говоря — завхоз.

Пару дней спустя с завхозом довелось познакомиться и Грозовскому.

Он бегал по кабинету из угла в угол, путаясь в набросанных по полу проводах, и орал в телефон:

— Что значит, курьер не явился?! Как он мог заболеть?! Значит, сам поезжай: сперва в типографию, а потом к заказчикам! Нет! Мы не можем распечатать и не можем отправить им по Сети, потому что у нас сервак на хрен сгорел и Сеть полетела, а компьютерщики второй день не могут все наладить, весь офис в проводах, у меня не кабинет, а логово человека-паука!.. Ладно, давай попробуем сейчас с диска распечатать, только у нас, кажется, бумага большого формата закончилась.. Нет! Это же не открытки, блин! Им надо показать в полный размер, а полный размер у нас — семьдесят на девяносто! Погоди, щаз я кого-нибудь озадачу!

Грозовский распахнул дверь и заорал в приемную:

— Есть кто живой?! Люда!! Мне бумага нужна плакатная в принтер! Алло! Кто-нибудь меня слышит вообще?!

В приемной появилась пышная веснушчатая девица с рыжими тициановскими волосами до попы. Она строго глянула на Грозовского и спросила:

— Что вы кричите? Вам плохо?

Грозовский от неожиданности на пару секунд даже дар речи потерял. Молча кивнул на стоящий в углу кабинета принтер.

— Что там? — спросила строгая девица.

— Там... Бумага нужна! Бумаги нет!

— Есть, как не быть? — сказала девица, отодвинула его и устремилась в кабинет. Решительно подошла к принтеру, выдвинула лоток, продемонстрировала Грозовскому толстую пачку бумаги: — Вот она, бумага. Полна коробка. Вы ногу-то, ногу подвиньте!

Девица наклонилась, ухватила Грозовского за брючину и потянула куда-то в сторону.

— Что... что вы делаете?!

Она пожала плечами:

— Разматываю. Вы в проводах запутались, не ровен час, упадете, ноги-руки переломаете. Да ногу-то подвиньте!

Грозовский неловко переступил ногами, выпутываясь из проводов. Освободив его, Рыжая смотала провод, сунула моток Грозовскому в руки и по-прежнему невозмутимо направилась к двери.

— Да вы... Вы кто вообще?! — спохватился Дима.

Рыжая обернулась, глянула весело:

— Я-то? Офис-менеджер новый.

Так вот ты какой, офис-менеджер. М-да, дела...

— Раз уж вы наш новый офис-менеджер, пните там компьютерщиков, чтобы они наладили Сеть наконец, а то вся работа стоит.

Надежда обернулась от двери:

— Так они наладили все, уже часа два как. Я с утра их погнала делать, говорю, давайте, мол, бегом, видите, людям работать надо!.. Ну, вот они и сделали... Сейчас пришлю их, чтобы провода убрали. А вы покамест поосторожнее, с проводами-то!

* * *

...С нянями была просто засада. Из агентств по найму персонала присылали таких кандидаток, что Надежда с Ольгой за голову хватались. Приходили какие-то невнятные слабослышащие бабульки, разбитные хохлушки с метровыми акриловыми ногтями, которые первым делом интересовались, кем работает папа, видимо, в расчете этого самого папу обаять, «педагоги со стажем», при одном взгляде на которых в воображении рисовался образ английской классной дамы с розгой в руках... Однажды явилась девочка-эмо в полосатых гетрах. Глаза у нее были подведены черным, отчего девочка сильно смахивала на Пьеро. Машка, увидев ее в дверях, разревелась. В другой раз прислали очаровательную армянку — чудную, прелестную, очень веселую, с лучистыми глазами, с хорошей искренней улыбкой. Одна беда: Лаура почти совсем не понимала по-русски...

Как-то явился длинноволосый парень в косухе и очень удивился, услышав, что нужна няня.

— Я вообще-то курьером хотел, — сказал он. — Но если что, можно и няней, конечно.

Косяком шли студентки и выпускницы педагогических вузов, с места в карьер начинали шпарить наизусть Спока и Сухомлинского, впадали в ступор, когда Надежда спрашивала, как насчет стирки трусов.

— Трусы?!

— Ну да, ну да. Трусы стирают. Суп варят. Котлеты жарят. За детьми ухаживают. Приходите, когда научитесь!

Почти неделю у них продержалась няня с экзотическим именем Лючия Альбертовна. Ольга и Надежда почти смирились с тем, что от Лючии этой перманентно несло прогорклым массажным маслом — Лючия увлеклась аюрведой и маслом этим натиралась чуть не пять раз на дню. Но когда нянька, оказавшаяся не только поклонницей аюрведы, но и свежеобращенной веганкой, решительно выступила войной против мясных бульонов, рыбных котлет и попыталась приучить детей к сыроедению, ее таки отправили восвояси — вместе с пророщенными злаками и аюрведическими вонючими маслами.

Потом была еще одна, вроде нормальная. Злаками Лена никого не пичкала, по-русски понимала и трусы в стиральную машину закладывала исправно. Надежда выгнала ее после того, как, вернувшись в неурочный час домой, обнаружила Лену в Ольгиной спальне с каким-то непонятным мужиком. Рядом с кроватью стояла пустая бутылка из-под коллекционного коньяка, который Ольге накануне презентовали клиенты.

В конце концов Надежде вся эта канитель надоела. Она отправилась в агентство по найму персонала лично.

В коридоре агентства сидела целая очередь страждущих — тюнингованные силиконом красотки в немыслимых мехах, старушка с голубыми волосами, несколько измотанных теток в дорогих пиджаках, раздающих по мобильным указания подчиненным...

Надежде недосуг было ждать, пока все они обзаведутся няньками, домработницами и водителями.

Найдя нужный кабинет и сверившись по бумажке, она, не обращая на очередь ни малейшего внимания, распахнула дверь.

Сидящая за столом девица глянула на нее удивленно, оторвалась на секундочку от телефона:

— Женщина, подождите!

Надежда сообщила, что ждать ей совершенно некогда, успокоила взволновавшуюся было очередь: «Да я мигом обернусь, барышни!», и плюхнулась на стул, распахнув шубу. Ну и жара у них тут, не продохнуть!

— Доброго денечка!

Девушка закатила глаза, прикрыла телефонную трубку ладошкой:

— Женщина, я же вам сказала: подождите! Вас вызовут!

Надежда стащила с головы мохеровую шапку, обмахнула вспотевшее лицо:

— Куда вызовут? В военкомат поздно, а в прокуратуру не за что!

Девушка растерялась:

— Вы кандидатка? Работу ищете?

Надежда водрузила свою жуткую шапку на стол, наклонилась к девушке и спросила очень-очень ласковым голосом:

— Тебя, девочка, как зовут?

— А... Ася... — девушка была окончательно сбита с толку.

— Ну, вот и хорошо. Молодец, — похвалила Надежда. — Нам, Асенька, няня нужна. Понимаешь? У нас ребята отличные и намаялись без матери, понимаешь? А ты присылаешь каких-то, прости господи, тетех! Уж который раз!

— Куда... присылаю? Каких... тетех?

Надежда вытащила из кармана мятую бумажку, расстелила перед девицей:

— Смотри сюда. Вот, значит, адрес наш. Не, не тот вроде. — Она перевернула бумажку, покрутила так и эдак. — Не, тот все-таки. Ну, никак не разберусь я в Москве вашей! Вот, значит, твой адрес, а это, стало быть, наш.

Девушка хлопала глазами и ровным счетом ничего не понимала.

— И... И что?

— Ты вот по этому адресочку завтра утречком пришли нам хорошую женщину. Чтоб добрая была, самостоятельная, солидная, чтоб детей любила, приготовить могла, то-се!.. А хочешь если, и сама приходи, я тебя чаем напою, с ребятами познакомлю, с подругой своею. Только чаи долго пить не станем, мне на работу надо. Руководить.

Девушка окончательно впала в ступор. Надежда потрепала ее по плечу:

— Ну? Поняла, Асенька? Договорились?

Асенька молча закивала.

— Ну вот и умница! — обрадовалась Надежда. — Все поняла-то?

Асенька снова закивала.

— Ну и опять умница. Я, значит, тогда побегу, а то там барышням в очереди... беспокойство.

Надежда слезла со стула и вышла из кабинета, прихватив свою дикую шапку...

Видимо, Асенька и впрямь все очень хорошо поняла, потому что на следующий день у них появилась дивная Нина Евгеньевна. Интеллигентная, в высшей степени тактичная, с двумя высшими образованиями, она по-настоящему любила детей, но при этом не позволяла им распускаться, нарушать режим, ходить на головах и ложиться спать с нечищеными зубами. Нина Евгеньевна великолепно готовила, поддерживала в квартире идеальную чистоту и даже предложила Ольге заниматься с Мишкой математикой, которая ему давалась тяжело.

С Димой Ольга почти не виделась. Только по работе, в основном — на совещаниях. Весь день она крутилась как белка в колесе, а по вечерам сломя голову неслась домой, чтобы уложить своих драгоценных отпрысков. Пару раз Грозовский вытаскивал Ольгу поужинать, но в ресторане она вертелась, как на углях, то и дело порывалась звонить домой, а когда Дмитрий предложил поехать к нему, стала отнекиваться.

— Что? Любовь здесь больше не живет?

— Не в этом дело... Просто... У меня полно проблем...

Грозовский таких проблем не понимал:

— У тебя теперь есть няня, какие проблемы? Ты что, не можешь своих детей на два часа оставить?

Ольга взяла его за руку, посмотрела просительно:

— Дим, лучше приезжай к нам, а?

Грозовский руку отобрал, отвернулся:

— Зачем? Все равно же ничего нельзя! Или что? Чай станем пить?

Ольга бы с удовольствием выпила с ним чаю. И плюшек бы напекла, и пирогов, а после чая они могли бы все вместе сыграть в лото или посмотреть какое-нибудь веселое кино. Вот только Грозовского все это никак не устраивало. Он не хотел ни чаю, ни плюшек, ни лото. Ворчал, капризничал, пенял Ольге на то, что она со своими семейными хлопотами не только личную жизнь забросила, но и работу запустила.

Ольга знала, что во всем он прав, и работает она в последнее время действительно не очень. По ночам, уложив детей, Ольга садилась рисовать, в офис приезжала невыспавшаяся, туго соображала. Все у нее валилось из рук.

Иногда Ольга думала, что не выдержит всего этого, сломается. Она запиралась в ванной, включала воду на полную мощность и ревела. Потом вытирала слезы, тащилась на кухню курить и пить чай. Жаловалась Надежде:

— Надя, я просто в шоке. Я ничего не успеваю, у меня нет ни сил, ни времени... Я не справляюсь... Работу совсем забросила, Димку забросила! Ужас какой-то.

Надежда подливала подруге чаю, подсовывала пирожок:

— А ты чего думала? Трудно, конечно. Дети есть дети, да еще они от тебя отвыкли совсем! Ничего, вот увидишь, все наладится.

Надежда, как всегда, оказалась права. К Новому году все действительно потихоньку стало налаживаться.

Постепенно Ольга вошла в нормальный рабочий ритм. Всю неделю она пахала как лошадь, возвращалась глубокой ночью, когда дети уже давно спали у себя в комнатах, а Надежда сладко посапывала на диване в гостиной. Зато выходные целиком и полностью принадлежали им троим: Ольге, Мишке и Машке. Они катались на коньках, ездили гулять в Коломенское, ходили по театрам или отправлялись в кино.

Перед сеансом полагалось непременно купить большущее ведро попкорна. Чаще всего Надежда соглашалась составить им компанию и не хуже Машки восторгалась и коньками, и попкорном, и ледяными скульптурами, и нарядными новогодними витринами. Да и было чем полюбоваться! Повсюду — елки, северные олени, гномы, гирлянды, все сверкает, кружится, подмигивает разноцветными огоньками. Красота, да и только!

Машка полюбила свой новый детский сад, по вечерам рассказывала, как они писали письма Деду Морозу и разучивали новый танец. Мишка завел в школе друзей, перестал дичиться и без умолку болтал с Ольгой, пока они ехали до школы:

— Генка вчера на спор отжался двадцать раз. Он на карате ходит. Мам, а мы можем меня тоже на карате записать?

— Запишем, если хочешь.

— Мам, а знаешь чего? У нас в классе у всех «камелоты», а у меня какие-то галоши!

— Миш, я не поняла... В Камелоте были рыцари Круглого стола. При чем здесь галоши?

— Ничего это не рыцари, а ботинки. Называются так. У всех есть, а у меня нет.

— Ну, купим, купим!..

Надежда на Ольгу ругалась: нечего, мол, все подряд покупать. Но Ольга все равно покупала и получала от этого ни с чем не сравнимое удовольствие.

На работе Ольга с Надеждой почти не виделись, разве что в курилке.

— Как там наши снобы, не обижают тебя? — спрашивала Ольга подругу.

Надежда глядела на нее с веселым изумлением, тянула:

— Меня?! Бог с тобой! Я сама кого хочешь...

* * *

— Что нового можно придумать про шоколад? — Дарья поморщилась. — Все давно придумано!

— Ребята, я все понимаю, но надо придумать, — Ольга посмотрела на своих ребят. Летучка продолжалась уже больше часа, и ребята подустали. Пора закругляться. — Я вас очень прошу: подумайте. К вечеру жду ваши предложения. Только давайте сразу договоримся: гномики, феи, дети и тетки в кокошниках идут лесом. Что-нибудь более оригинальное и незамыленное, хорошо? Кстати, кто писал текст для кондитерских батончиков? Борис, ты, кажется? Мне особенно понравилось вот это место. — Ольга взяла со стола распечатку и с выражением прочла: — «Этот батончик называется молочным, потому что на две трети состоит из цельного молока. Он как будто соткан из тысяч капель цельного молока. Он полезен детям и взрослым, потому что в нем много молока». Борь! Это что такое? Памятка доярки? Это ж какая сила мысли! Просто с ума сойти! Он на две трети состоит из молока, потому что в нем много молока!

Боря, длинноволосый долговязый монстр креатива, заерзал на стуле:

— Я переделаю, Ольга Михайловна...

— Очень надеюсь. Дарья, что там с картинками?

— К вечеру будут картинки, — отрапортовала Дарья.

В кабинет заглянул Грозовский, кивнул Ольге:

— Закончишь, зайди ко мне.

Грозовский скрылся, а Ольга перешла к самой нелюбимой и самой болезненной теме повестки дня: пресловутому «Строймастеру». Со «Строймастером» они завязли, и капитально. Они предлагали идеи одну за другой — сквозная реклама, имиджевая, агрессивная, социальная, какая угодно. Но Николай Иванович Мезенцев, тамошний директор по рекламе, ни одно предложение не одобрил. Ольга чувствовала, что работает вхолостую. Самое обидное, что она совершенно точно знала, какая рекламная кампания нужна фирме. Но рекламный директор, плешивый господин Мезенцев, который уже по ночам ей снился, предпочитал работать по старинке и Ольгиными идеями проникаться никак не хотел. Она, в свою очередь, категорически не хотела выполнять пожелания Николая Ивановича — лепить по всему городу щиты с портретом улыбающегося маляра, будто сошедшего с политплаката 60-х, и печатать дурацкие, никому не нужные буклеты. Вот такой вот миттельшпиль. Надо было срочно разруливать ситуацию.

В конце концов Ольга, прекрасно понимая, что это неэтично, неполиткорректно и все такое прочее, решила-таки через голову Мезенцева встретиться с гендиректором «Строймастера» — монстром и бурбоном Сергеем Барышевым.

Почти неделю она вела переговоры с барышевской секретаршей, добивалась аудиенции, просила назначить время. В конце концов ей назначили на четверг, на три тридцать, и предупредили, что Барышев сможет уделить ей не более четверти часа.

Ольга приехала за полчаса до назначенного времени, поднялась на второй этаж дирекции, где обитал великий и ужасный Барышев. Приемная оказалась огромная, светлая, обставленная со сдержанным достоинством и на удивление без всей этой барочно-золотой пошлости, которой Ольга насмотрелась у заказчиков в офисах. Малахит—красное дерево—лепнина—золото — от этого непременного джентльменского набора ее уже подташнивало. И почему наши бизнесмены с таким упорством пытаются у себя в конторе обустроить Георгиевский зал Кремля?..

Здесь не было ни лепнины, ни стульев из дворца, ни фонтанов с павлинами у входа, ни мраморной одалиски в нише стены. Кресла и диваны для посетителей, светлый ковер на полу — очень дорогой, похоже — настоящий персидский, старинной работы, стол секретаря... По случаю предстоящего Нового года в углу красовалась елочка — невысокая, но очень пушистая, украшенная простыми золотыми шарами.

— Здравствуйте, моя фамилия Громова, я представляю рекламное агентство «Солнечный ветер», мне назначено.

Секретарша — немолодая, немного похожая на Маргарет Тэтчер, сразу видно высокий класс — попросила Ольгу присаживаться, предложила кофе:

— Подождите. Вас вызовут.

В половине четвертого она сообщила, что Сергей Леонидович задерживается. В четыре Ольга поинтересовалась, не выяснилось ли, на сколько именно задерживается Сергей Леонидович. Секретарша очень сдержанно ответила, что неизвестно.

— Сергей Леонидович сказал только, что задерживается. Еще кофе?

В половине восьмого вечера Ольга решительно поднялась с дивана:

— Больше ждать я не могу. Вы передадите Сергею Леонидовичу, что я его не дождалась?

Секретарша кивнула с видом глубокого безразличия:

— Разумеется.

...Ольга была вне себя. Неделя телефонных переговоров, согласований — зачем? Чтобы попить кофе в приемной и выкинуть коту под хвост целый день?! Что этот Барышев о себе думает?! За кого он себя принимает, чтобы так обращаться с людьми?!

Сергей Леонидович Барышев, генеральный директор и владелец контрольного пакета акций «Стоймастера», в этот момент думал исключительно о том, что, будь его воля — он бы лично поотрывал головы ребятам из администрации славного города Новосибирска, из-за которых строительство производственных мощностей за Уралом затянулось почти на три месяца. Чтобы дело сдвинулось с мертвой точки, Барышеву пришлось задействовать все свои связи на самом верху. Но теперь, как ни крути, комбинат раньше весны запустить не получится... А еще эта метель, будь она неладна. Вылет задержали почти на пять часов, в итоге все расписание у Барышева полетело к чертям собачьим, и сейчас, едучи из Домодедова в офис, он пытался сообразить, какие встречи перенести на завтра, какие вовсе отменить.

— Сергей Леонидович, вы просили напомнить... Про мать, в смысле...

Ах да, у водителя мать больна, действительно, он просил напомнить. Барышев записал на листочке телефон, сунул водителю:

— Это завотделением кардиологии. Позвонишь, скажешь — от меня. Он назначит дату операции.

— Сергей Леонидович... А сколько это... Ну, в смысле, стоить будет?

— Нисколько. Койко-дни оплатишь.

Машина подъехала к зданию дирекции. На стоянке маленькая, сердитая женщина щеткой обметала лобовое стекло машины. Где-то Барышев эту девицу уже видел... Ну конечно! Она на него наорала и велела ходить пешком, когда он без водителя приехал на работу. Склочная барышня. Хотя и забавная...

* * *

Ольга перекатилась на спину, уставилась в потолок. Ну вот почему так? Она отрывает время от детей, вместо того чтобы ехать домой, едет с Грозовским к нему на сорок первый этаж. Зачем? Чтобы снова поругаться, на сей раз — в постели? И ведь она права, сто раз права!

— Я тебе говорила, Дим, нельзя было выпускать их из виду, эти шоколадки! А ты поехал к пивнякам, потому что там все тебя любят и хвалят.

— Ну и занималась бы сама!

— Я и занималась, а зачем ты вмешался — непонятно. И вообще ты все время вмешиваешься в мою работу, и напрасно, между прочим! А «Строймастер» так на связь и не выходит!

— Ты два месяца ничем не занималась, только нянями и школами! Я уверен, что мы их потеряли. Ты же с ним так и не встретилась, с Барышевым-то?

— Нет.

— Ну и все!

Ольга потянулась к сумке, откопала телефон:

— Мне надо домой позвонить.

Но Грозовский телефон у нее отобрал. Сказал, что она полчаса назад звонила и вообще — хватит ругаться, это портит цвет лица и плохо влияет на пищеварение.

— Держи! — Дима взял со столика конверт, протянул Ольге. Она его распечатала. Внутри оказалось отпечатанное на плотной кремовой бумаге приглашение на два лица.

— На Новый год мы идем в ресторан, — пояснил Грозовский. — Закрытая вечеринка, дикий пафос, сливки общества, все, как положено. Спонсируют ребята, которым мы в прошлом году делали щиты. Я про них забыл совсем, так они сами позвонили и сказали — мы вас ждем. Ты меня везешь, чтобы я мог на свободе напиться. Идет?

Ольга положила конверт обратно на столик.

— Дим, я на Новый год никуда идти не могу. Я дома буду с детьми и с Надеждой. Куда я их дену?

Грозовский насупился.

— Ну, я не знаю... Няню вызови... Оплати ей двойной тариф.

При чем тут двойной тариф?

— Димка, пойми: дети этого праздника месяц ждут, а я уйду и их с няней оставлю!

— А что такого?

— Дим, это же дети... Мои дети...

Ольга положила ему руку на плечо, но Грозовский руку стряхнул.

— Твои дети, точно. Но у меня-то нет детей! Я, черт побери, хочу быть с тобой, а не с твоими детьми! Хотя вполне возможно, что они... прелестные малютки.

Как же он не понимает?

— Дим... Я — это не только... то, что лежит сейчас в твоей постели. Я — это еще и мои дети. И мои подруги. И моя жизнь. Я не могу о них не думать, или забыть, или сделать вид, что их нет! Я давно хотела сказать тебе, Димка...

— Что нам не нужно больше встречаться! — съязвил Грозовский. — Или нам лучше расстаться? Или мы не подходим друг другу?!

Он хотел свести все к шутке, но Ольга, кажется, шутить не собиралась.

— Нам не надо встречаться, нам лучше расстаться, и мы не подходим друг другу. Господи, неужели я все это говорю — тебе?!

— Я не знаю, кому именно ты говоришь, но слушаю именно я!

— Дим, ты классный, ты лучший, ты...

Да-да, конечно. Он в курсе. Как там? Умница, плейбой, мечта всех женщин, мачо и красавец.

— Ты потрясающий человек, но тебя раздражают мои дети, няни, проблемы, а я... вот видишь... даже не могу пойти с тобой в ресторан. Дим, дети... Они подарков ждут, хотят пироги печь, елку наряжать, куда я пойду, в какой ресторан?! Я действительно не могу!

— Ты просто не хочешь!

А ведь он прав. Чувство долга и прочая ерунда —

ни при чем. Если бы она хотела в ресторан — нашлась бы тысяча и одна причина, чтобы туда пойти. Дело в том, что она не в ресторан хочет, а как раз вот печь пироги, наряжать елку, хочет видеть, как дети распаковывают подарки... Только этого и хочет на самом деле. Это для нее важнее любого ресторана, важнее работы, важнее секса... Если бы Дима мог наряжать елку с ними вместе... Если бы вместо ресторана они все вчетвером поехали кататься на лыжах... Если бы он научил Мишку удить рыбу... Но тогда это уже был бы не Грозовский.

— Дим, — Ольга приподнялась на локте, посмотрела на него очень серьезно. — У нас с тобой... просто потрясающий секс...

— Ну, и на том спасибо.

— Только мне нужно еще много всего. На елку с детьми. В отпуск всей семьей. Мишке надо дроби объяснять, а Машке надо, чтобы хоть один раз в жизни посмотреть, как она танцует в первой паре с медведем, приехал мужчина, которому она важна. И нужна. Который ради того, чтобы посмотреть на нее, бросил бы все дела. И чтоб Мишку научил в хоккей гонять. И наподдал бы ему, когда он выкрутасничает! Я очень... семейный человек, Дима. Ты со мной просто теряешь время.

Она знала, что права. И Грозовский знал. Это же очевидно. Им было хорошо вместе, волшебно, прекрасно, замечательно. Но...

Дмитрий выбрался из постели, взял со стула Ольгино платье, положил на кровать:

— Если речь идет о времени, то ты его тоже теряешь. Езжай. Тебе же нужно елку наряжать.

И вышел из спальни.

* * *

Ольге снилось, как они с детьми играют в снежки возле Чистых прудов. Потом вдруг наступило лето, лед растаял, и вот они уже катаются на лодке, а с берега им машет Надежда:

— Оль, идите скорее, что я вам покажу! Тут земляники полно! И грибов!

Лодка зарывается носом в берег, а там — никакой не бульвар в центре Москвы, а самый что ни на есть настоящий лес. И грибы, и земляника, и дятел на сосне. Они идут по лесу, аукают, перекликаются. И вдруг — тишина. Никого вокруг. Ольга понимает, что заблудилась. Начинает метаться по лесу. Темнеет, где-то ухает сова, Ольга уже бежит сквозь бурелом, кричит...

Она села на кровати. Слава богу, это просто сон. Никакого леса. Никакого бурелома. Солнце светит в окна, за окном сигналят машины...

Ольга накинула халат и пошла на кухню — варить кофе.

Кофе уже булькал в кофеварке, в микроволновке грелся завтрак для детей. Ольга распахнула дверь детской:

— Ребята! Подъем!

Из-под одеял — жалобные стоны. Ну что ты будешь делать! Не надо было разрешать вчера допоздна смотреть мультики...

Ольга присела на край Машкиной кровати, запустила руку под одеяло, нащупала толстую теплую пятку, пощекотала:

— Р-р-р!.. Все звери спят в своих берлогах, а зверь-мама пришла их будить, р-р-р!

Машка хихикнула под одеялом. Ольга снова пощекотала пятку. Машка захохотала, забила ногами, с визгом подскочила:

— Ну ма-ама! Ну щекотно же!

Мишка заворочался, натянул одеяло на голову:

— Не хочу вставать! Зачем вставать?

Ольга подошла, принялась тормошить сына:

— Те, кто не хочет вставать, вполне могли вчера вечером не смотреть телевизор!.. Мишка, давай, давай поднимайся!

Сын из-под одеяла жалобно заныл:

— Ма-а-ам! А нельзя денек как-нибудь... прогулять? Каникулы же скоро!

Но Ольга была непреклонна:

— Как-нибудь нельзя. Давайте, ребята, в темпе, у меня сегодня трудный день. Подъем. И я вас жду завтракать.

За завтраком Мишка пребывал в глубокой задумчивости, потом все же спросил:

— Мам, почему день трудный? Дядя Дима тебя уволил?

Ольга малость обалдела. С чего он взял-то?

— Нет, не уволил.

Мишка расслабился. Неделю назад у его школьного дружка, Макса Хоркина, маму уволили с работы. Макс сказал, что они не имели права, но мама в итоге все равно с работы вылетела, имели «они» право или нет. И Макс ужасно переживал, ведь мама сказала, что, если так пойдет, они пойдут просить милостыню. Мишка с Максом такой вариант обсудили и сошлись на том, что милостыню просить — занятие опасное и стыдное, лучше бы мать Макса поскорее нашла новую работу. Мишка Макса как мог успокаивал. Мать его была кассиром, и Мишка считал, что кассиры везде нужны. А то кто же будет деньги считать? Он вдруг задумался о том, что у него тоже мама работает, и если вдруг ее уволят — что тогда? Просить милостыню? Правда, есть еще папа, дедушка с бабушкой, у деда пенсия хорошая, он сам всегда говорит, так что они не пропадут, конечно. Но все равно не хотелось бы, чтобы маму увольняли. Ольга не знала ни про уволенную мать Макса, ни про милостыню, но сына поспешила успокоить:

— Мишка, меня никто не увольнял и увольнять не собирается. Наоборот: у меня новая, ответственная должность.

Неделю назад Грозовский произвел кое-какие кадровые перестановки. Дарья теперь заведовала отделом. А Ольгу он сделал заместителем генерального директора. Своим то есть заместителем.

Теперь у нее было в пять раз больше обязанностей, чем раньше. С другой стороны, и зарплата — существенно выше. Грозовский даже выделил ей от щедрот кабинетик рядом с приемной. Раньше там была крошечная переговорная, а теперь переговорную оборудовали на первом этаже, и кабинет освободился.

...Машка доела кашу и придвинула к себе вазочку с печеньем:

— Ма-ам! Ты не забыла? Не забыла? Мне ведь на выпускной бал нужно платье до пола!

Ольга не забыла бы, даже если б очень постаралась: Маня напоминала про платье до полу по три раза на дню вот уже почти месяц.

— Маш, ну когда он еще будет, этот бал!

— Уже летом!

— Ну так успеем с платьем до лета — сейчас-то еще только весна началась!

— А если не успеем? Давай сразу купим, а? До пола, да?

Ольга потрепала ее по волосам:

— А если ты за два месяца так вырастешь, что оно не до полу станет, а по колено?

Машка в ужасе прижала кулачки к щекам:

— Ой, нет-нет-нет, нужно же до пола!

И почему непременно до пола-то? Хотя если она хочет — пусть будет до пола. В конце концов, выпускной бал — он раз в жизни бывает. Ну два, ну три, но уж никак не больше четырех...

Пришла Нина Евгеньевна:

— Всем доброе утро!

Ольга на ходу ей напомнила, что у Машки вчера болело ухо, так что с гуляньем надо поосторожнее, и что у Мишки четыре урока, поэтому в половине первого его нужно встретить из школы, и выбежала из квартиры. К десяти она должна быть в конторе, проводить совещание. А ей еще Мишку в школу везти...

* * *

— Тимур, ты разбирайся с обувной фабрикой. Боря! Я жду тексты для шоколадок. Не дождусь до среды — останешься без премии. Гриша, у тебя пельмени.

Гриша взвыл:

— Опять пельмени! На завтрак пельмени, в телевизоре одни пельмени, и на работе снова пельмени!

— Именно, — Ольга лучезарно улыбнулась. —

Спешу тебя обрадовать: рассказывать в рекламе, что пельмени готовятся быстро, — это по́шло. Придумай что-нибудь более оригинальное. Свеженькое и живенькое. О'кей?

— О'кей... — протянул Гриша безо всякого энтузиазма.

— Вот и умница. Ну а теперь — наша главная головная боль: «Строймастер»! Даша? Что новенького?

Дарья закатила глаза:

— Да все то же. Я им звоню каждый божий день, предложения отсылаю, объясняю, что печатать буклеты — это выбрасывать деньги на ветер. А их дивный директор по рекламе...

— Мезенцев...

— Он, родимый... Так вот, он бубнит одно и то же: деньги наши, на что хотим — на то тратим, короче, подготовьте новое предложение. Чтобы были буклеты. Типа, «Строймастер» стоит на ногах вполне уверенно, чтобы позволить себе то, что им нравится. А нравится им, как известно, всякая фигня. Оль, надо с генеральным встречаться. Зам полоумный, менеджеры нас в упор не видят! Вроде они делом занимаются, а мы какой-то ерундой!

Ольга и сама все это знала. И про менеджеров, и про зама, и про то, что надо встретиться с генеральным, с Барышевым этим, будь он неладен. Только как с ним встретишься, если он не принимает?

— Ладно, ребята, летучка окончена, расходимся, работаем. Гриш! Ау? Ты меня слышишь?

— Пельмени — вкусная еда, и под рукой она всегда! — радостно отрапортовал Гриша.

...Надежда нацепила на вилку кусок мяса, посмотрела на него с разных сторон, положила в рот, пожевала, сморщилась:

— Господи, ну что это за мясо?! Не мясо, а грех один! Кто это его сготовил, тому б прям этим мясом...

Надежда помахала рукой официантке. Ну, пошла писать губерния. Сейчас ее подруга жизни Кудряшова научит московских рестораторов родину любить...

Надежда громогласно объясняла официантке, что то, что у нее в тарелке, это не мясо, а слезы. Посетители кафе — офисные клерки в костюмах от Кензо — оборачивались, смотрели на нее — кто с удивлением, кто восхищенно, официантка пунцовела и переминалась с ноги на ногу. В конце концов, сообразив, что в случае с Надеждой легче согласиться, она забрала тарелку со злополучным мясом и скрылась на кухне. Через две минуты в зале появился старший менеджер, еще через три перед Надеждой поставили салат, который, слава тебе господи, оказался хорош.

— Вот это — другое дело! — похвалила Надежда и кивнула официантке: — Спасибо, Наташенька.

— Откуда ты знаешь, как ее зовут?

— Здрасьте, приехали! Так у нее на бейджике написано! — Надежда уставилась на Ольгу как на придурочную. — Ты не видела, что ли?

Ах, ну да, конечно, бейджик...

— Извини. У меня голова «Строймастером» занята. Всю кровь они из меня выпили!

— Между прочим, я читала в одном журнале...

— С сексуальными гороскопами?

— Не... — Надежда махнула вилкой, давая понять, что увлечение сексуальными гороскопами давно в прошлом. — В психологическом... Так вот там пишут, что, мол, если человека называть по имени, с ним легче установить контакт, и вообще он с удовольствием все для тебя сделает. Потому что как бы вы уже не чужие, если по имени-то...

— А если без имени? — поинтересовалась Ольга. — Тогда что? Сделает без удовольствия?

— Ага, — кивнула Надежда и подцепила на вилку помидорку. — Через силу... А когда через силу — все хуже получается, ты знаешь?

— Ты это тоже в журнале вычитала?

— В нем... Очень замечательный журнал, я у Дмитрия Эдуардовича в приемной взяла...

Выбрав из салата помидорки, Надежда теперь выедала креветки.

— Дура ты, что его бросила. На нем лица нет. Только и делает, что орет.

Ольга отмахнулась:

— Он все время орет. И со мной. И без меня...

— Ничего и не все время! Пробрало его, сердешного!

Выковыряв из миски с салатом все вкусненькое, Надежда с унылой обреченностью принялась жевать зелень.

Неужели Грозовский действительно так переживает из-за того, что они расстались? Да нет, быть не может. Что у него, женщин не было? Не расставался ни с кем никогда?

— Надь, если бы он так сильно переживал, черта с два он бы меня заместителем своим назначил. Он и забыл уже давно, что у нас там с ним было, наверняка новую любовь завел...

Надежда неожиданно вскинулась:

— Дмитрий Эдуардович тебя заместителем назначил, потому что он человек... Такой человек! Благородный и понимающий! И добрый, вот! Может, это он с виду... А на самом деле...

Подруга жизни Кудряшова раскраснелась, глаза у нее блестели. Да что она так защищает-то Дмитрия Эдуардовича, словно на него весь мир ополчился? Неужели Надежда тоже попала под его обаяние? О боги, боги, в этом случае и не знаешь, кого пожалеть...

— Надь! Ты смотри, поосторожнее там! От Димки и его шарма я тебя защитить не смогу!

Надежда выпятила свою выдающуюся грудь так, что менеджер за соседним столиком поперхнулся и закашлялся, вскинула подбородок и заявила:

— Я сама себя защи... тю... щу. И себя, и кого хочешь!

М-да. Определенно, в ситуации «Грозовский очаровывает Кудряшову» неизвестно, кого надо защищать.

Официантка принесла десерт.

— Надь... Нам с ребятами без тебя скучно. Как там? Сосед мой бывший жив еще?

Надежда жила теперь на съемной квартире — в той самой комнате, где раньше обитала Ольга.

— Жив, что ему, алкашу, сделается!

— Жила бы с нами, честное слово...

— Ну вот, опять ты завела! Сколько раз тебе говорить: не стану я вам мешаться. Ну что это за жизнь?! Ни с мужиком прийти, ни в гости кого позвать — простите, это у меня тут в уголку подруга обретается, потому как ей жить негде!

— С каким еще мужиком!.. Какие еще гости!..

Надежда соскребла ложечкой крошки пирога, допила кофе:

— А такие! К примеру, я приду, вот и будут гости. И от мужиков не зарекайся. Знаешь, говорят, от сумы и от тюрьмы, а ты и от мужиков тоже!

Что она говорит, ее безумная обожаемая подруга? Какие мужики?! Ольга только головой покачала:

— Надь, я по двадцать часов на работе! Приезжаю и сажусь уроки проверять. Вот в субботу поеду платье покупать, на выпускной бал.

— Погоди, а кто выпускается-то?

— Машка! Из сада в школу.

Надежда рассмеялась:

— Ну, из сада еще невелика беда! А в субботу перед платьем за мной заедьте.

— Заедем.

Надежда глянула на часы и вскочила:

— Господи Иисусе!

Менеджеры за соседним столиком все, как один, повернули головы, подпертые белоснежными воротничками. И как им не натирают воротнички эти? Это ж пытка, наверное, весь день в наглухо застегнутой рубашке париться, да еще с галстуком на шее...

— Мы все трескаем, а мне бежать пора! — Надежда уже натягивала плащ. Кипенно-белый, на кокетке, не плащ — а картинка из модного журнала. А куплен наверняка в каком-нибудь «Стоке» рублей за пятьсот. Да еще Надежда небось вытребовала скидку за оторванную пуговицу. Это подруга умеет, тут ей нет равных. Надежда чмокнула Ольгу, набросила на шею яркий шелковый шарфик: — Голландцы приезжают из хэд-офиса «Нэйчерал Продактс», знаешь?! Решили какую-то одну линию перепозиционировать! Одну, представляешь? То есть направление то же, а одну позицию изменить! И прутся для этого из Голландии, придурки!

Надежда расхохоталась, схватила со стола сумку:

— В субботу не забудьте за мной!..

И убежала. Менеджер за соседним столиком тоскливо глядел ей вслед.

* * *

...Весь день Ольга ломала голову, как бы ей все же встретиться с генеральным «Строймастера». Так ничего и не надумав, она пошла на поклон к Грозовскому.

— Можно?

— Чего стучишь? Я не голый.

Ольга зашла в кабинет, села в кресло. Дмитрий оторвался от компьютера, приподнял удивленно бровь:

— Что за внезапность? Ты теперь все больше мимо бегаешь.

Может, Надежда права? Может, Грозовский и впрямь переживает? Или это у него просто новая игра в эдакого молодого Вертера и его страдания?

— Я боюсь, что тебе неприятно меня видеть.

— С ума сошла?!

Нет, никакими страданиями молодого Вертера тут явно не пахнет. Все в порядке с Грозовским.

— Как твои дети? Няни? Дроби?

Какие еще дроби?! А, дроби!

— Спасибо, Дим, все хорошо. Перешли к наименьшему общему кратному.

— Трогательно. Хочешь, кофе сварю?

Вот это новость. Грозовский кофе варить научился? Видимо, на лице у Ольги нарисовалось такое удивление, что Дима поспешил пояснить:

— Твоя подруга купила кофейный аппарат и научила меня нажимать кнопку. А еще запретила мне баночный кофе, потому что в этих банках, как выражается наш офис-менеджер, неизвестно что понапихано.

— Ну, раз научила кнопку нажимать — тогда давай, — кивнула Ольга. Ей стало весело, когда она представила Надежду, с умным видом обучающую Грозовского жать на кнопку, чтобы получить чашку кофе.

Дима включил кофеварку, запахло лаваццо...

— Ты зачем зашла-то? По делу или как?

— По делу.

— Жаль. Я уж подумал — соскучилась. Не повезло мне, значит. Что за дело?

— Димка, я завязла со «Строймастером». Ну, не встречается генеральный директор со мной, и все тут! Димка, кто имеет на него влияние? Мне бы только на него выйти!

Грозовский задумался, полистал ежедневник, прошелся по кабинету.

— Ну вот что. «Строймастер» спонсирует премию «Призвание». Я тебя познакомлю с председателем оргкомитета, есть такой Стефанович, очень славный дядька. А он уже сведет тебя с Барышевым. Церемония у них дня через три, ты как раз там его подцепишь.

— Спасибо.

— На здоровье. Собственно, я для себя стараюсь. А то плакал наш заказ и мои денежки.

Ольга чмокнула его в щеку:

— Грозовский! Ты неисправим, но я тебя обожаю!

И выпорхнула из кабинета. Дмитрий налил себе кофе из новой кофеварки, плюхнулся в кресло. Ну что ж, все правильно. Почему бы его не обожать? Вполне себе есть за что его обожать-то!

...Премию вручали с размахом. К «Мариотту» за два часа до церемонии было не протолкнуться, вся парковка забита. В лобби играет не кто-нибудь, а «Виртуозы Москвы», официанты разносят шампанское и канапе с перепелами. Выходя из уборной, Ольга столкнулась у зеркала с импозантной блондинкой, которая при ближайшем рассмотрении оказалась принцессой Кентской. Расстарались организаторы, ничего не скажешь.

Ольга припудрила нос, поправила прическу. Она к этому мероприятию готовилась так, как к собственной свадьбе не готовилась в свое время. Вообще она давно привыкла ко всякого рода награждениям, презентациям и официальным приемам. Ольга весь этот официоз не любила, но понимала, что бывать на таких мероприятиях необходимо, поэтому ездила, фланировала с бокалом в руке, вела светские беседы, улыбалась и ждала, когда можно будет сбежать домой. Она научилась за полчаса собираться куда угодно — хоть в Большой на премьеру, хоть на званый ужин в посольство, — в последнее время у них появилось много заказчиков из Европы и посольские приемы приходилось посещать регулярно. Но тут Ольга проторчала перед зеркалом часа два, не меньше. Перемерила весь гардероб, забраковала десяток платьев. То казалось слишком сексуально, то — слишком официально, то — чересчур фривольно. В конце концов она чуть не расплакалась. Накапала себе валерьянки, покурила и решительно вытащила из шкафа очень простое маленькое черное платье, рассудив, что изобретение гениальной Коко Шанель уместно в любой ситуации.

К семи Ольга при полном параде прибыла в «Мариотт».

— Счастлив познакомиться, — обещанный Грозовским председатель оргкомитета Стефанович, жизнерадостный толстяк с окладистой бородой, поцеловал ей ручку. — Дима звонил, сказал, вас нужно с Барышевым свести...

— Очень нужно, просто позарез, — призналась Ольга.

— Ну идемте тогда, пока его пресса не уволокла рвать на части. — Стефанович подхватил ее под руку и потащил через зал к вип-зоне, где тусовались высокопоставленные чиновники, депутаты и члены Совета Федерации. Члены эти Ольге были ни разу не интересны. Федерация их агентству никакой рекламы не заказывала, следовательно, в сферу ее интересов они не попадали.

Лавируя между официантами, светскими красотками и фрачными членами Совета Федерации, Стефанович провел Ольгу в дальний конец зала, кивнул на высокого, коротко стриженного мужика, стоявшего у окна. Рядом с мужиком щебетала нереальная красотка в лиловом вечернем платье.

— Вот он, ваш Барышев. Идем. Сергей Леонидович, на минутку!..

Стефанович заулыбался, приосанился, помахал Барышеву рукой. Тот обернулся, и у Ольги подкосились ноги. Она его узнала. Это был он, мужик, с которым она поскандалила на парковке перед офисом «Строймастера» в тот самый день, когда к ней приехал Стас просить денег. Ну и что теперь? Осталось только пойти и застрелиться.

Неземная красотка щебетала теперь со Стефановичем:

— Ах, как у вас мило сегодня, и музыка — прелесть, и гости...

А Ольга стояла, уставившись на этого самого великого и ужасного Барышева.

Он чуть наклонил свою красивую стриженую голову — ну вылитый пай-мальчик из хорошей семьи, представляющийся княгине Марье Алексеевне:

— Здравствуйте.

Несчастный Стефанович, ничего не знавший о том, как по-хамски Ольга обошлась с великим и ужасным Барышевым во время их первой встречи на стоянке, расплылся в улыбке:

— Сергей Леонидович, это Ольга Громова, рекламное агентство «Солнечный ветер». Ольга Михайловна, это Барышев Сергей Леонидович... Вы меня извините?

Стефанович испарился. Великий и ужасный Барышев глянул на Ольгу — холодно, словно водой ледяной окатил:

— По-моему, мы с вами несколько раз собирались встретиться официально и даже однажды встретились в... неформальной обстановке.

— Сережа! Как интересно! Расскажи скорее! — тут же снова защебетала красотка, но Сережа ее срезал:

— Ничего интересного.

А, чего там! Двум смертям не бывать, а одну она как-нибудь уж переживет.

— Да, вы несколько раз назначали встречу, но все время были заняты, — Ольга почувствовала, что заливается краской. Господи, как же убежать-то отсюда хочется. Или под стол залезть.

— У меня много работы, — объяснил вежливый Барышев. — Иногда встречи приходится отменять.

Ольга набрала в грудь воздуха: в конце концов, попытка — не пытка. Ну, пошлет — значит, пошлет. Мало ее в жизни посылали, что ли?

— Сергей Леонидович, нам обязательно нужно с вами поговорить.

— Мне кажется, мы уже разговаривали.

Позор-то какой. Мама дорогая!

— Нет, я имею в виду разговор в рабочей обстановке.

— Насколько я помню, с вашим рекламным агентством работает мой заместитель.

Барышев попытался было отвернуться, давая понять, что разговор окончен. Но Ольга уже во весь опор неслась в атаку, и так просто остановить ее было невозможно:

— Сергей Леонидович!

Он обернулся, удивился, кажется. Как? Еще не все?

— Послушайте меня. Пожалуйста. Я прошу вас принять меня именно потому, что пока мы общаемся только с вашим заместителем, дело с мертвой точки не сдвинется.

— А что? Уже дошло до мертвой точки?

— Дошло.

Барышев наклонил голову набок, задумался на секунду:

— Завтра в одиннадцать. У меня будет десять минут.

Подхватил под руку свою лиловую красотку и поплыл между столиками к сцене. Ольга готова была до потолка прыгать. Не будь она за рулем — напилась бы, вот ей-богу!

К утру эйфория прошла. Доехав до офиса Барышева, Ольга была почти уверена, что он ее снова не примет. Или его на месте не окажется.

Но гендиректор был на месте и Ольгу принял — ровно в одиннадцать, как обещал. Встал навстречу, кресло придвинул.

— Добрый день, Ольга Михайловна.

Ну надо же, имя запомнил...

— Здравствуйте, Сергей Леонидович.

Секретарша бесшумно вышла. Потом так же бесшумно появилась, поставила на стол кофе, воду и испарилась. Барышев одним глотком выпил кофе, положил перед собой стопку бумаг:

— Мой заместитель посвятил меня в детали ваших с ним противоречий.

Ну конечно. И теперь он встретился с ней, чтобы в рабочей обстановке послать к чертям собачьим. Ну? И чего он молчит-то? Ольга не выдержала:

— Сергей Леонидович, если вы уже приняли решение, что не станете со мной работать, скажите сразу. Пожалуйста.

Барышев посмотрел на нее своими удивительными серыми глазами, чуть приподнял бровь:

— Я не стал бы встречаться с вами сегодня, если бы принял такое решение, Ольга Михайловна. Я очень ценю свое время.

Дура! Кто ее за язык-то тянул? Снова себя выставила идиоткой!

— Понятно...

Ольга отпила воды. Барышев снова замолчал, смотрел, как она пьет. Ольга поставила стакан, опустила глаза:

— Я вам тогда нахамила, на стоянке...

Он действительно улыбается? Кто бы мог подумать! Крокодил умеет улыбаться!

— Вы ни при чем. Я был не прав. Я правда плохо езжу. Редко и вообще без энтузиазма.

Надо, наверное, что-то сказать. Ольга растянула губы в идиотской улыбке — чуть не до ушей, и сообщила:

— А я, наоборот, с энтузиазмом!

Молодец, Громова! Это, конечно, для Барышева очень ценная, жизненно необходимая информация. И почему она лепит одну глупость за другой?

— Я заметил. Вы... все делаете с одинаковым энтузиазмом?

— Почти...

Теперь Барышев совершенно определенно улыбался — тонкой язвительной улыбочкой. И рассматривал ее, как диковинную зверушку в зоопарке. А она уставилась на него, как кролик на удава, и слова сказать не может. Умница, Громова! Хорошо работаешь. Просила назначить встречу, поговорить, и сидишь как немая. Барышев, посчитав, видимо, что молчание затягивается, кивнул на бумаги:

— Итак, суть наших недопониманий, как вы их называете, сводится к тому, что мы просим вас сделать так, как мы хотим. Кроме того, за это мы еще должны вам заплатить довольно большие деньги. А вы нам в ответ говорите, что сделать этого не можете. Что вам в принципе не нравится вся затея, а нравится что-то другое, что вы и хотите сделать за наши деньги. Пока все правильно?

— Нет! — горячо возразила Ольга. — Все неправильно!

— Тогда поправьте.

Ольга взяла себя в руки и, очень осторожно подбирая слова, начала рассказывать Барышеву, что выпустить разноцветные буклеты, а на них мелким шрифтом напечатать, чем именно компания «Строймастер» занималась последние пять лет, — означает просто выкинуть деньги на ветер. Потому что никто и никогда не станет эти буклеты читать. Ну, если только сотрудники «Строймастера», да и то из-под палки.

— Ваш образ должен быть совсем другим...

— Мой образ? — уточнил Барышев.

— Ну, не ваш личный образ, а образ вашей компании.

— Что именно вы предлагаете?

Ольга, загибая пальцы, перечислила основные пункты: во-первых, узнаваемый логотип. Во-вторых, несколько газетных публикаций. Ни в коем случае не рекламные модули, а статьи социальной направленности — о том, как «Строймастер» создает рабочие места, насколько их продукция экологична, как они о здоровье народонаселения заботятся, и так далее, и так далее.

— Вы формулировали ваши предложения? — перебил ее Барышев.

— Раз десять.

— Сформулируйте в одиннадцатый. Успеете до завтра?

— Конечно! У нас все готово!

— Завтра, скажем, часа в два вы сможете со мной пообедать? Где-нибудь в центре? Я бы посмотрел ваши предложения.

Господи, да все, что угодно. Пообедать, поужинать, сплясать голышом под луной!

— Конечно, смогу, Сергей Леонидович!

— Тогда до завтра. — Барышев стал из-за стола, пожал ей руку. Ладонь у него была сухая и теплая.

...Ольга влетела в офис, со всего маху хлопнула сумку на стол, кинулась к компьютеру.

Дарья напряженно следила за ней.

— Не принял?! Вот зараза какая!..

— Принял! Быстро распечатайте все предложения! Я завтра с ним встречаюсь.

У Дарьи отлегло от сердца. Неужто со «Строймастером» дело наконец сдвинется с мертвой точки?

— Принял?! Вот душка наша!..

У Ольги заверещал мобильный. Нина Евгеньевна, их замечательная няня, сообщала, что Павлик в детском саду перевернул на Машку стакан молока. Опять, значит. В прошлый раз Павлик на нее блюдце с вареньем опрокинул. Не иначе, это любовь...

Дарья вытащила из принтера тепленькие, с пылу с жару распечатки, протянула Ольге:

— На! Все для «Строймастера» распечатала. Ты думаешь, Барышев станет их читать?

Ольга очень надеялась, что станет. Ну в конце концов, не зря же он просил их привезти, правильно? Может, даже прямо за обедом прочтет.

— Надеюсь, что станет. Он, вообще говоря... вменяемый.

Дарья Барышева вменяемым не считала:

— Хорош вменяемый, почти полгода нас динамил!

Ну динамил, ну и что теперь? Он большой начальник, у него здоровенный комбинат в Москве, и в Сибири еще строится, сотни рабочих, производство с миллиардным оборотом... Его дело — дать замам распоряжение, а замы уж должны заниматься рекламой. Беда в том, что все замы у Барышева — строители, а не рекламщики, в том числе Мезенцев. Наверняка они очень хорошие строители. Но в рекламе ни черта не понимают. Отсюда и проблемы.

— Ладно, Даш, не ворчи. Надеюсь, теперь веселее пойдет.

— Хорошо тогда. Грозовский порадуется.

— Он как? Оклемался?

Дарья покачала головой:

— Сказал, что помирает, велел не кантовать. Да, Гриш?

— Пельмени очень хороши, для живота и для души! — согласился Гриша и снова уткнулся в компьютер.

* * *

Грозовский валялся в постели, накрывшись горой из пледов и одеял, и натурально помирал. Ему было жарко, потно, башка болела так, что хотелось лезть на стену. И еще — очень было себя жалко. Черт бы взял этот грипп!

Грозовский ненавидел грипп, ненавидел болеть,

ненавидел больных, и вообще, лучше бы он застрелился, чем так мучиться.

Зазвонили в дверь. Домработница, что ли, приперлась? На фига, спрашивается?! Он ей приходить не велел. Домработница, конечно, не так чтобы в полном смысле слова женщина... Но все равно ни к чему даже такой женщине лицезреть плейбоя, красавца и душку Грозовского в байковой пижаме и с соплями до пупа.

Нет, домработница звонить не станет. У нее же ключи есть, что он, в самом деле? Все это грипп, совсем мозги отшибло. Может, врач? Вроде врач говорил, что через пару дней заедет проверить, как у него, помирающего Грозовского, дела.

Стеная и костеря все на свете, Дмитрий поволокся в прихожую, открыл дверь и без сил оперся о косяк. В дверях стояла завхоз Надежда Кудряшова — свежая, румяная, с рассыпавшимися по плечам рыжими, совершенно тициановскими волосами. В обеих руках завхоз Кудряшова держала пакеты.

Надежда отодвинула обалдевшего Грозовского с дороги, поставила пакеты на диванчик в холле, сняла плащ.

Дмитрий открыл было рот, чтобы сообщить завхозу Кудряшовой о несвоевременности этого визита и выгнать ее к чертовой матери вон. Но Надежда и слова ему сказать не дала.

— Вы почему в «глазок» не смотрите, Дмитрий Эдуардович? — строго спросила она.

Чего? Какой, на фиг, «глазок»?! Господи, мало на его бедную голову гриппа, так теперь еще эта... явилась.

— Куда... не смотрю?

— В «глазок», в «глазок»! — Надежда ткнула пальцем в дверь, на которой и впрямь красовался «глазок».

— Смотреть надо, мало ли кого там принесло!

— А вас-то зачем принесло? — мрачно поинтересовался Грозовский.

— Как зачем?! Вы уж три дня на работу не ходите!

Нет, это просто невозможно! Он может вообще на работу не ходить, кому какое дело! Он начальство, в конце концов! Голова, поутихшая было, снова разболелась. Грозовский со стоном взялся за виски и приготовился помирать. Надежда засуетилась вокруг него, подхватила, словно медсестра раненого красноармейца:

— Давайте я вас в кроватку отведу!

— Не надо меня никуда вести!..

— Надо, надо, как же не надо! Пошли, пошли, нечего вам стоять!

— До вашего... феерического прихода я лежал, честно говоря, — сообщил Грозовский мрачно. Он попробовал сопротивляться, но сил не было.

— Вы ложитесь, ложитесь, Дмитрий Эдуардович! У вас температура, да?

Надежда довела помирающего начальника до спальни, усадила на кровать, оправила пижаму. Черт! Прелестно! Картина маслом: сестра милосердия подносит утку больному брюшным тифом!

— Послушайте... м-м-м... Надежда. Я сейчас никого не принимаю и сам с визитами не езжу. У меня грипп. Понимаете? Так что я вас умоляю...

Наивный Грозовский не знал, что умолять Надежду, равно как и спорить с ней, было занятием совершенно бессмысленным и беспощадным, не хуже знаменитого русского бунта.

— Вам, Дмитрий Эдуардович, лежать надо, — заявила она и действительно, ловко закинув его босые ноги на кровать, уложила несчастного и деморализованного Грозовского. — Вот так. В кроватке, под одеялкой!

Завхоз Кудряшова подоткнула одеяло. Грозовский чуть не взвыл от унижения и своего полного бессилия перед этой рыжей женщиной.

— Слушайте, если вы сей момент сами не уйдете, я вас выставлю, — пригрозил он.

— А у вас сил нет! — радостно сообщила Надежда.

Грозовский наконец смирился и капитулировал.

— Это точно.

— Вы лучше меня потом проработаете на общем собрании коллектива, — предложила Кудряшова. — А сейчас вам под одеялку надо. Вот, я лимончиков привезла, чаю вам сделаю. Клюквенный морс сварю. Мне мама всегда морс варила, когда я болела, я из-за этого морса придуривалась даже, что заболела.

— Придуривалась?

Какой морс? Какие лимоны? Господи, дай мне спокойно умереть. Впрочем, выяснилось, что морс — это еще не худшее из уготованных ему несчастий.

— Я вам вот носки из натуральной шерсти привезла! — Надежда вытащила из пакета жуткие серые носки, больше похожие на валенки. — Лучшее средство! На рынок за ними ездила! Сейчас чаечку попьете с таблеточкой — и сразу полегчает, вот честное слово!

Она таки притащила ему морсу — действительно вкусного, навела порядок вокруг кровати, собрала и сунула в урну бумажные платки, валявшиеся по всей комнате, и даже пыталась накормить его малиновым вареньем с ложечки. Но так низко Грозовский пасть не мог (хотя, казалось бы, куда уж ниже?). И варенье, кривясь, ел сам.

Влив в него не меньше литра морса, Надежда откинула край одеяла, всплеснула руками, увидев торчащие оттуда босые пятки:

— А носочки-то? Давайте я вам сама надену!

— Лучше бы я тихо помер, — пробормотал Грозовский.

— Боже избави! — Надежда снова всплеснула ручками. — Давайте еще чаечку. А?

Дмитрий покорно обхватил чашку обеими руками. Что за черт? Почему он ее слушается?

— Что там у нас в лавке?

Раз уж невозможно избавиться от завхоза, надо хоть видимость светской беседы создать, что ли.

— Где... что?

— На работе, где еще!

— Да ничего все, — Надежда пожала пухлым плечиком. — Ван Вейден из Амстердама звонил, благодарил. Пельмени пока на том же месте топчутся. Ксерокс новый поставили. Дарья к заказчикам ездила, которые... шоколадные.

— А у Громовой что?

— Сдвинулось с мертвой точки наконец! — Надежда явно радовалась, что у Громовой все сдвинулось. — Вчера прибежала веселая, всех построила, разогнала по местам. Она молодец, наша Ольга.

— Это я молодец, а не она, — буркнул Грозовский. В конце концов, он начальник, и он тут болеет и не намерен слушать, что кто-то другой — молодец.

— Нет, она тоже молодец, — не согласилась Надежда.

Она ни с чем не соглашается! Ей вообще, кажется, наплевать на все, что он говорит! Ему снова стало себя жалко.

— Ну что? Наденем носочки?

— Да отстаньте от меня со своими носочками! — Дмитрий обиженно поджал губы и с головой зарылся в одеяла.

— Не мои, а ваши, ваши носочки!.. — захлопала крыльями Надежда.

Носочки эти жуткие она на Грозовского все же натянула. Кто бы сомневался... Эта женщина могла не только коня на скаку притормозить, она бронепоезд, если что, заставила бы танго танцевать.

После морса, варенья и носочков Дмитрий совсем разомлел. Неожиданно выяснилось, что носочки — очень даже мягонькие. И голова вроде проходить начала помаленьку. Надежда ушла на кухню, зашебуршилась там. Слышно было, как потекла вода. Чашки она моет, что ли?

Это были какие-то очень домашние звуки. Они успокаивали, убаюкивали, и он, кажется, даже задремал. Когда он проснулся, уже стемнело. Горел торшер. В спальне все было чисто прибрано, на столике у кровати стоял термос и накрытая салфеточкой тарелка. Надежда, клубком свернувшись в кресле, читала журнал по дизайну.

Грозовский сел. Скрипнула кровать. Надежда повернулась, заулыбалась:

— Вот и хорошо, что поспали. А я вам бульончику куриного сварила. При гриппе очень хорошо помогает.

— Послушайте, — Дмитрий запахнул пижаму, закашлялся. — А какого черта... то есть... зачем вы...

— Я — что?

— Ехали бы домой. Что вы со мной возитесь?

Надежда посмотрела на него оценивающе и опять заулыбалась:

— А может, вы мне нравитесь!

— Я?!

— Вы. Да и что ж я вас одного пропадать брошу?

— Не надо меня бросать, — попросил Грозовский.

— Вот я и не бросаю. Завтра опять приеду.

— Нет, только не это! — театрально простонал он и откинулся на подушки.

На самом деле ему вдруг до ужаса захотелось, чтобы завтра она опять приехала.

* * *

Пожалуй, это был самый странный обед в жизни Ольги Громовой. Барышев приехал минута в минуту, быстро сделал заказ, взял у нее распечатку предложений рекламной кампании, ел и читал. Ни разу головы не поднял. Ольга для приличия попросила какой-то салатик, который так и не попробовала. Зато пила минералку — стакан за стаканом. И смотрела, как великий и ужасный читает. К тому моменту, как он закончил, Ольга выпила то ли три, то ли четыре бутылки.

Барышев захлопнул наконец папку, кивнул официанту, чтобы принесли счет. Ольга сидела как на иголках. Скажет он хоть что-нибудь?

На минуту ей показалось, что Барышев вот так же молча сейчас встанет и уйдет. Но он не ушел.

— Я все понял, Ольга Михайловна. Приступайте

к реализации ваших предложений, не теряя времени. Хотелось бы, чтоб к тому времени, как мы запустим первую очередь комбината в Новосибирске, началась и рекламная кампания. Я дам команду, и оба моих зама будут всячески вам помогать. Договор пришлите с курьером. Я вернусь через четыре дня.

У Ольги зазвонил мобильный, она глянула на экран. Мишка.

— Извините, пожалуйста. Секунду! Да!.. Да, ясно... Мишка, я сейчас не могу! Зачем ты в него плюнул?.. А он?.. Ну, в крайнем случае дал бы ему по уху, а плевать-то зачем?! Мишка, я приеду, и мы во всем разберемся. Пока. Я тебя тоже очень сильно. Все.

Она сунула телефон в сумку.

— Извините, Сергей Леонидович.

— Сын?

Барышев выглядел озадаченным. Ольга улыбнулась:

— Ну да. Он там в кого-то незаслуженно плюнул.

— Представить себе не мог, что у вас есть... ребенок.

— У меня даже два ребенка. Сын и дочь.

Великий и ужасный посмотрел на нее как-то по-новому — заинтересованно и оценивающе:

— Вы не похожи на женщину с детьми. Вы похожи на женщину с карьерой.

Ну да, она женщина с карьерой, все так. С карьерой и с детьми.

— Кто же вам помогает? Муж? Мама?

— Мужа нет. Никого нет. Знаете, есть такая распространенная формула — помоги себе сам? Это про меня.

Барышев кивнул: понятно, мол.

— А у вас?

Что — у него?

— У вас есть дети?

— Нет, слава богу.

Она удивилась, кажется:

— Почему — слава богу?

— Потому что я всегда занят. С утра до ночи. Моя жена говорила, что я просто машина для производства денежных знаков.

— Почему говорила? Она сейчас так уже не говорит?

Он глянул холодно:

— Это что? Попытка осведомиться о моем семейном положении?

Ольга смутилась. Глупо получилось.

— Нет, что вы, Сергей Леонидович! Я просто так!..

Разговоры «просто так» для Барышева были большущей редкостью. Он уж и забыл, как это бывает — просто так разговаривать. Да он вообще не часто разговаривает. Все больше раздает руководящие указания. Или выслушивает. Выслушивает редко, раздает — постоянно. Нельзя сказать, что ему не с кем поговорить. Просто дико некогда. Всегда так было, сколько он себя помнил. Сначала надо было хорошо учиться в школе, потом в институте, потом в аспирантуре... Отец — академик, мама, дед — все занимались наукой, двигали вперед научную мысль, и все такое. Потом неожиданно оказалось, что можно было вообще нигде не учиться, потому что самое главное — это делать деньги. А как их делать, ни в каком институте не учили. Пришлось учиться самому. И Барышев научился. Не сразу, конечно. Первые несколько лет и

303

голодать приходилось в буквальном смысле слова, и уголь грузить по ночам. Было время, когда он сосиски считал неприличным гурманством.

Он посмотрел на Ольгу. Сидит, щеку рукой подперла. Забавная все-таки... Молоденькая. Хотя нет, не такая она и молоденькая, если двое детей. Да и глаза... Глаза не щенячьи. Глаза выдают. Внезапно Барышеву захотелось ей рассказать — вот просто так, взять и рассказать — и про отца-академика, и про сосиски, которые были недоступной, недопустимой роскошью в начале девяностых... Интересно, она помнит то время?

Он стал говорить, и оказалось, что Ольга прекрасно то время помнит. В отличие от Москвы, где сосиски все же существовали и иногда появлялись в магазинах, вызывая дикий ажиотаж и становясь причиной километровых очередей, в ее родном городишке про сосиски эти только в поваренной книге читали.

Сергей поверить не мог: она приезжая? Провинциалка? Надо же!

— А я подумал, что у вас бабушка жила где-нибудь в Филях или Лосинке.

Ольга рассмеялась:

— Вовсе нет!

— А где же? Где ваша бабушка жила?! Как вы в Москве оказались? Замуж сюда вышли?

Она потупилась:

— Нет. Я... Впрочем, это долгая история и неинтересная.

Волшебство разговора просто так вдруг разрушилось. Сергей вспомнил, что время поджимает, дел полно, через час надо быть в министерстве, потом —

совет директоров. Поднялся из-за стола, пожал ей руку:

— Спасибо, что уделили мне время, Ольга Михайловна. Смело звоните моим замам, они получат мои руководящие указания.

— А вам? Вам я могу позвонить?

Господи, что она говорит! Что она несет, куда она лезет! Это же Барышев, у него отец — академик, у него... У него сильные, теплые руки, а когда смеется — у глаз собираются морщинки. И такой голос, что она просто пропадает.

Ольга покраснела — мучительно, до ушей. Воспитанный Барышев сделал вид, что ничего не понял. Что вопрос, может ли она звонить, был задан «просто так».

— Когда я в Москве, конечно, звоните.

Достал визитку, написал что-то быстро, протянул ей:

— Если будут проблемы — прошу.

На визитке был записан мобильный телефон великого и ужасного Барышева.

* * *

Ольга сидела на диване, поджав под себя ноги, и щелкала выключателем торшера. Щелк. Зажегся свет. Огонь в высокой башне... Была такая повесть, очень лирическая, она в детстве читала. Крапивина, что ли... Щелк. Свет погас. Темнота. Темно на душе... Нет, пусть лучше будет свет. Ольга снова щелкнула выключателем.

Скрипнула дверь, вошла Надежда. В выходные она иногда оставалась ночевать. Зевнула, прикрыв рот ладошкой:

— Ночь-полночь, а ты все сидишь. Давай уж чай пить, что ли!

Ольга чаю не хотела.

— Сама не хочу, — кивнула Надежда. — Но когда в грустях, что ж делать? Только чай пить и остается.

Принесла поднос, пристроилась рядом с Ольгой на диване.

— Ну, давай, рассказывай.

Ольга отхлебнула чаю, пожевала сухарик. Разврат по ночам сухари грызть, но Надежда права: когда в грустях — больше ничего не остается.

— Я, Надь, думала, что Барышев скомандует и все пойдет отлично.

— А что? Не идет?

— Не идет. Замы как выламывались, так и выламываются, я же им на хвост наступила! А сам хозяин...

— Что?..

— Надя... Это такое... Это совсем другой мир. Даже Димка... не такой.

Это она зря сказала, про Димку-то. Надежда тут же полезла на баррикады совести:

— Да что ты про него знаешь, про Димку-то? Ты че, думаешь, раз спала с ним, значит, знаешь, какой мужик?! Может, он не такой совсем! Может, он...

— Надь, да успокойся, я ж ничего плохого не говорю! Чего ты кипятишься?

— Да ничего я! Такой, сякой, эдакий, разэтакий! А он хороший мужик.

— Да он вообще лучший, кто бы спорил... Только у Барышева... У него вообще все иначе, все, понимаешь? У него отец — академик, дед — профессор, прадед при дворе лейб-медиком служил...

— Ну и что? — Надежда пожала плечами, захрустела сухариком. — Нам что за дело?

— Надь, он ведь ничего про меня не знает. В смысле того, что со мной... было. А если узнает?

Надежда аж чаем поперхнулась от возмущения:

— А что такое с тобой было? Ты что? Детский дом подожгла? Деньги украла? Христианских младенцев на колбасу резала?

— Я сидела в тюрьме. Меня судили, осудили, вынесли приговор. Таким, как Барышев, на это даже... в кино смотреть противно. Он не станет со мной работать, если узнает. Да что работать! Он меня... Он в мою сторону и не посмотрит... В его реальности такого не бывает, понимаешь? Говорю же — другой мир... Не знаю, как объяснить, но я это чувствую. Это интеллигенция, такая, понимаешь, самой высшей пробы. Аристократы духа. Профессора, академики...

— Да плевать на этих академиков!

Ольга покачала головой:

— Нет. Не плевать. Я Димке скажу, пусть он еще кого-то на этот проект сажает...

— Кого?! Меня, что ль?

— Кого угодно. Но только чтобы мне с Барышевым не работать. Вряд ли он захочет, чтобы его делами занимался человек с уголовным прошлым. Да он бы мне руки не подал, за один стол со мной не сел... Если бы знал.

Надежда округлила глаза:

— Он че? Фашист, твой Барышев? Руки не подал, ишь как!

Они помолчали немного. Сидели, грызли сухари, думали — каждая о своем. Ольга положила подруге голову на плечо:

— Надь... Я пропала. Теперь уж точно совсем.

...Конечно, Грозовский никому «Строймастер» не передал, Ольге велел не лезть к нему со всякими бредовыми идеями, а заниматься работой.

Ольга работой занималась, но нет-нет да и вытаскивала из сумки барышевскую визитку. Она изобрела сто один повод позвонить, но так и не позвонила, разумеется.

Барышев позвонил сам. Ну, не сам, конечно. Секретарша.

— Ольга Михайловна? Сергей Леонидович хотел бы с вами встретиться. Вы могли бы подъехать к нам в офис?

Могла бы она подъехать? Да она по снегу босиком побежала бы!

...Барышев пошел через кабинет ей навстречу, сделал приглашающий жест — присаживайтесь. Она села. Сердце колотилось, как ненормальное, и Ольга боялась, что он заметит, догадается.

— Здравствуйте, Ольга Михайловна. Я хотел бы знать, как продвигаются наши дела.

Говорит, а сам смотрит в пол. И вид уставший. Или это ей кажется?

— Пока буксуем немного, Сергей Леонидович.

Барышев недовольно поморщился:

— Мы и так потеряли слишком много времени...

— Мы наверстаем! — пообещала Ольга.

Он посмотрел наконец ей в глаза — странным, долгим взглядом, кивнул медленно:

— Да. Наверстаем.

О чем он? Ах да, конечно, это он про работу. Времени, мол, много потратили зря, наверстаем.

— Проблем нет? Или есть?

Проблемы? Она перестала спать, думает о нем постоянно, пропадает она. А больше, пожалуй, проблем нет.

— С полиграфией пока неясно, Сергей Леонидович. Мы хотели бы, чтобы полиграфию нам сделала «Линия График». Это наши давние партнеры, кроме того, настоящие профессионалы, и если вы не будете возражать...

— Я не буду возражать, — перебил ее Барышев. — Собственно, мне нет никакого дела до того, кто делает полиграфию. Хотя макеты я бы посмотрел. Я правильно назвал? Макеты?

— Правильно, Сергей Леонидович. Конечно, когда дойдет до макетов, я непременно все вам покажу.

— А когда... до них дойдет? До макетов?

Ольга растерялась.

— Я не знаю. То есть я могу сейчас быстро прикинуть, конечно.

Вытащила ежедневник, принялась листать:

— Макеты нам будут нужны по крайней мере за месяц, а если учитывать работу художников...

Барышев смотрел на нее — очень пристально, очень по-мужски. Потом снова прервал на полуслове:

— Про макеты я понял. Подробности мне неинтересны, просто скажите, когда все будет готово.

Ольга перестала его понимать. Значит, про полиграфию ему неинтересно, про макеты — тоже. Зачем он тогда вообще ее вызвал? Просто так, что ли? Поговорить? Бред. Этого не может быть, потому что не может быть никогда. Тогда зачем?

— Ольга Михайловна, — Барышев поднялся из-за стола, прошелся по кабинету. — Я хочу, чтобы мы с вами съездили в Сибирь.

Что? Кто с кем съездил? Куда?!

— У нас там строится завод. Вы должны посмотреть, как именно все происходит. Чтобы ваш подход к созданию нашего корпоративного образа был... правильным.

Ольга вцепилась в ежедневник так, что костяшки пальцев побелели. Он действительно хочет взять ее с собой? В Сибирь? Смотреть завод? Она полетит с Барышевым в одном самолете? Может — будет сидеть рядом? Видеть, слышать, говорить с ним? Господи, помоги ей. Она и сейчас едва сдерживается, чтобы не кинуться ему на шею самым непристойным образом, а уж в поездке... Когда постоянно рядом...

Запищал селектор:

— Сергей Леонидович, вы просили напомнить. Через десять минут у вас встреча.

Ольга вскочила:

— Я... До свидания, Сергей Леонидович. А когда... выезжать?

— Завтра. — Барышев смерил ее взглядом и решительно заявил: — Я вас провожу.

— Ку... да? Куда... проводите?

— До машины.

...Ольга остановилась около своей машины, прислонилась к дверце. Барышев смотрел на нее сверху вниз — очень серьезный, такой близкий, такой далекий... Ольга отвела глаза.

— Мне пора, наверное...

— Наверное, — Барышев кивнул. — Но сперва я хотел бы внести ясность в один вопрос, Ольга Михайловна.

В какой, интересно? Впрочем, какая разница. Пусть вносит ясность в любые вопросы, только бы стоять с ним вот так рядом, близко, и никуда не уходить.

— Я хотел бы знать, какие у меня перспективы, учитывая, что мне не двадцать пять лет.

— По-моему, самые радужные, — Ольга заговорила быстро и уверенно. — Реклама только чуть-чуть подтолкнет ситуацию, а так у вас достаточно прочная репутация и...

— Вы живете одна?

Что? Что он спросил? Нет, это невозможно. У нее галлюцинации. Не мог Барышев такого сказать. И вообще — ему глубоко плевать, одна она живет или с кем-то.

— Ольга Михайловна! — Барышев наклонился ближе, заглянул ей в глаза. — Я спросил. Вы должны ответить. Или... как это называется... я задал некорректный вопрос?

— Я живу... с детьми. У меня их двое. Миша и Маша.

— И мужа на самом деле нет?

Ольга покачала головой.

— И не предвидится?

— Почему вы спрашиваете, Сергей Леонидович?

— Не хочу оказаться в глупом положении или... впустую потратить время.

Барышев взял у нее из рук ключи от машины, нажал кнопку. Машина весело пискнула. Он открыл дверь:

— Завтра поедем в аэропорт на моей машине. Водитель заедет за вами, если вы позвоните и скажете секретарю адрес. Садитесь, пожалуйста.

Ольга послушно села. Барышев посмотрел на нее сердито, насупился:

— Знаете, сначала вы совсем мне не понравились. Там, на стоянке. Я дико не люблю, когда на меня кричат. Так вот я должен сказать, что сейчас вы мне нравитесь. До свидания.

Захлопнул дверь и быстро пошел обратно, к офису.

* * *

В Новосибирске они пробыли двое суток.

Прямо с самолета Барышев повез Ольгу смотреть комбинат, потом они поехали в местную администрацию, и ей битый час рассказывали, как Сергей Леонидович поддерживает ее, администрации, социальные программы и как это прекрасно, что его комбинат обеспечит работой полторы тысячи человек. Они были в городской больнице, которой Барышев тоже, оказывается, помогал, закупал какое-то новомодное сложное оборудование, выпили коньяку с главврачом и отправились в художественную галерею, потому как мецената Барышева там уже ждали местные деятели искусства. Искусство, как выяснилось, он тоже без спонсорской помощи не оставил...

Сибирские деятели искусств оказались людьми в высшей степени хлебосольными, встреча с ними затянулась до глубокой ночи, и Ольга почти не помнила, как они вернулись в гостиницу. И очень себя зауважала, когда ей в восемь утра удалось совершенно самостоятельно, без посторонней помощи, спуститься в холл, где ее уже ждал Барышев — свежий, умытый, бодрый, будто и не выпивал вчера с художниками до четырех утра...

Ольга боялась, что программа на день будет такая же насыщенная, как и накануне, но Барышев сказал, что на сегодня у них только одна поездка — в академгородок. Но сначала — хорошая порция кофе.

После второй чашки кофе Ольга окончательно пришла в себя, голова перестала кружиться, только руки немножко дрожали.

— Смотрю, художники на вас произвели впечатление, — Барышев усмехнулся. — Но вы боец, Ольга Михайловна. С художниками наравне — это, знаете ли, не каждая женщина выдержит... Хотел сказать вам спасибо за то, что вы так хорошо подготовились, да еще за такой короткий срок. Вы профессионал.

— Я старалась, Сергей Леонидович.

— А с кем остались ваши дети?

— С моей подругой. Они ее обожают. А она — их. Кормит все время...

— Профессионал, боец, — Барышев смотрел, как она пьет кофе, двумя руками обхватив чашку. — И очень красивая женщина. Я от этого все время чувствую себя дураком.

Это хорошо. Просто прекрасно, что он чувствует себя дураком. Можно считать, что они тут на равных.

— Куда делся ваш муж?

А вот про мужа ей говорить совсем не хотелось. Муж остался в другой жизни, там ему и место.

— Это целая история, Сергей Леонидович.

— Расскажете?

— Это не слишком красивая история.

— Обойдемся без красоты.

— Только не сейчас, Сергей Леонидович, ладно? Я сейчас не хочу рассказывать... некрасивых историй.

Ни сейчас, ни потом — никогда.

— Расскажите лучше вы что-нибудь.

— Ладно. У меня тоже есть не слишком красивая

история. Отец однажды меня уличил — я джинсы американские у фарцовщиков купил. Так он меня чуть в милицию не сдал, так был возмущен, что его сын водится с идеологическим противником! Он тогда кричал, что надо было меня посадить, чтобы впредь была наука.

Невероятно! Посадить?! Сына?! За джинсы?!

Он улыбнулся:

— Если бы он меня тогда посадил, я бы сейчас не строительством занимался, а нефтью торговал. Как все большие ребята.

Ольгу передернуло.

— Не стоит так шутить, Сергей Леонидович. Тюрьма — это ужасное место. Никакая нефть того не стоит. А... кто у вас отец? То есть вы говорили, что ученый...

— Кардиолог, очень известный. Академик. Дед был профессор. Тоже медик. Очень образованные, очень идейные, очень преданные своему делу люди. У нас такой скандал был, когда я решил поступать в строительный! Семейные ценности, преемственность, традиции.

— А почему вы решили... в строительный?

— Потому что лучше быть первым в деревне, чем вторым в Риме. Чтобы состояться в медицине, мне нужно было или превзойти отца и деда, или въехать в рай у них на закорках. Понимаете? Мама тоже была очень известным врачом, по ее книжке по педиатрии до сих пор в институте студентов учат. А я был совершенно уверен, что мне их не догнать. Для этого нужно быть гением, а медицинского гения я в себе никогда не чувствовал. К тому же крови боюсь панически

Однажды рассек ладонь, так со страху чуть в обморок не упал. Шрам остался, хотя рассек так... по верхам.

Он протянул Ольге открытую ладонь. Поперек нее действительно тянулся тоненький белый шрам. Ольга взяла его руку, провела пальцами по ладони. Сидеть бы так до скончания века...

Но Барышев уже вскочил, ухватил Ольгу за руку покрепче и повел к выходу:

— Идемте, машина ждет. Хочу вас кое с кем познакомить. Не возражаете?

Конечно, она не возражала.

...Дом, стоявший среди сосен, выглядел неожиданно по-европейски. Будто они не в Сибири, а в какой-нибудь Швеции... Или Дании...

— Выходите, приехали!

— Кто здесь живет?

— Мой отец. Выходите, выходите, не бойтесь.

Как отец? Почему... отец?

— Он сюда переехал после того, как мама умерла, — объяснил Барышев. — Кафедрой заведует в медицинском институте. Ему трудно было привыкнуть к тому, что мамы нет. Нам всем трудно было привыкнуть, а ему особенно. Он ее слишком сильно любил. Так тоже бывает. Я... Я, видите ли, здесь и комбинат затеял, чтобы приезжать почаще, понимаешь?.. Понимаете?

На крыльцо вышел отец Барышева — высокий, моложавый:

— Приехал! Наконец-то! Я рад. Да еще с барышней! Барышня, здравствуйте!

Обнял Сергея, поцеловал Ольге руку.

— Пап! Ты ее не пугай так сразу. Ольга, это Леонид Сергеевич, мой отец. Пап, это Ольга, моя... наш партнер.

Барышев-старший улыбнулся, кивнул:

— Партнер ничего, подходящий. Ну, проходите, проходите, ребята!

...Камин почти прогорел. Ольга подбросила пару поленьев, снова села в кресло.

Гостиная выходила широкими окнами на сосновый лес. По стенам тянулись застекленные книжные шкафы, над камином — портрет Пирогова, семейные фотографии в рамках — старые, пожелтевшие дагерротипы, отретушированные черно-белые снимки начала века, цветные любительские карточки — судя по всему, шестидесятых-семидесятых годов... Большой акварельный портрет очень красивой женщины. Наверное, мама Сергея...

Хлопнула дверь, вошел Сергей. В одной руке — чайник, в другой — тарелка с зеленью. Без пиджака, в рубашке с закатанными рукавами он выглядел лет на десять моложе и очень по-домашнему.

— Помоги мне, пожалуйста.

Ольга подхватила чайник, поставила на стол.

— В ящике скатерть. Книги переложи куда-нибудь, пожалуйста...

Ольга проворно переложила книги на этажерку, застелила стол хрусткой крахмальной скатертью. С этим, домашним Барышевым она как-то легко соскакивала на «ты»:

— Может, тебе помочь?

— Ты и так помогаешь, спасибо.

— Я имею в виду — на кухне?

Сергей изобразил театрального злодея:

— Ни за что. Отец не разрешит, да и я не разрешаю. Вообще я тиран и сатрап.

— Сатрап?! — Ольге давно не было так весело. Кто бы мог подумать! Весело — с Барышевым. С ума сойдешь!

— Ну да, сатрап. У меня должность такая.

Сергей накрывал на стол, расставлял бокалы, тарелки. В этом ему помогать тоже не разрешалось, так что Ольге оставалось только слоняться по комнате, время от времени ворошить кочергой угли в камине да рассматривать фотографии.

— А это кто? Мама?

— Мама.

— Очень красивая. А это?

— Это дед с бабушкой, — объяснил Сергей — На Капри. А тут отец лекцию читает. А вот я.

На фотографии тощий вихрастый мальчишка мчался по проселку на велосипеде.

— Маленький совсем...

— Это такой закон жизни, — сообщил Сергей с самым серьезным видом. — Я знаю точно, хоть и не врач. Сначала все маленькие. Потом вырастают и становятся большими.

На пороге появился Барышев-старший с большим «кузнецовским» блюдом в руках.

— Сережа! Поставь куда-нибудь, и все за стол! Какой такой закон, ты говоришь? Я прослушал?..

Барышев-младший рассмеялся:

— Между прочим, подслушивать вообще нехорошо, пап! Вдруг я тут девушке в любви объясняюсь?

— Дождешься от тебя! Пойди там посмотри, я пирог поставил, как бы не сгорел.

— Пиро-ог?.. Изыски какие!.. С чем пирог-то?

— С мясом, — деловито сообщил Барышев-старший. — Иди-иди, а то одни угли от пирога останутся!

Ольга снова сунулась было помогать, но Барышев-старший замахал на нее руками:

— Ни-ни! Сережка не разрешит, и я не разрешаю! Я тиран и сатрап.

Ольга рассмеялась:

— И вы тоже?!

— А кто еще?..

— Сергей Леонидович...

— Леонидович!.. Куда ему до меня! Молод еще!

...Обедали долго, обстоятельно, со вкусом. Закуски, суп в фарфоровой супнице, горячее, рыбка, пирог. Барышев-старший ухаживал за Ольгой, подливал вино, все порывался пирога подложить.

— Ольга? Еще кусочек?

— Леонид Сергеевич! Пирог у вас исключительный... Но я больше просто не в состоянии съесть!

— Ну, тогда немного зелени! Сережа, пойди, пожалуйста, кофе поставь!

Сережа ушел ставить кофе.

Академик смотрел, как Ольга ест, склонив голову набок, с таким выражением лица, будто слушал через фонендоскоп тоны сердца или пульс пациенту считал. Посмотрел, кивнул:

— Значит, это вы.

Ольга оторвалась от тарелки, подняла глаза:

— Я?

— Да вы не переживайте, Оля, — успокоил ее Барышев-старший. — Медики — люди до ужаса бесцеремонные. Стало быть, вы москвичка и с ним вместе работаете? С Леонидовичем?

Ольга вся внутренне сжалась, но все же ответила:

— Не совсем так. В Москву я переехала недавно, а работаю не с ним, а на него.

— Скажите пожалуйста! — Барышев-старший поцокал языком, покачал головой. — Все на него работают! Капиталист какой выискался!

И весело гаркнул в открытую дверь:

— Лучше б ты врачом был, слышишь, капиталист?!

Сергей появился в дверном проеме с полотенцем в руках:

— Между прочим, врач я был бы посредственный. А капиталист из меня получился — первый сорт. Хороший капиталист, пап!

И снова исчез на кухне. Отец посмотрел ему вслед с нежностью, но, перехватив Ольгин взгляд, заворчал:

— Ну да, ну да. Хороший... Я тут про одного хорошего по телевизору смотрел. Генеральная прокуратура его ищет. Соскучилась очень по нему.

Ольга тут же кинулась защищать капиталистов:

— Леонид Сергеевич, вы... неправильно говорите! Строить — это так же хорошо и нужно людям, как и... лечить!

— Ну, сравнила!

— Конечно! Это очень трудное дело — создавать что-то. Продавать гораздо проще!

— Так он раньше продавал, Сережка-то, когда все эти дела только начинались, а уж потом...

— Ну вот, вот, видите! Мог бы сих пор продавать, а он строит! У него на производствах люди работают, зарплату получают! У него репутация, знаете, какая?

— Ну, какая, какая?..

Барышева-старшего забавляло, с каким пылом

эта девочка защищает Сергея. Молодец, Сережка, правильную барышню нашел...

— Все знают, что заводы Барышева никогда не стоят, что зарплату всегда платят, и детские сады у них, и все на свете! А лесопильные заводы, между прочим, это дело непростое, гораздо легче лес за границу продавать, чем тут его... реализовывать, а он...

— Да ты-то откуда знаешь, защитница?

— Как же мне не знать, я же столько документов пересмотрела, столько бумаг!.. Сергей Леонидович...

— Что Сергей Леонидович?

Барышев-младший стоял в дверях, улыбался. Старший изобразил отцовский гнев:

— Подслушивал?! Никто не говорил тебе, Сергей Леонидович, что подслушивать нехорошо?! Мало тебя в детстве лупили!

— Меня вообще не лупили, потому что уважали мою свободу и право личности на самоопределение!

Барышев-старший сдернул у сына с плеча полотенце, шлепнул пониже спины:

— Лучше бы лупили. А защитницу ты себе хорошую нашел! Что там кофий-то? Готов?

* * *

— Ну, давай, рассказывай! Что у тебя с Барышевым? — потребовала Надежда.

Они медленно шли по бульвару. Дети с визгом унеслись вперед. Было воскресенье. Теплый, почти летний день. С утра они ездили в кино, потом пошли покупать Машке туфли на весну и теперь двигались в сторону Тверской. Про Барышева и речи не было.

— Надь! Отстань!

— И не подумаю! Выкладывай!

А что выкладывать-то? Ольга и сама не понимала, что у нее с Барышевым. После того, как они прилетели из Новосибирска, Сергей исчез на неделю. Потом позвонил. Ольга примчалась в «Строймастер», но оказалось, что это совершенно формальная встреча. Барышев посмотрел макеты, извинился и уехал в министерство. С тех пор прошло четыре дня, а от него — ни слуху ни духу.

— Я не знаю, Надь... Просто не знаю... Не понимаю ничего...

— Поесть тебе надо, вот что! — заявила подруга.

— Я не хочу.

— Ты никогда не хочешь, зато я все время хочу. Я вчера в таком потрясном месте была, чокнуться можно! В этом... в рыбаке... нет, в старике... господи, ну как же это слово-то!

— В «Старике и старухе»?

— Да нет, ну что ты, ей-богу! В старике... а дальше слово такое... из трех букв!

Господи, что еще за слово из трех букв?!

— В «Старике Цао», вот где! — вспомнила Надежда. — Между прочим, с Дмитрием Эдуардовичем.

С Димкой? В ресторане?

— Надежда-а! Я же тебя предупреждала! Он у нас... плейбой известный. Девушки налево и направо падают и сами собой в штабеля укладываются.

Но Надежду репутация Грозовского, кажется, ничуть не волновала.

— Да и пусть себе падают! Мне-то что? А поесть тебе надо, Оль. Вон, зеленая вся!

— Да не могу я есть! Надь, его три дня нет... и я... Нет, я с ума совсем сошла!

— Погоди. Кого нет-то? — Надежда наморщила лоб. — Сергея твоего?

— Да никакой он не мой! Он чужой. Он с красавицей был, когда мы познакомились! Надя, я такая дура! Я себе всякого намечтала... А теперь... Надя! Ну что ты молчишь-то! Ну скажи что-нибудь уже!

— Я просто обязана ее купить! — сообщила Надежда, не отрывая глаз от витрины. В витрине красовалась огромная, ростом с пятилетнего ребенка, корова — белая, в черных пятнышках... Подруга уставилась на корову как завороженная, ладонь к сердцу прижала.

Ольга дернула Надежду за руку:

— Нет. Только не это. Пошли. Сейчас же.

Но Надежда стояла как вкопанная, умильно взирая на корову. Сдвинуть ее с места можно было только тягачом.

— Надя! Я тебя умоляю! Ты их каждый день покупаешь, зверей этих! Хватит, остановись!

Надежда по-прежнему смотрела только на корову.

— Но она же такая... Оль, ну ты сама погляди...

— Не хочу я на твою корову смотреть! Ну, хочешь, пойдем есть, только корову не покупай!

Разумеется, корову Надежда все-таки купила. Потом они пошли обедать. За обедом Надежда поучала Ольгу:

— Ты не кисни. Ты лучше позвони Барышеву своему, пригласи его куда-нибудь.

Ну конечно. Вот так вот просто. Сейчас она позвонит Барышеву и давай его куда-нибудь приглашать.

— Сидишь, страдаешь, а он ни сном ни духом! — не унималась Надежда.

— Надь! Ну ты пойми! Ну не могу я навязываться!

— Здрасссти! Навязываться! Он тебе сказал, что ты ему нравишься? Сказал! С отцом познакомил? Познакомил! Насчет мужа выяснял? Выяснял! И насчет этих своих... перспектив!

— Может, он не в том смысле... — вздохнула Ольга.

Надежда посмотрела на подругу как на умалишенную. Что значит — не в том смысле? А в каком еще смысле можно с отцом знакомить и про мужа выспрашивать?

— Знаешь, вот в сексуальном гороскопе написано...

— Да ну тебя с твоим гороскопом!.. У нас ничего не было! Он меня за руку два раза держал, и все! Мы даже по большой пьянке ни разу не целовались! По-твоему, когда женщина нравится, себя так ведут?

Надежда задумалась, но вместо того, чтобы объяснить Ольге, как себя ведут с понравившейся женщиной, сказала:

— Все-таки я думаю, девица на приеме — это его сестра. Или дочь. Как в сериале.

Ольга чуть не разревелась:

— Надь! А Надь! Ну ты мне подруга или кто?!

— Да уж не «или кто»!

— Надь, ну скажи мне, что я дура, а?

— Зачем? — осведомилась Надежда.

Господи, что ж за мучение!

— У меня двое детей, бизнес, уголовное прошлое, а я все время думаю о каком-то... зачем-то... все мечтаю я...

— Нет у тебя никакого уголовного прошлого, — отрезала подруга Кудряшова. — А ты — дура!

Ольга согласно кивнула.

— Барышев твой сейчас где? Небось в Сибирь улетел?

Ольга снова кивнула.

— Как только он вернется, позвони ему, напросись на встречу, — учила Надежда.

— Как?! У меня даже предлога нет!

— Придумай предлог. Ты женщина или кто?

— Я женщина, мать двоих детей. И еще я работница месяца. Ударница. И влюбилась по уши. В самого Сергея Барышева.

Надежда с самым невозмутимым видом кивнула:

— Ага. Повезло тебе. Если бы ты в президента США влюбилась — все было бы сложнее. Он мужчина женатый.

...Ольга сидела в гостиной, щелкая выключателем торшера — дурацкая привычка, еще с детства. Щелк. Свет загорается. Щелк. Темнота. Щелк. Снова светло. Как будто это маяк, как будто она дает сигнал далекому кораблю, указывает путь...

Но никакой она не маяк, конечно. И ничего она никому не указывает. Дурища она распоследняя. Ей бы выспаться, завтра дел по горло, а она вот сидит... щелкает...

Ольга вытащила из кармана визитку Барышева с номером мобильного. На черта ей визитка? Она этот номер давно наизусть выучила. И захочешь — не забудешь теперь. Может, правда придумать какой-нибудь предлог? Или не придумывать ничего. Просто позвонить. Разговор просто так... Здравствуйте. Это Ольга Громова. Я звоню вам просто так, поговорить...

Глупость какая! С другой стороны, врать и предлоги придумывать — еще хуже. Совсем уж детский сад.

Ольга прошлась по комнате, покрутилась перед зеркалом, снова уселась на диван.

А, где наша не пропадала! Достала телефон, набрала номер — быстро, чтобы не передумать.

В трубке послышались длинные гудки. Два, три, пять... Наверное, он занят. Или спит. Или вообще не хочет брать трубку. И зачем только она позвонила!

В трубке послышался далекий голос:

— Алло! Слушаю!

Не спит. Господи, что говорить-то?!

— Алло! Вас не слышно!

Ольга запаниковала и нажала отбой. И в ту же секунду запищал домофон.

Ольга уставилась на телефон, как будто Барышев, каким-то чудом все угадав, волшебным образом перенесся из телефонной трубки к ее дверям и теперь звонит, чтобы она впустила его.

А вдруг... Вдруг и вправду он! Ну бывает же такое? Ну ведь бывает! Может, прилетел раньше и вдруг до смерти захотел ее увидеть — немедленно, сейчас же. Выдумал какой-нибудь благовидный предлог... Или не выдумал...

Ольга кинулась в прихожую, трясущимися руками открыла дверь. Барышева за дверью не было. На пороге стоял и ухмылялся ее бывший муж.

— Стас?..

Он заулыбался еще шире:

— Привет!

От шока она с места двинуться не могла.

— Так чего? Я зайду?

Ольга загородила дверной проем, оперлась рукой о косяк:

— Ты зачем здесь?

— Я, можно сказать, по делу. Дай войду-то!

— Нет. Уходи, или я позвоню в милицию.

Но Стас не ушел. Ухмыльнулся, опять закурил, дохнул дымом в лицо:

— Ты меня не пугай. В милицию! Ну, звони давай! А я назавтра всем твоим новым богатеньким друзьям позвоню и скажу, что ты в тюряге отдыхала хрен знает сколько, потому что к денежкам чужим имеешь слабость! И даже мужа не постеснялась обворовать!

Господи, неужели ее прошлое так и будет за ней волочиться всю жизнь, словно уродливый хвост? Неужели она никогда не сможет чувствовать себя в безопасности, быть свободной? Наверное, нет. Наверное, прошлое — оно навсегда с нами, в нас и в любой момент может возникнуть на пороге, выскочить из-за угла, подкараулить в темном переулке с наглой ухмылочкой: «Привет! Я войду?!»

Ольга вдруг почувствовала, что очень устала. Вот просто физически.

— Стас, что тебе нужно?

Стас никогда не был мастером разговорного жанра. Он долго и путано что-то рассказывал, экая, мэкая, повторяясь, перескакивая с одного на другое. В конце концов Ольге удалось-таки понять, что губернатора, Колькиного папашку, из-за которого она когда-то давно, в прошлой жизни, попала на зону, переизбрали. Колька теперь сам на нарах отдыхает, а папашка его героический, бывший губернатор, — в розыске. То ли в федеральном, то ли в международном. И Стасу нужны деньги — то ли отмазываться от ментов, то ли открывать новый сервис. Короче, у него денег нету, а у Ольги — куры не клюют, поэтому она должна дать ему пятнадцать тыщ в твердой валюте, иначе он все про нее расскажет. Всем то есть.

У Ольги от всей этой мути про Кольку, губернаторов, розыск разболелась голова. Ну да, ее бывший муж — негодяй и идиот. Ничего нового.

— Стас, денег я тебе не дам, и иди ты к черту, — сказала Ольга устало. Совсем у нее сил никаких не осталось.

— Ты не поняла, что ли? — Стас заволновался. — Я ведь правда... Я не шучу... Я все расскажу, что ты... Оль! Мне правда деньги нужны. Неохота на нарыто... Ты-то привычная, а я, стало быть...

Значит, деньги нужны все-таки от ментов отмазаться. Ольга решительно толкнула его в грудь. От неожиданности Стас попятился, и она проворно захлопнула дверь.

Стас еще некоторое время орал под дверью, грозил, что он ее, суку, еще уделает... Ольга не стала слушать, пошла в душ. Когда она вышла из ванной, бывшего мужа под дверью не было.

* * *

В субботу Нина Евгеньевна, их расчудесная няня, попросилась у Ольги уйти пораньше. Оказывается, у Нины Евгеньевны есть бабушка, и у этой бабушки в пятницу юбилей — девяносто лет.

Ольга няню, разумеется, отпустила, пообещала приехать с работы пораньше. Благо дела позволяли.

Дети, услыхав про бабушку и про день рождения, тут же принялись кричать, что у них тоже есть бабушка Света, а еще — собака Буран, а на день рождения надо печь плюшки.

— Давай напечем, сами покушаем, а ты потом бабушке своей отнесешь и скажешь, что это я пекла, давай, да? — Машка скакала вокруг няни и хлопала в ладоши. Она обожала дни рождения, а еще больше — плюшки. — Давай изюм перебирать? Ну давай! Давай!

— Ну, конечно! Сейчас будем перебирать, — согласилась Нина Евгеньевна.

— А чай пить?

— Переберем изюм, поставим плюшки — и тогда чай.

— Пока дождешься, с голоду помрешь, — заворчал Мишка.

Но с голоду они, разумеется, не померли.

Плюшки уже подрумянились в духовке, когда в дверь зазвонили.

— Ну вот, мама приехала, — обрадовалась Нина Евгеньевна. — С ней как раз и чай попьете!

Она глянула на плюшки, побежала открывать дверь. Машка кинулась за ней, размахивая руками и крича: «Мама, мама! Я сама спекла плюшечку с глазками!»

За дверью стояли двое незнакомых мужчин. Один высокий, в длиннополом пальто и при галстуке, другой — коренастый, с наушником в ухе. Наверное, охранник.

Пока Нина Евгеньевна смотрела на мужиков, Машка выскочила вперед и заорала:

— Вы к нам, да?! К нам?! У нас плюшки есть! Я сама спекла плюшечку с глазками!

Незнакомые мужчины слегка растерялись, но все же высокий очень вежливо спросил:

— Я могу увидеть Ольгу Михайловну?

— Она на работе.

Нина Евгеньевна взяла Машку за руку, крикнула в прихожую:

— Миша, возьми, пожалуйста, сестру!

— На работе? — высокий удивился. — Так сегодня суббота...

Машка снова выскочила у Нины Евгеньевны из-за спины и сообщила:

— А у нас мама всегда на работе!

Нина Евгеньевна опять отправила ее в квартиру. Встала в дверях, чтобы Машка снова не выскочила.

— Вы не могли бы представиться?

Мужчина кивнул:

— Простите. Меня зовут Сергей Леонидович Барышев. Мы вместе работаем.

Нина Евгеньевна еще раз смерила его взглядом и, сочтя, по всей видимости, что он внушает доверие, сменила гнев на милость:

— Ольга Михайловна с минуты на минуту должна приехать. Если хотите — можете зайти, подождать ее.

Барышев секунду подумал, потом кивнул, отправил охранника в машину, вошел, под пристальным взглядом Нины Евгеньевны снял туфли... Хорошенькая румяная девочка, которая радовалась, что испекла плюшечку с глазками, вытащила из шкафа тапки:

— Обувайтесь, а то простудите ноги и заболеете!

В тапках и в костюме за пять тысяч долларов Сергей окончательно почувствовал себя дураком. Он даже думал сбежать, отговорившись делами, но девочка решительно взяла его за руку и потащила в комнату, где няня уже выставляла на стол блюдо с плюшками. Одна действительно была с глазками, сделанными из двух больших изюмин.

Вошел высокий темноволосый мальчик, немного похожий на Ольгу.

— Здравствуйте.

— Здравствуйте.

— Меня можно называть на «ты», — разрешил мальчик. — Это Маша, моя сестра. А это наша Нина.

Сергей протянул мальчику руку и тоже представился по всей форме:

— Сергей. Я... работаю с вашей... мамой.

Машка снова принялась скакать вокруг Барышева:

— Ты будешь с нами чай пить?! Нина! Он будет пить чай. Да?!

Нина Евгеньевна поймала девочку, поправила бант в косе, вытерла платочком щеку, выпачканную в муке:

— Машенька, взрослым нужно говорить «вы», сколько раз я тебе говорила!

— Ладно, ладно! Будете? Будете?!

Сергей пообещал, что чай выпьет. Машка с визгом убежала на кухню за ложками, а Сергей так и остался стоять столбом посреди комнаты. Вежливый мальчик Миша, которого, очевидно, учили, что гостя надо занять, показал Сергею лежащие на ковре рисунки:

— Это я рисую. Только пока плохо выходит. Вы умеете?

— Что?

— Рисовать.

Сергей признался, что не очень.

— А в самолетах? — спросил вежливый мальчик Миша. — Понимаете?

Пришлось признаться, что и в самолетах не очень. Пожалуй, даже никак.

— А в чем вы понимаете?

Кажется, акции Барышева стремительно падали.

— Хороший вопрос. Давай попробуем разобраться... ну хоть в самолетах.

...Ольга уехала с работы пораньше, как обещала, но, разумеется, на полпути попала в пробку. Какой-то очередной государственный деятель ехал в аэропорт, и Ленинградку перекрыли больше чем на час. Водители зверели в жуткой, многокилометровой пробке, проклинали и деятеля, и чиновников, и правительство, и лично президента, у которого такой бардак в стране творится, что законопослушные граждане не могут белым днем проехать по своим делам, потому что некий хрен с горы желает ехать в аэропорт не просто так, а с большой помпой. В результате домой Ольга попала на два часа позже, чем рассчитывала.

Из гостиной доносился звон посуды и низкий мужской голос... Этот голос она бы не спутала ни с одним другим на свете. Но этого... Этого не может быть, да? Этого не может быть никогда, потому что не может быть никогда. Аксиома. Истина, не нуждающаяся в доказательствах.

Ольга выпустила из рук сумку и пакеты с покупками, тихо вошла в гостиную, встала на пороге.

Мишка лежал на ковре на пузе, разложив перед собой листы с рисунками. Напротив, ровно в такой же позе, валялся Барышев. Длинные ноги вытянуты почти до дверей. Машка сидела чуть поодаль, дожевывая плюшку, и смотрела на них.

Барышев с Мишкой так увлеклись разговором, что не заметили ее.

— Ну, и неправильно это. Куда у тебя двигатели делись? — спрашивал Барышев.

— Никуда не делись, их отсюда не видно, — отвечал Мишка.

— Все наоборот. Это оттуда их не видно, а отсюда должно быть видно. Это же самолет, а не летающая тарелка.

Барышев взял карандаш и начал что-то черкать на рисунке:

— Элементарно же! Закон перспективы! Не понимаешь? Эх ты, у тебя мать — великая художница, между прочим!

Великая художница решила, что весь вечер стоять на пороге — как-то все же не очень, наверное, и, набрав полную грудь воздуха, выпалила:

— Добрый вечер!

Машка кинулась к ней, обхватила обеими руками:

— Мама! Мамочка пришла!

Сергей быстро поднялся с ковра, отряхнул брюки, пригладил волосы. Он давно, да что там — никогда в жизни — не чувствовал себя так глупо. И никогда в жизни не чувствовал себя так хорошо.

Тактичная Нина Евгеньевна, заметив, как Ольга с Барышевым старательно не смотрят друг на друга, точно два влюбленных пятиклассника, быстро распрощалась и убежала поздравлять бабушку с юбилеем. Увидев, что нянька уходит, Барышев совсем растерялся. По дороге к Ольге он заготовил отличную легенду. Мол, на понедельник запланирована первая пресс-конференция, а у него, у Барышева, нет даже списка приглашенных журналистов, а он ему позарез нужен, этот список. Как же он без списка на пресс-конференции? В общем, выглядеть должно было так, что он не просто завалился в гости, а по делу. Но пока они с вежливым мальчиком Мишей рисовали самолеты, вся эта ерунда насчет пресс-конференции и списка журналистов совершенно вылетела у Барышева из головы. И теперь он мучительно соображал, что бы такое Ольге сказать. А, гори оно все синим пламенем! Он скажет правду, а там — поглядим.

— Я приехал, чтобы пригласить вас куда-нибудь. Завтра. С детьми. В... планетарий или в зоопарк. Можно в Бородино. Поедете? Ольга Михайловна, вы в обмороке? Моргните, если вы меня слышите!

Машка тут же принялась скакать вокруг с криком:

— Поедем? Мы поедем, да! Да-да-да!

Ольга молча кивнула.

Барышев улыбнулся.

— Согласны?

Ольга снова кивнула.

— Куда поедем?

Она пожала плечами. Наверное, они так бы и стояли посреди гостиной до ночи, но вежливый Миша спас ситуацию, выпалив:

— Поедем в Бородино, до него дальше всех!

Сергей, который, оказывается, очень даже неплохо разбирался в самолетах, ему понравился.

* * *

После пресс-конференции Барышев молча взял ее за руку и увел к своей машине. Скомандовал водителю:

— Домой!

По дороге они с Ольгой ни слова друг другу не сказали. Да и так все было ясно, без слов — им обоим.

— Ну вот, здесь я живу, — Сергей достал ключи. На площадке было всего две квартиры. Из-за двери послышался хриплый лай, и Ольга отступила на шаг.

— У вас... собака?

— Да. Все время одна сидит, бедолага. Я думал, может, на работу ее брать, чтобы она от одиночества не чокнулась. А вдруг там укусит кого-нибудь...

— Значит, может укусить?

— Ну да, — Барышев пожал плечами. — Она бестолковая и очень меня любит.

Собака за дверью свирепо зарычала. Барышев распахнул дверь, и оттуда на площадку кубарем выкатилось что-то крошечное, лохматое, с развевающимися ушами, и стало бешено носиться по площадке.

Барышев поймал это космное, потрепал по спинке:

— Ну ладно, ладно тебе! Тяпа! Угомонись уже! Хорошая, хорошая Тяпа!.. Я ее на улице подобрал два года назад. Умная, хорошая Тяпа!

Ольгу отпустило. Она боялась, что Тяпа окажется стаффордширским терьером.

...Потом Ольга сидела, вцепившись в подлокотник дивана, и пыталась вести светскую беседу — что-то там про работу, про пресс-конференцию, про даму из глянцевого журнала, задававшую Барышеву какие-то там вопросы насчет костюмов и автомобилей, которые он предпочитает... Барышев никакой дамы не помнил, он их вообще не очень запоминал, дам-то, даже тех, с которыми спал. У него работа, все время работа, ничего, кроме работы, только делом голова занята, не до амуров. Ольга улыбнулась:

— Я ваша сестра-близнец, Сергей Леонидович. Ни на что меня, кроме работы, не хватает.

Сестра! Вот еще, глупости!

Барышев изо всех сил старался изображать радушного хозяина. Он и кофе сварил, и вино открыл, и сыр какой-то вытащил из холодильника. А сам думать ни о чем не мог, кроме того, как бы ему... Как бы ее... Да к черту кофе этот, господи! Схватил, прижал, впился в губы — крепко, почти зло. Сестра! Придумает же!

...В середине ночи Тяпа, изгнанная из спальни, принялась так завывать и скулить за дверью, что пришлось ее впустить. Тяпа немедленно вскочила на постель и угнездилась рядом с Сергеем, зыркнув из-под косматой челки на Ольгу взглядом победительницы. Ольге стало смешно.

Она почесала Тяпу за ухом, вытянулась, положила голову Сергею на плечо:

— А я думала, девица на приеме...

— Что?

— Думала, ты с ней...

— Ты ошиблась. Я, как видишь, с тобой.

— Но у тебя же были какие-то женщины...

— Были какие-то, как не быть.

— А куда делась твоя жена?

— Ушла.

— А дети?

— Что дети?..

— Я просто не поняла тогда, в ресторане... Ты жалеешь, что их нет, или радуешься?

— Не знаю...

Бабушка Барышева всегда говорила: человек не может жить как мустанг. У человека должны быть семья, дом и полный набор мещанских ценностей — лампа над столом, чайный сервиз, розовощекие детишки. Да, еще елка на Новый год и кулич на Пасху. Наверное, это хорошо — кулич на Пасху. Но с каждым годом Барышев все яснее понимал: он-то как раз мустанг. Никакой лампы над столом не будет. И никакого кулича.

Ольга прижалась, зарылась носом ему в шею:

— Знаешь, я тебя боялась до смерти. Ты со мной так разговаривал, что я чуть в обморок не падала. Я тебе даже звонила однажды. Бросила трубку, как только ты сказал «алло».

— Знаю. Я тогда сидел на совете директоров. Ты позвонила, у меня совет идет, а я ни хрена не слышу, сижу и думаю, как бы мне тебя... что бы мне с тобой...

Он не знал, как это сказать. Мальчики из хороших семей не умеют этого говорить словами. Поэтому Барышев замолчал, притиснул Ольгу к себе и все ей очень наглядно продемонстрировал — и как бы ему ее, и что бы он с ней...

* * *

— Дим! Держи приглашение!

Ольга положила на стол Грозовскому конверт.

— Что за приглашение-то?

— На презентацию «Строймастера».

— Так все серьезно? По пригласительным? Тогда давай мне два!

Ага! Значит, все же сто двенадцатая любовь его посетила. Ольга чмокнула Диму в щеку:

— Приглашение на два лица.

Господи, какое счастье, что Грозовский у них —

душка, умница и плейбой, что не страдает по ней, по Ольге, и ей не надо прятать свое оглушительное, неприличное, через край бьющее счастье. Интересно, кто у него сто двенадцатая любовь-то?

У Ольги зазвонил мобильный. Глянув на экран, она аж засветилась вся:

— Сережа... Да, уже еду... В офис? Хорошо, конечно... Целую тебя...

И выпорхнула из кабинета. Грозовский посмотрел ей вслед, ворча:

— Целует она его! Сережу!

И пошел в угол, к кофеварке, на кнопку нажимать. Рядом с кофейным столиком на ковре сидела корова — белая, с черными пятнами, ростом с пятилетнего ребенка.

Кофеварка зашипела и стала готовить Грозовскому двойной эспрессо. А он стоял, смотрел на эту совершенно дурацкую корову, с которой не расстался бы ни за какие коврижки, потому что ее притащила Надежда, и думал: до чего же забавно, правильно и славно устроена жизнь.

* * *

Ольга с разбегу влетела в кабинет Сергея и поняла, что жизнь кончилась, на сей раз — окончательно и бесповоротно. За столом переговоров сидел ее бывший муж, Стас Громов.

— Присядь, — Барышев на нее не смотрел.

Ольга послушно села.

— Твой бывший муж пожелал со мной встретиться, как видишь.

— Не ломалась бы, так я и не желал бы ... Больно надо-то! — Стас ухмыльнулся.

Барышев встал из-за стола, подошел к окну. На Ольгу по-прежнему не смотрел.

— Теперь я понял наконец, почему ты мне ничего не рассказывала. Жаль. Если бы рассказала — все было бы проще.

— Да мне много не надо! — снова встрял Стас. — Только долги отдать... и чтоб мастерскую открыли! И Зинка, зараза, пилит и пилит!.. А Кольку посадили. Это ж курям на смех!..

Сергей обернулся, посмотрел на Стаса брезгливо:

— Значит, вы желаете получить от меня денег за неразглашение?

Стас поспешил внести ясность:

— Так это!.. Она сказала, что не даст ничего, а я сказал, что все хахалю расскажу, вам то есть! Ну, и рассказал! Да я всем расскажу, что она зэчка бывшая! Больно мне надо! Своя рубаха ближе! У нас-то все знают, от людей не спрячешься, так она в Москву и укатила, подальше от своих чтобы!.. А тут уж расцвела, развернулась, забогатела, а мне — пошел вон?!

— Стас, замолчи! — Ольга не могла это больше слушать.

— А чего это я молчать должен?! Не-ет, пусть он все знает, как тебя судили, как ты на зоне отдыхала, как потом полы мыла в сортирах! А то богатая стала, а меня, значит, рылом в дерьмо, да?!

Ну, довольно! Сколько можно это терпеть? Да и зачем? Снявши голову по волосам не плачут. Сергея она все равно потеряла, с этим — все. Но никто не давал этому уроду, ее мужу бывшему, права поливать ее помоями.

— Ты подонок, Стас, — сказала она устало. — Если б меня тогда, после зоны, Григорий Матвеевич на улице не подобрал, я бы давно в реке сгнила! Я жить не хотела. А ты замки в дверях поменял. Детей своей шлюхе отдал. Я с голоду пропадала, меня старик кормил, на работу не брали, потому что я... порченая, меченая, уголовница из зоны. Ты же говорил — спаси меня. Ты говорил, что меня простят, а тебя по полной закатают. Ты...

И выплюнула ему в лицо длинное, черное, убийственное ругательство, самое грязное из тех, что слышала в зоне.

Сергей снова брезгливо поморщился:

— Ну ладно. Хватит.

Быстро подошел к столу, рывком схватил Стаса за шиворот...

Грохнула дверь кабинета. Невозмутимая барышевская секретарша, увидев, как шеф волочет мужика в куртке к выходу за шкворник, тут проявила чудеса выдержки.

— Сергей Леонидович? — спросила она очень официальным тоном как ни в чем не бывало, будто Сергей Леонидович каждый день таскал визитеров за шкирку и спускал с лестницы. — Вызвать охрану?

Сергей Леонидович — красный, расхлюстанный, задыхающийся — зыркнул на секретаршу:

— Спасибо. Сам справлюсь!

Он подтащил гостя к выходу, приподнял за ворот, чтобы видеть глаза. Стас больше не ухмылялся.

— Значит, так, — Барышев говорил очень спокойно и очень убедительно — так спокойно и так убедительно, что у Стаса мороз по коже пошел. — Еще раз появишься в поле моего зрения, вот просто появишься, будешь случайно мимо проходить, я тебе сломаю хребет. Сам, лично. Без всякой охраны. А охрана потом тебя в лес свезет и закопает. Ты меня понял, умник? Если понял, кивни.

Стас икнул, дернул головой, изо всех сил стараясь изобразить понимание. Барышев дотащил его до дверей приемной. Послышался грохот, где-то внизу Стас жалобно матернулся, и все стихло. Сергей отряхнул руки и, сгорбившись, молча пошел мимо Ольги в кабинет, на ходу кинув секретарше:

— Меня до конца дня нет.

— Сергей Леонидович, министр звонит... Сказать, что...

— Скажите, чтобы шел к черту! — ответил секретарше Барышев (сын академика и внук профессора). Дверь кабинета захлопнулась. Секретарша замерла с телефонной трубкой в руке. Кажется, Сергею Леонидовичу наконец удалось вывести эту железную леди из равновесия.

* * *

Строго говоря, никакой трагедии не произошло. Никто не умер, дом не сгорел, третьей мировой войны не случилось... Дети счастливы, работа — хорошо оплачиваемая, дом — полная чаша, няня — чистое золото, шмотки — зашибись, тачка — улет, вид — на миллион, проблем — нет. Ольга же не дура, она же понимает. В конце концов, что стряслось-то? Ну, встретила она Барышева. Ну, был короткий роман. Ну, закончился. И чего теперь? Вешаться? С тем же успехом она могла Барышева и не встретить никогда. До того, как она познакомилась с ним, его ведь в

Ольгиной жизни не было, так? И что? Убивалась она, страдала? Да ничего подобного! Она счастлива была на все сто, ездила с детьми на каток, умасливала заказчиков, хвалила себя молодцом и баловала пироженкой со взбитыми сливками. Хорошо она жила без Барышева. Замечательно и прекрасно. Почему бы и теперь ей так не жить? Все ведь точно так же, как было тогда, до него: есть дети, работа, выходные, пироженки, новые туфли. Нет Барышева. Живи — не хочу. Но вот что-то не хочется. То есть совсем ничего. Ни работать, ни пирожных, ни туфель новых... Даже в музей с детьми в выходные... Ну, не то что прям уж все поперек горла. Но глаз не горит, и радость от совместных выходных с детьми подтускнела. Как будто не хватает чего-то. Чего-то очень важного. Главного. Кислорода не хватает.

Нет, умом Ольга все понимала. Ругала себя дурой, которая не ценит собственного счастья. Ей, как старухе в сказке про золотую рыбку, подавай все и сразу. Не хочу быть столбовою дворянкой, хочу — владычицей морскою, вот как!

Умом понимала, а все равно было тошно. Нет, в истерики она не кидалась, работу не бросила, мыться не перестала. Курить, правда, стала еще больше, но это мелочи. А что похудела — так это даже и хорошо. Без гимнастики и без диет — минус восемь кило за две недели. Никакого похудательного чудо-браслета не нужно.

Надежда, когда Ольга ей все рассказала — и про Стаса, и про министра, которого Барышев велел к черту послать, и про то, как он дверью хлопнул, даже не глянув на Ольгу, а она осталась стоять посреди приемной, — кинулась было утешать подругу. Мол, все образуется, мол, Барышев поймет, ему просто время нужно... Но Ольга не нуждалась в утешении. Это не Стас приходил. Это прошлое ее настигло. Просто пришло время платить по счетам. За то, что дурой была. За то, что не разглядела вовремя, какая мразь ее бывший муж. За то, что не хотела смотреть правде в глаза, трусила, сама себе врала, пыталась сделать вид, что прошлого нет, — мол, все это не про меня, не со мной было...

— Надь, я не маленькая. Я знала, что все так и кончится.

— Да ничего не кончилось еще!

Надежда неисправима. Все ведь очевидно. Ольга видела лицо Барышева — там, в приемной. Ничего у него в лице не было, кроме гадливости и досады. Будто наступил случайно сверкающим ботинком в навоз, вот какое у него было лицо. И видит бог, Ольга не хочет, чтобы еще когда-нибудь, хотя бы раз в жизни, на нее так смотрели.

— Надя! Это — все. Больше ничего не будет. Я точно знаю.

— Знает она! Откуда ты что знаешь?! Да он...

— Не он. Я. Я больше не могу. Мне уже хватит. Понимаешь?

Надежда положила ей голову на плечо, обняла.

— Понимаю...

— Я понадеялась. Нельзя было надеяться. А я себе позволила... Сама виновата...

Надежда подняла глаза:

— Оль, может, все-таки... Ну он же твоего упыря с лестницы спустил... Он же... Он же не просто так это сделал? Если бы ему все равно было, он бы...

Ольга покачала головой. Барышев Стаса с лестницы спустил не потому, что решил изобразить рыцаря на коне. Просто он чистоплотный до ужаса. То есть — по большому счету чистоплотный, по жизни. Вот и избавился от этой грязи. И от Стаса, и от нее... Нет. Нельзя было надеяться. Кого она хотела обмануть?

...Жизнь шла своим чередом. Машка выпустилась из детского сада. И платье у нее было до полу. Кружевное, с букетиком на поясе. В июне Ольге удалось выкроить неделю отпуска, и они слетали наконец в Грецию. Было море, оливковые рощи, руины древних городов, сиртаки по вечерам в ресторанчике на берегу. И ракушек они набрали полную корзину. Это была замечательная поездка в самом деле. Потом Ольга улетела в Москву, работать. С детьми осталась Нина Евгеньевна. Они сняли апартаменты неподалеку от Салоников, с собственным выходом на пляж, небольшой, но прекрасно оборудованной кухней и террасой, на которой дети обожали спать. Ольга хотела, чтобы перед новым учебным годом — а для Машки не только новым, но и вообще первым — дети как следует отдохнули. В Москву они должны были вернуться в середине августа. Грустно было улетать от них, но в Москве Ольгу ждала работа, и с этим ничего не поделаешь.

Она работала как проклятая, жутко уставала, но это было даже хорошо: работа не оставляла времени на пустые переживания.

Барышева она видела один-единственный раз, да и то издали. Он таки посетил презентацию «Строймастера», поприсутствовал на официальной части и тут же уехал. В ее сторону даже не посмотрел. После презентации Ольга до утра сидела на кухне, курила и смотрела в окно. Надеяться, что Барышев все забудет, простит и приедет к ней, потому что жить без нее не может, было бы глупо и непозволительно. Но она почему-то сидела на подоконнике и все смотрела на подъездную дорожку — не появится ли его машина. Разумеется, машина так и не появилась. Ольга стала работать еще злее, хватаясь за драгоценную свою работу как за спасательный круг. Она изо всех сил пыталась забыть Барышева, выбросить его из сердца и из головы, будто его никогда и не было. Иногда казалось, что ей это почти удалось.

* * *

— Я не хочу знать, кто и почему и чего не может! Или к завтрашнему дню все смогут, или на работу больше можете не рассчитывать! И на зарплату, соответственно, тоже!

Ольга положила трубку, потерла виски, закурила. Не могут они, видите ли, макет сделать!

Ольга докурила, нажала кнопку селектора. Через минуту в дверь поскреблись, вошла Дарья:

— Звала меня?

— Звала. К двум поедешь в «Строймастер», что-то там у них опять не в порядке. Разрулишь и доложишь.

Дарья руками замахала:

— Я?! Я в «Строймастер»?!

Ольга кивнула:

— Ты. В «Строймастер».

— Оль, ты что? Я про них не знаю ничего, я там не была ни разу и до смерти их боюсь!

Ольга вытащила из пачки очередную сигарету:

— Меня это не интересует. Ты поедешь и во всем разберешься.

— Не поеду.

— Тогда я тебя уволю.

Дарья пожала плечами, тоже закурила:

— Увольняй. Не поеду.

Некоторое время они курили и молчали. Ольга смотрела в сторону. Затушила окурок, повернулась к Дарье:

— Прости, Даш. Что-то я... Устала очень.

— Да ладно. Я понимаю.

— Но со «Строймастером» действительно проблемы. Надо разруливать.

— Барышев к нам по этому поводу приперся.

Что?! Кто куда приперся?!

— Барышев?

— Ну да. Я его внизу видела, на охране, ему пропуск выписывали...

...Ольга неслась по лестнице так, что две девочки из отдела маркетинга от нее шарахнулись и долго потом смотрели вслед. А она бежала вниз. Сломя голову, не соображая, куда, зачем... Просто хотела сбежать — от Барышева, от себя...

Она пулей вылетела в вестибюль и тут же увидела его — он стоял около лифта, высокий, похудевший, с огромным каким-то букетом в руках. Ольга попыталась было затормозить, свернуть за угол, но туфли скользили по мраморному полу, и она чуть не растянулась посреди вестибюля. Растянулась бы, если бы Барышев не поймал ее в последний момент. Но он поймал и понял, что больше не отпустит. Он ехал с этим букетом идиотским, с заготовленной речью, имея в запасе отличный, железобетонный повод увидеться, подготовив пути к отступлению, если что. И не поехал бы, но уж очень маетно ему было все эти два месяца. Так бывает: если начнет ныть больной зуб, а к стоматологу зайти недосуг, да и страшно. Тем более что зуб-то и не болит даже. Просто ты его постоянно чувствуешь. Сперва ты стараешься героически не обращать внимания — ну ноет и ноет, черт с ним, человек — царь природы, повелитель созданий больших и малых, реки вспять поворачивает и сады растит в пустыне, что ж, с собственным зубом не договорится, что ли? Но он, зараза, все ноет. Ты полощешь рот содой, жуешь анальгетики горстями, привязываешь на запястье дольку чеснока по бабкиному рецепту. А ничего не помогает. В один прекрасный день ты понимаешь: больше так продолжаться не может. И, бросив все дела, бежишь к зубному.

Барышев приехал как бы по делу. Он собирался обсудить проблемы, а дальше — по ситуации. Букет предполагалось вручать вроде бы почти официально, мы благодарим вас, Ольга Михайловна, за блестящую рекламную кампанию, и все такое...

Но Ольга Михайловна налетела на него со всего маху, чуть не сбила с ног и застала врасплох, то есть совершенно. Он стоял посреди вестибюля, держал ее — крепко, обеими руками. Глупый букет валялся на полу, мимо шли люди, а они стояли в обнимку, никого и ничего не видя, — одни на всем белом свете.

— Ты... Ты приехал...

— Я... Приехал.

ЭПИЛОГ

Полгода спустя

Надежда отодвинула пустую тарелку, жалобно покосилась на прилавок с десертами, побултыхала ложечкой в чашке с кофе:

— Ну чего? Сказала ему?

Ольга покачала головой:

— Нет еще. Сегодня скажу. Надь! Я боюсь! Он так хотел, чтобы был ребенок, а я боюсь до смерти.

— Чего боишься-то?! Вот не верила я, что беременные все чокнутые, а теперь верю!

— У него никогда не было своих детей...

Ну точно, все беременные — чокнутые, факт!

— Оль, у него двое твоих детей, и он им отец родной! Ты чего? Ты ревешь, что ли? С ума сошла! Радоваться надо, ну чего ты?..

По щекам Ольги катились слезы, она хлюпала носом. И улыбалась глупой, счастливой улыбкой.

— Я его так люблю, Надь... Ужасно просто...

— Так это ж хорошо! Он твой муж, ты его любишь, он тебя любит...

— Потому и реву, что все хорошо.

— Дура! Я сейчас сама зареву!

Они поревели немножко, потом Ольга пошла умываться, а Надежда все же заказала еще кусочек шоколадного торта. Вернулась Ольга — счастливая, с красным носом, с сияющими глазами. Они посидели еще немного, расплатились и пошли пешочком по бульвару в сторону офиса, болтая о том о сем.

— Надь, мы в пятницу вечером за город собираемся. Поедешь с нами?

Надежда помотала головой:

— В пятницу не могу.

— Что? Опять с начальником в ресторан идешь?

Надежда залилась краской:

— Ресторан рестораном, а начальник — вот он.

Она растопырила пальцы. На безымянном красовался здоровущий бриллиант.

— Замуж я за него выхожу. За начальника-то.

Ольга остановилась, уставилась на подругу как на чудо заморское:

— За Димку?! Надя! Правда, что ли?!

Надежда смутилась, покраснела еще больше:

— Ну да... Вот он мне предложение сделал. Колечко, видишь, подарил...

Вот это да!

— Надя... Димка... Он... же плейбой! Он же никогда не женится!

— Это он на вас не женится! А на нас женится!

— Но он же... Все девчонки в офисе...

Надежда расплылась в счастливой улыбке и мечтательно протянула:

— Я ему покажу девчонок!..

Литературно-художественное издание

ПЕРВАЯ СРЕДИ ЛУЧШИХ

Устинова Татьяна Витальевна

ВСЕГДА ГОВОРИ «ВСЕГДА»

Ответственный редактор *О. Рубис*
Редакторы *Е. Костикова, Т. Семенова*
Художественный редактор *А. Сауков*
Технический редактор *Н. Носова*
Компьютерная верстка *В. Фирстов*
Корректор *Г. Титова*

ООО «Издательство «Эксмо»
127299, Москва, ул. Клары Цеткин, д. 18/5. Тел. 411-68-86, 956-39-21.
Home page: **www.eksmo.ru** E-mail: **info@eksmo.ru**

Подписано в печать 10.03.2010.
Формат 84×108 $^1/_{32}$. Гарнитура «Таймс». Печать офсетная.
Бумага офс. Усл. печ. л. 18,48.
Тираж 200 000 экз. (1-й завод — 170 000 экз.). Заказ №1912

Отпечатано в ОАО «Можайский полиграфический комбинат».
143200, г. Можайск, ул. Мира, 93.
Сайт: www.oaompk.ru тел.: (495) 745-84-28 (49638) 20-685

ISBN 978-5-699-40843-6

Оптовая торговля книгами «Эксмо»:
ООО «ТД «Эксмо». 142700, Московская обл., Ленинский р-н, г. Видное,
Белокаменное ш., д. 1, многоканальный тел. 411-50-74.
E-mail: **reception@eksmo-sale.ru**

По вопросам приобретения книг «Эксмо» зарубежными оптовыми
покупателями обращаться в отдел зарубежных продаж ТД «Эксмо»
E-mail: **international@eksmo-sale.ru**

International Sales: *International wholesale customers should contact*
Foreign Sales Department of Trading House «Eksmo» for their orders.
international@eksmo-sale.ru

По вопросам заказа книг корпоративным клиентам,
в том числе в специальном оформлении,
обращаться по тел. 411-68-59 доб. 2115, 2117, 2118.
E-mail: **vipzakaz@eksmo.ru**

Оптовая торговля бумажно-беловыми
и канцелярскими товарами для школы и офиса «Канц-Эксмо»:
Компания «Канц-Эксмо»: 142702, Московская обл., Ленинский р-н, г. Видное-2,
Белокаменное ш., д. 1, а/я 5. Тел./факс +7 (495) 745-28-87 (многоканальный).
e-mail: kanc@eksmo-sale.ru, сайт: www.kanc-eksmo.ru

Полный ассортимент книг издательства «Эксмо» для оптовых покупателей:
В Санкт-Петербурге: ООО СЗКО, пр-т Обуховской Обороны, д. 84Е.
Тел. (812) 365-46-03/04.
В Нижнем Новгороде: ООО ТД «Эксмо НН», ул. Маршала Воронова, д. 3.
Тел. (8312) 72-36-70.
В Казани: Филиал ООО «РДЦ-Самара», ул. Фрезерная, д. 5.
Тел. (843) 570-40-45/46.
В Ростове-на-Дону: ООО «РДЦ-Ростов», пр. Стачки, 243А.
Тел. (863) 220-19-34.
В Самаре: ООО «РДЦ-Самара», пр-т Кирова, д. 75/1, литера «Е».
Тел. (846) 269-66-70.
В Екатеринбурге: ООО «РДЦ-Екатеринбург», ул. Прибалтийская, д. 24а.
Тел. (343) 378-49-45.
В Киеве: ООО «РДЦ Эксмо-Украина», Московский пр-т, д. 9.
Тел./факс: (044) 495-79-80/81.
Во Львове: ТП ООО «Эксмо-Запад», ул. Бузкова, д. 2.
Тел./факс (032) 245-00-19.
В Симферополе: ООО «Эксмо-Крым», ул. Киевская, д. 153.
Тел./факс (0652) 22-90-03, 54-32-99.
В Казахстане: ТОО «РДЦ-Алматы», ул. Домбровского, д. 3а.
Тел./факс (727) 251-59-90/91. rdc-almaty@mail.ru

Полный ассортимент продукции издательства «Эксмо»:
В Москве в сети магазинов «Новый книжный»:
Центральный магазин — Москва, Сухаревская пл., 12. Тел. 937-85-81.
Волгоградский пр-т, д. 78, тел. 177-22-11; ул. Братиславская, д. 12. Тел. 346-99-95.
Информация о магазинах «Новый книжный» по тел. 780-58-81.
В Санкт-Петербурге в сети магазинов «Буквоед»:
«Магазин на Невском», д. 13. Тел. (812) 310-22-44.

По вопросам размещения рекламы в книгах издательства «Эксмо»
обращаться в рекламный отдел. Тел. 411-68-74.